Mon cri pour toi

MICHELINE DUFF

à Laure,
Au lieu de jeter la pierre,
pourquoi ne pas tendre
la main ...
Bonne lecture !
Micheline Duff

Les Éditions
Coup d'œil

Première édition : © 2008, Les Éditions Québec Amérique, Micheline Duff
Présente édition : © 2018, Les Éditions Coup d'œil, Micheline Duff
www.boutiquegoelette.com
www.facebook.com/EditionsGoelette

Dépôts légaux : 2ᵉ trimestre 2018
Bibliothèque et Archives nationales du Québec
Bibliothèque et Archives Canada

Imprimé au Canada

ISBN : 978-2-89768-527-0
(version originale : 978-2-76440-631-1)

Si on ne m'avait pas attribué, à l'âge de six ans,
le titre d'« homme de la maison », rien de tout ceci
ne se serait sans doute produit.
D. B.

Merci pour ces moments d'évasion que tu nous procures,
ils nous invitent à nous dépasser…
Pierre A.

Notre rôle ne se limite pas à administrer la peine.
Nous devons, à toutes les étapes, aider le délinquant
à modifier son comportement.
Système correctionnel du Canada

À Daniel,
et à tous ceux qui,
derrière les barreaux,
ont un cœur qui bat.
Madame Piano

Note de l'auteure

Après ma première publication, *Mon cri pour toi* fut le deuxième manuscrit que j'envoyai à mon éditeur, lui affirmant que jamais de mon existence, je ne pourrais écrire un livre semblable, aussi original et poignant, véridique d'un couvert à l'autre et présenté comme un roman, simplement à cause du changement de noms des personnages et des lieux. « Si vous trouvez sur la planète Terre une professeure qui donne des cours de piano bénévolement dans un pénitencier d'hommes, qui est romancière et écrit un livre à ce sujet, je veux le savoir… », avais-je prétendu.

Hélas, trois semaines plus tard, je recevais une lettre de sa part le refusant pour l'unique raison qu'il ne ferait probablement pas d'argent avec une œuvre basée sur un tel sujet, même bien écrit. Je tombai par terre, découragée. J'avais cinquante-six ans, je commençais ma carrière d'écrivaine et j'avais des choses à dire. Je ne voulais surtout pas manger dans la main des éditeurs et rédiger ce qu'ils désiraient pour faire de l'argent sur mon dos. Oh que non !

Je lançai le manuscrit dans l'armoire et décidai de mettre un terme à mon métier d'auteure. Je ne m'attendais pas à ce que le goût de l'écriture me rattrape rapidement et que, l'année suivante, je publie *Plume et pinceaux*, et un livre chaque année depuis ce temps, jusqu'à avoir publié vingt-deux œuvres à ce jour. Mais chaque fois, je ne pouvais m'empêcher de songer que «mon meilleur» se trouvait toujours sur la tablette.

Au bout de huit années et de huit romans parus, j'étais suffisamment connue pour tenter la chance d'envoyer *Mon cri pour toi* à un autre éditeur. Ce dernier l'accepta aussitôt avec beaucoup d'enthousiasme. J'étais folle de joie! Comme prévu, l'œuvre fit son effet: les bonnes critiques, les articles de journaux, les entrevues, les émissions de télévision et de radio se multiplièrent. Un professeur de psychocriminologie à l'université en imposa la lecture à ses élèves, et mon personnage, maintenant en liberté, donne toujours des conférences avec le roman dans des écoles, des collèges, des universités et des congrès. Je peux même affirmer que dans les Salons du livre et lors de mes tournées-rencontres, *Mon cri pour toi* demeure mon volume le plus vendu. Une histoire que l'on n'oublie pas…

Au lieu de jeter la pierre, mieux vaut tendre la main. Puisse cette œuvre vous en convaincre, chers lecteurs. Je vous souhaite une agréable lecture et je vous salue bien amicalement.

Micheline Duff

Prologue

L'aube avait barbouillé le ciel de mauve. Dès que j'entrouvris, la bourrasque m'arracha la porte des mains et se mit à la heurter contre le mur avec un claquement sinistre et furieux. Pieds nus et encore vêtue de ma robe de nuit, je sortis sur la terrasse du chalet suspendue entre ciel et mer, au-dessus de la falaise. L'air semblait vouloir s'emparer de moi pour m'envelopper, me palper, siffler dans mon oreille, emmêler mes cheveux. Je sentais ses frémissements sur tout mon corps. Le vent, ses caresses, ce mouvement qui cherchait à m'entraîner, cette poussée irrésistible, tout cela me faisait rire. Y résister relevait de la pure jouissance et j'ouvris tout grand les bras avec l'impression d'embrasser l'univers. Au pied de l'escarpement, des vagues gigantesques se fracassaient et festonnaient la mer d'angora blanc. Derrière le chalet, les arbres ployaient dans tous les sens et balançaient leurs cheveux comme des sorcières démentes.

Je me sentis soudain petite, infiniment petite. Et seule. Au bout du monde. Pas d'âme qui vive à des milles à la ronde. Seule. Moi et le vent. Moi et la force du vent. Moi et l'immensité de la mer. J'enviai l'oiseau blanc qui virevoltait au-dessus du gouffre en lançant des cris perçants. Je ne possédais pas cette liberté. Comme une enfant, je me mis à tournoyer en riant, les mains ouvertes et le regard tourné vers le haut. Vers le grand, vers le fort. Vers l'insaisissable. Mais je perdis pied. Sans la protection du parapet, l'étourdie que je suis aurait pu basculer dans l'abîme. L'euphorie du moment n'avait eu d'égale que l'horreur du vide. Le péril…

Cette idée évoqua un souvenir encore récent. Le trou… ce lieu où l'on enferme les prisonniers récalcitrants hors de l'univers, les privant de tout contact avec les autres humains pendant des jours, voire des semaines. Un trou au niveau du sol, cerné de barreaux, et dont le néant happe la pulsion de vivre et en éteint le feu jusqu'à la dernière braise. Seuls y survivent les enragés… et les morts-vivants qui s'en fichent.

Christian… Il m'avait dit: «Lorsque je suis revenu du trou, un cri immense, effroyable, me nouait la gorge. J'ai eu peur d'en mourir tant il m'oppressait. Et il m'effraie encore, Françoise, car il se trouve toujours là au fond de moi.» Je n'avais su que poser, sur son bras, une main hésitante et silencieuse. Chaleureuse tout de même. «Je te comprends…»

C'est pourquoi, en ce moment précis, sur la terrasse surplombant la mer déchaînée, j'ai pensé à toi, Christian. Et au-dessus du trou, seule, ivre de liberté, debout dans les gémissements du vent, bras tendus et poings fermés brandis vers le ciel, j'ai crié. D'un grand cri extirpé aux fibres mêmes de ta souffrance devenue mienne. Entre Dieu et diable, j'ai hurlé mon cri pour toi de toute la ferveur de mon amitié.

À partir de ce jour, j'ai commencé à écrire ton histoire, mon ami, telle que tu me l'as racontée, en pièces détachées et au fil des années. J'ai voulu prolonger dans l'éloquence silencieuse des mots ce cri pour toi lancé dans le vide d'un matin mauve. Puisse ce récit de ta vie, à sa manière, t'apporter la paix que tu mérites. Puisse-t-il refréner l'élan brutal de ceux-là, toujours prêts à lancer la pierre sur les transgresseurs de l'existence. Puisse-t-il, surtout, réduire les préjugés et témoigner que, sous la carapace de ceux qui ont les deux mains sur les barreaux, se cachent souvent des cœurs d'enfant qui n'ont jamais cessé de battre.

1

Malgré la courte distance à parcourir entre le stationnement du pénitencier et l'unique voie d'accès à l'intérieur des murs, et ensuite du pavillon de l'administration jusqu'à celui du « socio », je sens le froid cinglant me mordre les joues. Vivement à l'intérieur pour me réchauffer avec un café!

À huit heures du matin, le secrétariat du socio bourdonne déjà d'activité. Les gardiens, le *récréologue* et le directeur de la section s'y pointent en même temps que les nombreux détenus responsables soit de l'entretien ménager des lieux et des équipements requis pour les arts plastiques et les activités physiques ou éducatives, soit de la réalisation d'une émission de télévision quotidienne en circuit fermé. En prison, tout ce beau monde n'est pas pressé de démarrer la journée, et l'on s'attarde volontiers à la porte du secrétariat, centre névralgique des lieux, pour piquer une jase au milieu du va-et-vient continuel. Peu sont éligibles au café qui perfuse derrière l'un des pupitres, et la « huit tasses » fournit exclusivement les membres du personnel, rarement les détenus. Je ne suis ni l'un ni l'autre, mais j'ai droit au café.

— Allô, Madame Piano!

— Salut, les gars! Ça va? Y a-t-il un petit café pour moi?

– C'est pas encore prêt. Je vais envoyer quelqu'un vous le porter dans quelques minutes. Pas de lait, pas de sucre, c'est bien ça?

Le *récréologue* me gratifie d'un regard condescendant. S'il se montrait aussi coopérant pour les cours qu'il est zélé pour le café, celui-là, tout irait bien...

Le terme «studio» pour désigner le lieu où l'on a rangé le vieux piano mal foutu constitue un bien grand mot: un coin de remise, tout au plus, sans fenêtres et totalement encombré. Des dizaines de boîtes empilées, des outils, des bouts de tuyau et de fils électriques, quelques chaises empoussiérées, bref, un bric-à-brac indescriptible éclairé par une ampoule unique. On me promet depuis des mois de transférer le piano dans une des nombreuses salles spacieuses et bien éclairées de la bâtisse, et peu utilisées durant la journée. «Mais vos élèves ne pourraient pas venir travailler leur piano, le soir: ces locaux servent pour des cours ou d'autres activités.» Ah bon. À croire que mes cours gratuits ont moins d'importance que le taï-chi ou les cours de peinture et de sculpture subventionnés à grands frais et supervisés par des professeurs officiellement inscrits sur la liste de paye du gouvernement fédéral. Il ne me servirait à rien de chialer, je ne me présente pas là pour les amabilités et la haute considération du personnel ni pour la beauté des lieux. Encore moins pour le café! Quant au salaire, je ne me permets même pas d'y songer.

– Bonjour! C'est donc vous, Madame Piano? J'ai entendu parler de vous, et en bien, par-dessus le marché! Voici votre café. Je m'appelle Christian Larson, je suis le nouveau responsable des émissions de télé.

– Salut, Christian. Tu viens d'arriver à Bonsecours[1]?

– Non, non, j'habite ce château fort depuis trois ans, après sept années au max[2]. Comme j'achève mes études, on m'a affecté ici, au socio. Je remplace Louis. Vous le connaissiez bien, je crois?

Si je le connaissais? Je m'en ennuie sans bon sens! Pendant deux ans, Louis a été mon ami. Il interprétait Édith Piaf comme pas un. *Non, rien de rien, non, je ne regrette rien...* Je le vois encore s'arrêter net de jouer et me lancer, en se retournant tout d'un bloc : «C'est pas vrai, je regrette tellement!»

Le mois précédent, Louis a relevé le défi de jouer au récital de mes élèves au privé. Libéré quelques jours plus tôt que prévu, le débrouillard a convaincu le propriétaire d'un magasin d'instruments de musique de le laisser, avant l'ouverture et après la fermeture, s'exercer sur l'un des pianos en démonstration. Le soir du concert, l'ex-détenu a pu, parmi mes autres élèves, monter sur la scène pour jouer brillamment *La vie en rose* sur le grand piano à queue de la Maison des Artistes. Personne n'a deviné que ce caméraman de métier venait de sortir de prison. Mais moi, je n'oublierai jamais quand, dans les coulisses, il s'est écroulé en larmes dans mes bras, secoué par les applaudissements. Je n'ai jamais su les véritables raisons de son séjour en prison. Une chose est certaine, il tranchait sur les autres prisonniers!

André, lui, un autre de mes élèves, n'aura pas eu cette chance. L'an dernier, avec l'assentiment du directeur du socio, il s'était préparé pendant de nombreuses semaines pour se produire, lui aussi, à mon concert. Mais quelques jours avant la date, on a bloqué son projet à la haute direction. Révoltée,

---

1. Pénitencier à sécurité moyenne.
2. Pénitencier à sécurité maximale.

j'ai pris l'initiative de protester auprès du directeur de la prison lui-même.

– Monsieur Barrière avait donné sa permission. Et André est à cinq semaines de sa libération définitive. Depuis un an, vous l'avez laissé sortir en liberté conditionnelle pour se rendre dans sa famille, à Mont-Laurier, seul et par ses propres moyens. Et vous lui refusez une sortie à trois kilomètres du pénitencier, un dimanche matin, pour une durée de trois heures? Il s'agit d'un grand défi pour lui. Pour une fois qu'il accomplirait quelque chose de grand dont il se sent très fier… Je viendrai le chercher et le ramènerai, s'il le faut.

– Je regrette, madame. On n'amène pas nos étudiants au Salon de l'auto parce qu'ils prennent des cours de mécanique ici…

Et vlan! Les portes de la prison se referment sur Madame Piano aussi! J'ai dû tourner ma langue cent sept fois pour ne pas lui dire vertement ce que je pensais de cette attitude. À partir de ce jour, André a quelque peu perdu sa motivation et délaissé le piano jusqu'à son départ, le mois suivant.

Christian semble d'humeur à converser et s'installe sur une chaise sans que je l'y invite.

– Ainsi donc, Christian, tu vas travailler au bout du corridor dans le studio de télé? Eh bien, bravo! Bienvenue au socio! C'est étrange, ton visage me dit quelque chose. Tu venais souvent ici?

– Non, jamais. Vous savez, moi, les activités culturelles «en d'dans»[3]… Mais dorénavant, vous allez me voir souvent. Réaliser une émission quotidienne à l'interne, c'est pas rien, tout de même!

---

3. Expression utilisée par les détenus pour désigner la prison.

Christian me sourit de toutes ses dents. Il ne gagnerait pas un concours de beauté, mais il possède le visage sympathique d'un intellectuel avec une tête d'adolescent. La voix possède une consonance chaude et masculine. Je scrute son visage.

– On s'est déjà vus quelque part?

– Peut-être à la télévision? J'ai participé à l'émission *Zone libre,* le mois dernier. On s'intéresse aux condamnés à vie maintenant!

Condamnés à vie! Oui, oui, je me rappelle! Je l'entends encore énoncer son beau rêve de devenir prêtre, malgré sa détention. Il m'avait paru tellement rayonnant et sensé parmi les autres invités condamnés à perpétuité comme lui et dont les discours semblaient appris par cœur pour épater la galerie.

Je jette sur lui un œil curieux.

– Oui, je te reconnais! Tu m'avais même impressionnée, je me rappelle... Tu te prétendais un homme libre, malgré ta sentence.

– Et je le maintiens! Le gars dans la cellule d'à côté est un jaloux. Et l'autre en face ne peut pas se passer de sa drogue. Oui, j'avais un peu parlé de ça, à la télé: la liberté et les prisons intérieures.

– Pas banal, ces idées-là, jeune homme, dans la bouche d'un détenu!

– La liberté réside en bien autre chose qu'un laissez-passer pour se déplacer à volonté, vous savez. J'ai eu l'occasion de méditer là-dessus, croyez-moi!

Christian demeure pensif. À n'en pas douter, il ne s'attendait pas à discuter aussi sérieusement ce matin.

– Et le projet de prêtrise, ça marche toujours?

– Euh... non, pas vraiment.

Je le sens soudain troublé. Je n'aurais pas dû lui poser cette question trop personnelle. Je m'en veux de ma maladresse.

— Écoute, on reprendra cette discussion une autre fois. J'entends Léon trépigner à la porte. Je dois commencer mes leçons.

Quel phénomène, tout de même, ce bonhomme-là! Il parle comme un livre! Un penseur… Une fleur parmi les orties… Je comprends maintenant l'intérêt des réalisateurs de Radio-Canada pour un tel paradoxe.

— Tu reviendras m'apporter du café, dis?

— Promis, Madame Piano. D'ailleurs, j'ai inscrit mon nom sur la liste d'attente pour vos cours.

— Il y a sept noms sur la liste en ce moment. Ton tour ne viendra pas avant l'an prochain et même plus tard, j'ai bien peur.

— Pas grave! Du temps, j'en ai plein les poches! En attendant, je vais revenir jaser avec toi chaque semaine. Je peux te tutoyer?

— Évidemment, même si j'ai à peu près l'âge de ta mère! Une seule condition: moi, je prends toujours mon café avec un bec, ça goûte meilleur!

Le visage de Christian s'éclaire. Il s'empresse de déposer un bisou sur ma joue. Le pacte est scellé, une amitié vient de naître. Je le regarde s'éloigner avec dépit. Il a beau philosopher, ce garçon-là pourrait se trouver ailleurs qu'ici. Si jeune et condamné à vie… Quel gâchis! Et pourquoi, grands dieux, pourquoi? Quelle tempête a perturbé son passé pour le mener dans une telle galère? Le saurai-je jamais? En tout cas, il vient de trouver une amie.

On frappe à la porte. Mon prochain élève s'impatiente.

— Alors, mon Léon, on a passé une bonne semaine?

– Oui! tu vas être contente de moi, je suis venu *pratiquer* mon piano trois fois, cette semaine. Les autres soirs, la salle était occupée.

– Ne me dis pas que tu vas encore mériter un collant! Tu commences à me coûter cher, mon petit gars!

Le « petit gars » s'avère un géant de cent vingt kilos aux allures de casse-tout, le genre de type tatoué et au crâne rasé qu'on ne voudrait pas rencontrer, la nuit, dans une ruelle obscure ou à la sortie d'un bar. Pourtant, je me retrouve enfermée ici, seule à seul avec lui, chaque semaine, et il ne m'effleure jamais l'esprit de le craindre le moindrement. Quand on traite un homme en être humain, il se comporte en être humain. Quand on le traite en enfant…

Mes ridicules petits collants exercent le pouvoir magique de métamorphoser les durs de durs en enfants. Il faut les voir choisir leur collant avec minutie, hésiter entre une étoile et un petit cœur, « quoique l'ange et la rose sont bien jolis aussi… » Ils n'ont pas aussitôt mis le pied hors du studio que je les entends souvent s'écrier dans le corridor, en brandissant leur cahier: « Eh! les gars! Regardez! J'ai eu un collant! »

Non, la fierté n'a pas d'âge ni de frontière, je l'ai compris depuis le premier jour où je suis venue ici.

– Viens, mon Léon, viens t'asseoir au piano. Viens me montrer de quoi tu es capable.

2

Le cœur d'enfant

Il n'arrivait pas à dormir. Même la présence de son ourson en peluche ne réussissait pas à l'apaiser suffisamment pour qu'il bascule dans le sommeil, cet univers de paix où l'on n'entend plus sa mère pleurer dans sa chambre, à l'autre bout du corridor. Le logement était vaste pourtant, mais pas assez pour empêcher les lamentations de s'infiltrer à travers les murs et de se rendre jusqu'au lit de Christian.

À six ans, il ne pouvait comprendre le chagrin de sa mère. « Papa va arriver, papa va arriver. » Si seulement Roger venait dormir à la maison plus souvent, il saurait bien, lui, consoler Jeanine. Mais les chauffeurs d'autobus travaillent si fort, même la nuit et les fins de semaine. Sa mère le lui avait expliqué mille fois. Alors Christian se contentait d'attendre patiemment son père tout au long de sa petite existence plutôt fade et douceâtre entre une mère larmoyante et une jeune sœur somme toute pas trop encombrante.

Secrètement, il espérait retourner avec toute la famille à l'île Sainte-Hélène, un bon dimanche, comme l'an dernier. Ah! quel pique-nique! Roger s'était longuement attardé à nourrir les écureuils avec ses deux enfants sous le regard attendri de Jeanine.

Puis ils avaient marché tous ensemble le long d'un sentier. Christian avait glissé sa main minuscule dans celle, géante et râpeuse, de son père.

L'enfant adorait son paternel et ne réalisait pas l'indifférence manifeste de ce dernier. Il suffisait d'un bon mot, d'un court moment d'attention ou d'une simple caresse sur sa tête, et l'univers de Christian se transformait en un monde heureux et sécurisant. Enfin, il se trouvait là, l'être le plus extraordinaire, le plus grand, le plus fort de la terre !

Quand il deviendrait grand, il lui ressemblerait. D'ailleurs, tout le monde leur trouvait déjà des similitudes. Leurs yeux bruns en amande et le pli impérieux des lèvres exprimaient déjà la même fermeté et la même détermination. Cet hiver, Christian avait essayé de mettre ses pieds dans les pistes tracées sur la neige par les bottes de Roger. Il n'y était pas parvenu mais un jour, il n'en doutait pas, il se transformerait en colosse comme lui !

La semaine précédente, Roger s'était exceptionnellement attardé auprès de son fils maladroit en train de construire un avion avec son mécano.

— Viens, mon grand, je vais t'aider.

L'enfant appréhendait d'entendre à nouveau la réflexion de l'autre jour, quand son pont suspendu s'était bêtement écroulé : « Ouais, on fera pas un ingénieur de toi, mon garçon ! » Cette fois, langue entre les dents et yeux plissés, respirant à peine, Christian restait suspendu aux gestes de son père. Lui, au moins, savait visser habilement l'une sur l'autre les tiges de métal perforé.

Le résultat fut sensationnel, et l'enfant gardait encore l'avion comme un trophée. Jamais il n'accepterait de le démanteler même si certaines pièces lui faisaient défaut pour d'autres constructions. Tant pis !

Sa mère, hélas, se trouvait toujours là pour éteindre l'enthou-
siasme : fais ceci, ne fais pas ça, lave tes mains, ramasse tes affaires,
fais tes devoirs… L'autre soir, elle avait protesté quand il avait voulu
dormir avec l'avion dans son lit. Son père, au moins, le laissait faire.
Malgré tout, Jeanine lui procurait souvent de précieux moments
de douceur et de tendresse. Ainsi, lorsque Lison et lui allaient
se coucher, elle les bordait en leur chatouillant la joue du bout
des doigts. Et Christian attendait ces gestes avec impatience.

Mais le vrai pilier de la famille, en dépit de ses absences trop
nombreuses, demeurait Roger. La mère semblait dépendre entiè-
rement de lui et organisait leur vie en fonction de lui. Quand
le père se trouvait là, on mangeait exclusivement ses mets préférés et
on exécutait ses ordres à la lettre. Les courses, les tâches ménagères,
les devoirs et les leçons, Roger ne s'en préoccupait guère. Après les
repas, il sirotait son thé en lisant le journal, et Jeanine se tapait
le rangement de la cuisine. Puis elle donnait le bain aux enfants,
et ils venaient alors dire bonsoir à leur père qui les gratifiait
d'un distrait bécot sur le front. Ces soirs-là, Christian s'endormait
paisiblement. Rien de néfaste ne pouvait se produire, le chef de
la famille veillait sur eux.

L'enfant ne réalisait pas que ses parents ne se parlaient presque
plus. Depuis des années, leurs seules conversations se limitaient à
des reproches marmonnés entre les dents afin d'empêcher l'atmos-
phère familiale de surchauffer. Jeanine acceptait de plus en plus
difficilement les départs inexpliqués de son mari et soupçonnait
même l'existence d'une maîtresse. Assurément, il mentait quand
il se prétendait dans l'obligation de travailler continuellement.

L'autre dimanche, quand elle avait tenté de le joindre à la
compagnie de transport, on avait répondu que monsieur Larson
se trouvait en congé depuis trois jours. Et le fait que Roger ait cessé
toute relation sexuelle avec elle constituait le plus cruel indice de sa

désaffection. Indéniablement, leur vie de couple et de famille s'en allait à la dérive, et cela la rendait folle d'inquiétude.

Même Christian et Lison semblaient taper sur les nerfs de leur père. On les disait pourtant des enfants sages et obéissants, rarement bruyants, mais Jeanine les priait constamment de ficher la paix à leur père « trop fatigué », ce qui exaspérait Christian.

Comment aurait-il pu deviner que Roger n'aimait plus sa femme? Et, pire, que la haine semblait s'installer dans leur couple? Un enfant, dans sa pureté et sa naïveté, ne peut comprendre la haine... Mais Roger persistait à demeurer auprès de la mère de ses enfants. Qu'est-ce donc qui le retenait? Pourquoi, au lieu de vivre dans la feinte et le mensonge, ne quittait-il pas décemment le domicile familial? L'incorrigible coureur de jupons fréquentait d'autres femmes, beaucoup d'autres femmes, et Jeanine le savait depuis belle lurette. Mais l'idée de le voir s'amouracher d'une seule d'entre elles s'avérait plus alarmante, car l'amour entrait alors en jeu. Malgré tout, elle refusait de le laisser partir, paniquée à la perspective de rester seule avec la charge de deux enfants. Elle préférait l'humiliante demi-mesure au quotidien plutôt que le rejet à perpétuité, l'illusion d'une paisible vie familiale au lieu de l'éclatement définitif.

Depuis quelque temps, par contre, la situation se détériorait et le ton montait dangereusement, même en présence des enfants. Les remarques jadis glissées à mi-voix faisaient maintenant place aux engueulades virulentes. Roger n'avait jamais levé la main sur sa femme, mais il ne se gênait plus pour l'assommer de mots blessants. À force de se faire traiter de bonne à rien, Jeanine en était venue à se croire la cause de tous les maux. Pas assez bonne, pas assez généreuse, pas assez belle, pas assez aguichante... Elle s'écrasait comme un animal blessé, suppliant son mari de ne pas les abandonner.

Mariée à dix-sept ans, elle avait accouché, cinq mois plus tard, d'un gros bébé joufflu, Christian. L'enfant avait fait sa joie et sa raison de vivre. Lison avait suivi son frère de quelque deux années. Si, depuis le début de leur mariage, la jeune épouse avait passé l'éponge sur les frasques passagères de Roger, le problème lui paraissait plus grave, cette fois : son mari de trente-deux ans semblait s'être sérieusement entiché d'une donzelle d'à peine dix-huit ans.

En réalité, Jeanine en avait assez de cette vie misérable. Mais où irait-elle si Roger partait ? Elle n'avait connu que lui. Et ses enfants avaient besoin de voir leur père et leur mère ensemble. D'ailleurs, comment ferait-elle pour survivre sans lui ? Elle ne possédait pas un sou. Alors, elle se taisait. Et la nuit, trop souvent seule dans son grand lit, croyant ses enfants endormis, elle pleurait toutes les larmes de son corps.

Le frère et la sœur ne comprenaient rien à ce que leurs parents se criaient par la tête, mais quand la tempête grondait, ils se serraient l'un contre l'autre, tapis, immobiles comme des oisillons devant le danger. Maman semblait si vulnérable, et papa parlait si fort… Maintes fois, la dispute s'était terminée par le départ de Roger sur un brutal claquement de porte. Jeanine prenait alors ses enfants consternés dans ses bras et les berçait en silence. Tout doucement, le calme revenait. Rassurés, ils retournaient à leurs jeux comme si rien ne s'était passé, avec l'air d'avoir tout oublié. Mais au fond, ils n'oubliaient pas.

Christian, du moins, n'oubliait rien. Sa petite sœur de quatre ans reprenait plus facilement ses poupées, mais lui se remettait péniblement de ces moments générateurs d'anxiété. Il ne pouvait admettre que son père soit la cause de toute cette misère. Un être si parfait…

Pourtant, il ne supportait pas de voir sa mère pleurer. À la longue, il en vint à se croire lui-même responsable de tous les ennuis, lui, Christian Larson, petit polisson indocile et désobéissant.

L'autre jour, Jeanine lui avait demandé de ramasser ses jouets et il n'avait pas obéi immédiatement. Et quand il avait bousculé Lison pour l'amour d'un biscuit, sa mère avait paru tellement abattue. Comme il avait regretté son geste! Plus jamais il ne se disputerait avec sa sœur. C'était lui, le plus raisonnable des deux, lui, le grand frère, le fils de la maison.

Alors le soir, les idées coupables et les fermes résolutions s'entremêlaient dans son esprit et le maintenaient en éveil. Demain, il se comporterait comme un super gentil garçon. Et maman cesserait de geindre. En voyant que tout allait mieux, Roger resterait sûrement plus longtemps auprès d'eux. Alors la paix réintégrerait leur foyer. Le petit garçon de six ans rêvait à cela en récitant sa prière, le soir, son vieux nounours serré trop fort sur son cœur.

3

La semaine dernière, un individu masqué s'est introduit par effraction dans un domicile près de chez moi. Après avoir battu et ligoté ses trois occupants, le bandit s'est enfui avec quelques bijoux et une soixantaine de dollars, non sans avoir tiré à bout portant sur le mari qui a rendu l'âme sous les regards horrifiés de sa femme et de son fils.

En lisant cette histoire dans les journaux, comme tout le monde, j'ai senti monter la rage. Et la haine… Vite! qu'on arrête cette ordure, qu'on nous en débarrasse et le laisse mourir à petit feu pendu par les couilles, voilà tout ce qu'il mérite! Par contre, devant de telles abominations, je ne manque jamais de songer que, dans quelques années, j'aurai peut-être à donner des cours de piano à ce monstre. Et cela me fait toujours frissonner. Quelle aberration! Et quel défi! Comment y arriverai-je?

Par quel miracle Madame Piano réussit-elle à faire abstraction de ces histoires d'horreur, je me l'explique mal. Il y a si loin entre un Christian ou un Louis et de telles atrocités! À croire que mes élèves ont tous été de «bons» bandits, propres et respectueux, et qu'ils ne répéteront plus jamais leur «simple erreur de parcours»!

Malgré les interrogations qui ne manquent pas de m'assaillir, je me refuse à juger mes élèves. J'ai pour principe de ne pas poser de questions. Ils me disent ce qu'ils veulent bien me dire. Ceux qui m'ont décrit leur crime sont l'exception. La plupart conjuguent sourdement leur histoire au passé composé et définitif, trop accaparés par leur survie à l'indicatif présent et surtout au futur. Des confidences sur leurs blondes, j'en reçois parfois. Leurs appréhensions face à leur remise en liberté, ils m'en parlent abondamment, surtout quand le moment approche. Mais le passé reste en général enrobé de silence, à mon grand soulagement.

À la longue, j'ai aussi appris à débusquer les grands manipulateurs. Quand un gars, après une quatrième condamnation, jure trop haut et trop fort que la drogue, c'est fini pour lui, même sans thérapie, et qu'en plus une *job* super payante l'attend dehors, qu'une amoureuse fidèle rêve de lui dans un nid doré, je le laisse dire. Je refuse de jouer son jeu. Je ne veux jouer aucun jeu, d'ailleurs. Je n'ai accès à aucun dossier, je n'évalue personne, je ne dispose d'aucun pouvoir. Je ne possède aucune connaissance spécialisée en criminologie, psychologie ou travail social. Je reste une bénévole sans formation qui vient ici pour écouter, partager, améliorer le sort de malheureux et les aider à passer le temps, rien de plus. Et offrir la musique, cette chère musique qui valorise et console tant ceux qui s'y adonnent. Si mon zèle a des répercussions dans leur avenir, tant mieux, sinon, tant pis! Il a au moins le mérite d'adoucir leur présent.

Louis m'appelait «son rayon de soleil du mercredi». Ce titre ronflant me faisait plaisir. Au fond, il me rassure sur la pertinence de mes visites. Mon seul talent consiste à considérer le plus vil des détenus comme un être humain. Un être humain malheureux. Seulement cela. Voilà ma clé ensorcelée pour établir le contact : oublier les crimes et rechercher le filon d'humanité, ce germe souvent enfoui qui ne demande qu'à fleurir. Viser le cœur d'enfant, s'il existe toujours... Encore faut-il lui donner un peu de lumière. Je n'ai pas la prétention d'être un soleil, mais je me sens néanmoins jardinière pour bêcher, sarcler, nettoyer. Et surtout semer. Le soleil n'a qu'à faire son boulot !

Comment en suis-je venue à pratiquer ce bénévolat dans un milieu aussi rébarbatif ? Certains jours, cela m'intrigue encore ! Il y a quelques années, un prisonnier réclamait de la correspondance dans un grand quotidien montréalais. La demande est tombée sous mes yeux de curieuse et d'aventurière comme on manipule un pion sur un jeu d'échecs. Je sortis mon plus beau papier à lettres sans songer aux risques, pour une mère de famille, d'engager une relation avec un bandit. Je ne me doutais pas que ce prisonnier deviendrait « Mon grand »[4].

Il m'apprit, dans sa première lettre, qu'il était en train de terminer un baccalauréat en sociologie avec l'aide de professeurs bénévoles de l'UQÀM. Quoi ? On pouvait donner des cours bénévolement en prison ? De la sociologie aux cours de musique, il ne resta qu'un pas à franchir dans ma tête de professeur de piano : je me mis en frais de trouver le pénitencier où l'on m'accepterait une demi-journée par semaine. De fil en aiguille et après de nombreux appels, je finis par tomber sur la bonne personne au bon endroit : Monsieur Francis Barrière, directeur de la section socio-culturelle de Bonsecours, et lui-même pianiste amateur. Il me mit honnêtement en garde.

– J'ai moi-même tenté d'enseigner le piano à certains détenus, mais ça n'a pas marché.

– Laissez-moi au moins essayer.

---

4. *Mon grand*, témoignage, JCL, 2003.

– J'aimerais vous rencontrer au préalable.

Quelques jours plus tard, Madame Piano faisait son entrée à Bonsecours, tout yeux et tout oreilles, mais les mains tremblantes dissimulées dans ses poches.

Je ne connaissais rien à l'univers carcéral. De toute ma vie, jamais je n'avais côtoyé un criminel ou un ex-prisonnier, pas même un employé de prison. Le directeur m'accueillit gentiment et m'annonça avoir déjà sélectionné mes quatre premiers élèves.

– Des gars réellement intéressés. Ils ne vous feront pas niaiser.

Niaiser? Comment cela, niaiser? Je ne tarderais pas à comprendre: dans une population pénitentiaire, ils sont légion, les individus non structurés, incapables de fournir un effort mais prêts à consommer tout ce qu'on leur offre à titre gracieux. Prêts à niaiser et à faire niaiser…

– Il s'agit de partir du bon pied. Je vais d'ailleurs vous les présenter dans quelques minutes. Ils vous attendent.

Quoi? Ils m'attendaient? Ah! mon Dieu! Pas si vite! Je n'envisageais pas une rencontre dès ce jour-là, moi! Dans quelle galère m'étais-je donc embarquée?

Avare de commentaires, le directeur m'introduisit dans une salle de conférence où les quatre «bons» volontaires, aussi intimidés que moi, attendaient l'oiseau rare. Puis, il nous a bêtement laissés en plan et a refermé la porte derrière lui. Je lui en ai voulu pour ce geste: m'abandonner seule avec quatre criminels! Des vrais! J'en ai ressenti des sueurs froides, m'étant toujours imaginée que les leçons de piano auraient lieu obligatoirement en présence d'un gardien.

Trois des détenus ressemblaient à des hommes ordinaires, plutôt jeunes et sympathiques, que j'aurais pu rencontrer dans la rue. Le dernier m'apparut plus conforme aux clichés avec ses tatouages sur les bras et son anneau dans le nez. J'ignorais comment m'adresser à eux et j'aurais voulu me sauver à toutes jambes. Les quatre types me dévisageaient, silencieux. J'optai pour la franchise.

— Je me sens mal à l'aise, je vous avoue. Je viens en prison pour la première fois de ma vie et... je ne sais trop quoi vous dire!

— Pourquoi viens-tu nous donner des cours de piano?

— Je suis prête à offrir une demi-journée de bénévolat par semaine. Parce que la musique constitue, selon moi, la plus belle forme d'évasion sur cette planète...

« Évasion », le mot magique! Je vis des lumières s'allumer au fond des yeux. La glace venait de se rompre, on rapprocha les chaises. L'un d'eux savait jouer de la guitare mais ne connaissait rien au clavier. Deux autres voulaient réaliser un vieux rêve. Le dernier, celui d'allure délinquante, me confia sans sourciller :

— Moi, je veux prouver à mon père que je sais faire autre chose que des bombes!

— Alors, messieurs, on commence quand?

— Tout de suite!

On organisa l'horaire pour la semaine suivante. À mon départ, l'un d'eux me demanda timidement s'il pouvait m'embrasser. Surprise, je m'y pliai volontiers et reçus sur la joue un timide baiser fort touchant. Les trois autres l'imitèrent. Depuis ce jour, je n'ai jamais manqué à ce rituel, aussi précieux pour moi que pour eux. Un seul, durant toutes ces années, m'a demandé de ne pas l'embrasser. Ça le rendait trop confus, semble-t-il, il n'avait jamais reçu de baiser de sa vie. Je n'ai pas protesté, il avait le visage complètement tatoué et affichait une araignée géante au milieu de chaque joue. Je n'avais vraiment pas le goût d'y poser les lèvres!

J'ai gardé ces premiers élèves pendant quelques mois ou quelques années, jusqu'à la libération définitive de chacun ou son départ vers une maison de transition. L'un d'eux m'a laissé en souvenir une cassette sur laquelle il chante *Un jour à la fois* en s'accompagnant lui-même au piano. Je l'écoute encore, de temps à autre, non sans un pincement au cœur.

Aujourd'hui, après cinq ans, en regardant Christian quitter le studio, je me demande qui, de lui ou de moi, a le plus besoin de soleil en ce petit matin glacial. Ma vieille amie Pauline est gravement malade, m'a-t-on appris hier soir. Je suis obsédée par cette mauvaise nouvelle, mais il ne se trouve personne, en ce lieu, à qui je pourrais confier ma peine. Qui se soucie d'une jardinière éternellement joyeuse? Ici, Madame Piano n'a pas droit à la tristesse ni à la fatigue. Ses émotions ne comptent pas. Ne doivent pas compter. Elle est l'amie des prisonniers, et rien ne les oblige à l'inverse.

Même les clowns tristes sont là pour faire rire.

4

L'homme de la maison

Tous les problèmes de l'univers que Christian souhaitait voir se régler perdurèrent trois longues années. Trois ans où Roger mena sa double vie. Trois ans où la tolérance de Jeanine contrebalançait la désaffection de son mari. Trois ans de statu quo que Christian et Lison perçurent comme assez vivables, en fin de compte.

Pourtant, le garçon ne s'accoutuma jamais aux disputes entre ses parents ni aux crises de désarroi de sa mère. Mais il apprit à les évincer de son esprit. Les lendemains de nuit blanche, il décidait de ne plus y penser. Et ça marchait! Il possédait maintenant son petit monde bien à lui à l'école, devenue une sorte de refuge quotidien. Le sympathique bonhomme de neuf ans, curieux et tranquille, plus habile en français qu'aux compétitions sportives, aurait tout donné pour voir son père se pâmer devant ses résultats scolaires ou ses performances avec le nouveau mécano offert par sa grand-mère. Il aurait vu à quel point son fils avait développé ses talents d'ingénieur, ces derniers temps.

— Maman, pourquoi papa est jamais ici?

— J'sais pas. Il nous aime plus, je pense…

Christian ravalait sa salive. Jeanine aurait dû lui expliquer, à tout le moins, le réconforter. Mais elle se contentait de renifler, le regard perdu dans ses pensées. Pourquoi son père ne l'aimait-il plus ? À part quelques querelles anodines avec Lison, il n'avait rien fait pour mériter cela. Toujours agir en garçon parfait devenait étouffant à la longue. Heureusement, à l'école, il se sentait naturel et estimé des autres. Il en arrivait presque à oublier son père.

Si on voyait très peu Roger à la maison, on ne pouvait cependant lui reprocher de faillir aux besoins financiers de sa famille. Imaginait-il se racheter par des gâteries et des cadeaux ? Au début de l'été, il avait fait installer des balançoires et une piscine hors terre pour les enfants. La cour arrière du logement de la rue de la Visitation devint bientôt le lieu de rassemblement des jeunes du quartier.

Ce jour-là, Christian avait justement planifié des olympiades dans leur minuscule bassin. Bien sûr, il préférait occuper la place d'arbitre plutôt que celle de concurrent. Chronomètre en main et investi de son importance, il tenait sérieusement le compte des performances d'une douzaine d'enfants. Soudain, il discerna au-dessus du tumulte des cris alarmants en provenance de la maison. « Non, non, je t'en supplie… » C'était sa mère ! Il lâcha tout, sans explications, et s'en fut en courant à l'intérieur malgré l'interdiction formelle d'entrer avec les pieds mouillés.

Deux valises occupaient le milieu du corridor. Il s'achemina rapidement vers la chambre d'où provenaient les voix. Jeanine, assise sur le bord du lit, suppliait son mari de ne pas partir. Christian vit sur son visage une telle douleur que jamais il n'oublierait cet instant. Toute sa vie, il resterait hanté par cette image de la souffrance de sa mère, souffrance à l'état pur, souffrance indécente qui déshumanise les visages et leur confère la pâleur et la fixité du regard de la Vierge des pietàs. La femme hurlait à en perdre le souffle et Christian craignit de la voir s'évanouir. Il vint s'asseoir à ses côtés en dépit de son maillot de bain trempé et tenta de l'entourer de ses bras, dans un geste désespéré de petit garçon largement dépassé par les événements.

Roger, taciturne et le dos tourné, lançait avec rage le contenu d'un tiroir dans un sac de voyage.

— Tu t'en vas encore, papa?

Le père se retourna et plongea ses yeux dans ceux de son fils. L'éclat de l'ambre reflétait une résolution farouche et irréversible. Aucun attendrissement ne viendrait en atténuer l'acuité, Christian le comprit. Cette fois, c'était définitif. Il se mit à grelotter.

— Oui, Christian, papa s'en va.

— Pour longtemps?

— Pour toujours, cette fois. Je m'en vais rester chez Nathalie, la sœur de Rolande. Tu la connais, Nathalie?

Évidemment qu'il la connaissait! Autrefois, elle venait prendre le café ici en compagnie de sa sœur aînée et des copines de Jeanine. Souvent, elles allaient au cinéma « entre femmes » ou se retrouvaient au centre commercial pour un après-midi. Mais depuis quelques années, les choses avaient changé et elle ne venait plus. Christian ne la portait pas dans son cœur, cette escogriffe plus grande que son père, toujours grimée et peinturlurée comme les poupées Barbie de Lison. La pimbêche ne semblait pas avoir d'affinité avec Christian non plus, l'ayant toujours ignoré. Comment papa pouvait-il la préférer à sa mère?

— Tu ne vas plus revenir, papa?

— Pour vivre ici? Non, jamais! Mais je viendrai souvent vous chercher, Lison et toi, et je vous emmènerai dans ma nouvelle maison. D'autres fois, on fera des sorties tous ensemble, avec Nathalie.

— Et... maman?

— Non, Christian. Pas maman.

Le silence tomba dans la chambre, menaçant, entrecoupé par les gémissements de Jeanine qui redoublèrent.

— Tu ne peux pas laisser maman toute seule! Pourquoi tu t'en vas?

— Mais je ne la laisse pas toute seule, Christian! Tu restes là, toi. Et Lison aussi. Je compte sur toi pour garder maman. Tu es devenu un grand garçon, à présent. Tu vas prendre soin d'elle et de ta petite sœur. Ce sera toi, l'homme de la maison. Et moi, je n'habiterai pas très loin, seulement à quelques rues d'ici.

Le futur homme de la maison regarda Roger avec des yeux effarés. Lui, responsable de sa mère et de sa sœur? Pourquoi? Oh! il lui arrivait quelquefois de défendre Lison dans la cour de l'école quand des grands venaient la narguer, mais rien de plus. En général, elle se montrait très capable de prendre soin d'elle-même et faisait peu de cas de son frère. Quant à Jeanine, comment pourrait-il, du haut de ses neuf ans, s'occuper d'elle? Transporter les sacs d'épicerie, repeindre la salle de bain, réparer le robinet, conduire sa sœur à la clinique, cuire les steaks sur le barbecue, descendre des boîtes au sous-sol... Il n'y arriverait jamais!

Christian ne comprenait pas et se mit à pleurer, blotti contre Jeanine, tous deux unis par le même désespoir, la même impuissance devant la décision irrévocable de Roger. Jeanine tenta un dernier argument et revint piteusement à la charge.

— Tu n'as pas le droit de nous faire ça, Roger Larson, tu n'as pas le droit!

— Jeanine, j'y pense depuis trois ans et tu le sais! Divorcer n'est pas la fin du monde. Je te payerai une pension pour les enfants et je les verrai de temps en temps. Et toi, tu pourras refaire ta vie.

— C'est toi, l'homme de ma vie...

— Arrête de me harceler! J'étouffe ici, moi! J'ai besoin d'air, de liberté.

— De liberté ? Mais tu les as toujours prises, tes libertés, depuis le début de notre mariage !

Christian écoutait de toutes ses oreilles. Divorce, pension, liberté… Ces mots n'évoquaient rien pour lui, sinon le départ de son père chéri. Se pouvait-il qu'il les quitte à jamais et ne vienne plus s'asseoir sur la chaise berceuse de la cuisine ? Lui, le protecteur, le bienfaiteur, l'être fort qui connaissait tout et subvenait à leurs besoins… Non, il ne pouvait pas partir, il ne devait pas partir.

Au bord du gouffre, l'enfant s'empara du sac et s'apprêta à le transvider dans le tiroir. Comme si ça allait changer quelque chose ! Roger le repoussa brusquement.

— J'en ai assez de cette scène. Je pars tout de suite !

Christian et sa mère restèrent sans voix et le regardèrent, pétrifiés, vérifier dans chaque recoin de la commode et de la penderie à la recherche de quelque objet oublié. Il embrassa rapidement Christian sur la joue et déposa une bise sur le front de Jeanine. Elle bondit.

— Judas ! Hypocrite !

— Salut ! Je t'appelle pour te donner la date de notre rendez-vous chez l'avocat. Tu prends soin de toi, hein ?

Se moquait-il d'elle ? Il mit le sac en bandoulière, s'empara des deux valises et se dirigea d'un pas ferme vers la sortie, sans se retourner. Le grincement de la porte résonna sinistrement et déchira le cœur des deux êtres enlacés, anéantis.

Quelques minutes plus tard, Christian sortit sur le balcon et appela sa sœur en train de patauger dans la piscine avec les amis.

— Lison, papa vient de partir pour toujours.

— Comment ça, pour toujours ?

— Il est parti vivre avec Nathalie.

– *Avec Nathalie? Ah! bon, je l'aime bien, moi, Nathalie. L'autre jour, elle est venue avec Rolande et son beau chien. Elle m'a maquillée. C'était le fun! Papa va aller dormir chez elle?*

– *Oui, et il ne reviendra plus ici.*

– *Il va revenir, voyons donc!*

Lison haussa les épaules et retourna jouer avec ses copines. Pour la première fois, Christian réalisa le profond fossé entre sa sœur rivée à l'enfance et lui, le «grand» frère trop petit pour endosser les responsabilités dont on venait de l'affubler. L'homme de la maison… Ces mots résonnaient dans sa tête comme un écho répétant à l'infini une condamnation, une sentence non méritée. Et dont il ne voulait pas.

Effondré sur le divan, il entendit à peine les appels de ses amis pour la poursuite des olympiades.

Cris de la vie qui continue…

5

— Ma sœur Lison ? Elle est ma meilleure amie.

— Elle vient te visiter ici ?

— Bien sûr ! Presque toutes les semaines, avec son mari et les jumelles. Je suis un « mononcle » comblé. Tiens, regarde les photos.

Je m'exclame, non sans raison. Les nièces me paraissent magnifiques. Mais la lumière dans le regard de Christian retient surtout mon attention : il n'aurait pas affiché une allure plus fière s'il s'était trouvé lui-même le père de ces enfants.

Depuis plusieurs mois, il vient me porter un café dès mon apparition au socio. Mine de rien, je m'arrange pour arriver un peu plus tôt. Je le retrouve infailliblement de belle humeur et fort volubile. Mais, en général, le temps nous manque pour discuter sérieusement.

J'ai développé une affection particulière pour ce garçon. Sa présence au milieu de criminels demeure toutefois une énigme. Il n'est pas le seul, d'ailleurs ; tant de prisonniers ne correspondent pas au stéréotype du bandit traditionnel. « Comment cet homme a-t-il pu aboutir ici ? » Cent fois je me suis posé cette question devant l'un de mes élèves. J'ai rarement réussi à imaginer une réponse et j'ai conclu, à tout coup, à une malheureuse erreur de parcours.

Je me rappellerai toujours un certain Martin, fort bel homme dans la quarantaine, du genre plutôt taciturne. Il travaillait religieusement son piano et tenait à enregistrer ses pièces sur une cassette pour les faire entendre à sa femme au téléphone. Lui aussi détonnait sur le reste de la population. Un matin, quelques jours avant Noël, il se mit à soupirer de dépit en jouant *Sainte nuit*. Surprise, j'ai posé ma main sur son bras.

— Ta femme va te manquer à Noël, n'est-ce pas?

— Pas seulement ma femme. Mes quatre enfants, surtout...

— Tu as quatre enfants? Je ne savais pas ça!

— Je vais te faire une confidence, Françoise. J'ai obtenu, cet automne, l'approbation officielle pour une libération définitive après être allé en appel de mon procès. On a finalement décidé de me libérer le 23 janvier prochain. On aurait pu me laisser sortir avant les Fêtes, tu ne crois pas? Un mois de plus ou de moins, quelle différence, après des années d'incarcération? Pourquoi me séparer inutilement de mes enfants à Noël? Dieu voulait sans doute m'envoyer une dernière épreuve... Je dois l'accepter humblement.

— Tu es allé en appel?

— Oui... Il y a dix ans, j'ai fait un vol à main armée dans un dépanneur. Les choses ont mal tourné et, dans l'affolement, j'ai appuyé sur la gâchette et malheureusement tué la caissière. J'étais masqué et j'ai réussi à m'enfuir. Personne n'a jamais rien su. Une seule personne connaissait mon crime: ma blonde de l'époque. Incapable de vivre avec ça sur la conscience, je suis allé trouver un prêtre. Cet homme m'a aidé à me réhabiliter. Je suis devenu un honnête et bon citoyen. À tel point que j'ai obtenu un emploi à la Brinks, entreprise de sécurité et de gardiennage, croirais-tu ça! Je me suis marié avec une femme déjà mère de deux petites filles et j'ai eu deux autres enfants avec elle. Nous formions une famille heureuse mais je ne lui ai jamais divulgué mon passé. Un jour, il y a quatre ans, on a sonné à la porte de notre domicile, à l'heure du souper. À ma grande stupeur, deux agents venaient m'arrêter. Mon ancienne copine, pour une question d'argent, m'a trahi auprès des autorités policières. Ma femme, d'abord choquée, a fini par me pardonner. Elle vient me visiter, toutes les semaines, avec les enfants. Comme je suis réhabilité et que je l'ai largement prouvé à la société, on a accepté de réviser mon dossier après trois années de détention. Voilà! Ma triste histoire va se terminer par un dernier Noël en prison loin de mes petits. Après, je pourrai considérer tout ça comme bel et bien fini. Pour de vrai, cette fois…

Je n'avais su comment réagir, trop impressionnée par ce récit peu banal, et m'étais contentée de partager son chagrin.

Christian, de son côté, se montre plus ouvert et me lance parfois quelques bribes de son enfance. Des souvenirs remontent à la surface, un pique-nique à l'île Sainte-Hélène, des olympiades dans la piscine familiale, réminiscences d'événements anodins sans doute peu importants. Une vie paisible et sans heurts, semblerait-il. Mais sur les causes de sa présence ici, rien. Je tente d'évincer ma curiosité comme on chasse une mouche du revers de la main.

Ce matin, mon premier élève ne s'est pas présenté à sa leçon. Christian et moi avons donc une heure entière pour bavarder. Le géant Léon ne reviendra plus, on vient de m'en aviser. Il se trouve actuellement « au trou » , en attente d'un transfert dans un autre pénitencier à sécurité maximale pour des raisons disciplinaires.

Ouf! tant d'énergie perdue, durant tous ces mois, à essayer de lui rentrer des notions musicales dans le ciboulot… Perdu, surtout, le fol espoir de voir son cœur d'enfant prendre le pas sur celui du sauvage. Mes ridicules petits collants n'auront joué qu'un rôle minime. Je n'aurai abouti à rien, rien du tout! Léon a « sauté la coche » à la première occasion. Bagarre? Agression? Guerre de clans? Drogue? Je ne le saurai jamais. Je ne le reverrai pas, non plus. Qui me convaincra de n'avoir pas perdu mon temps?

Et puis non! Le temps passé avec moi, ou seul à s'exercer au piano, a certainement constitué pour lui un temps hors de la muraille, un moment de plaisir seul avec lui-même et la musique. Quelques heures hebdomadaires à se distraire, à travailler fort aussi. À bûcher sur les notes, les traits crispés et la langue entre les dents. À se brasser les méninges. À accomplir quelque chose de bien et de beau, pour une fois. J'ai vu tant de mains de malfaiteurs trembler au-dessus du clavier… Do ré mi, un temps d'évasion, un temps pour oublier. Un temps pour redevenir un être humain normal et à part entière. Un temps pour la fierté.

Une fois relancé dans la réalité quotidienne, Léon, comme les autres, ne retiendra probablement pas grand-chose de la musique. Mais au cours de ces rencontres, il aura retrouvé sa dignité d'homme et une véritable considération de la part de quelqu'un. Il aura appris, surtout, le contentement de soi : lui, le banni, le rejeté, le déchet de la société, peut aussi accomplir de belles choses.

Je jette un coup d'œil sur Christian, perdu dans la contemplation de ses photos.

— Dis donc, jeune homme, j'ai du temps pour toi, ce matin. Léon ne reviendra pas.

— Eh bien! Bravo! Me voilà ton élève! Mon nom est le suivant sur la liste d'attente, je l'ai justement consultée ce matin.

Je le soupçonne d'avoir triché quelque peu au sujet de cette liste. Il suffit de tendre une main leste… Mais qu'importe! Lui ou un autre, je préfère lui!

— Je vais te stupéfier par mon immense talent, tu vas voir! Sérieusement, je n'y connais strictement rien! J'ai hâte de raconter ça à Lison! Si je l'avais su hier, je lui en aurais parlé. Elle est justement venue nous visiter, mon père et moi.

— Ton père et toi? Comment ça, ton père et toi?

— Mon père est aussi détenu ici.

— Quoi?!?

— Mais oui, c'est Roger. Tu le connais, il vient souvent te saluer en passant.

— Roger est ton père? Celui qui arrive toujours en disant «Coucou, c'est moi»? Je ne m'en serais jamais doutée! Roger Larson… Je ne connaissais que son prénom. Je n'en reviens pas! Vous ne vous ressemblez guère, quoique… Les yeux, peut-être, la couleur, la forme légèrement oblique.

— Je te croyais au courant. Tout le monde ici le sait.

Je retiens mon souffle. Christian et son père en détention ensemble! Tu parles! Quelle famille!

Je n'ose m'informer s'ils se trouvent ici pour la même raison, fidèle à mes principes de ne pas poser de questions.

— Et… et vous vous entendez bien?

— Oui, assez bien, mais pas plus que ça… On se salue, on prend parfois un café ensemble, mais notre relation demeure superficielle. Je suis resté trop longtemps sans le voir pour le considérer encore comme mon père ou me servir de lui comme référence. Mes parents ont divorcé durant mon enfance. Malgré tout, aujourd'hui, mon père a tendance à me considérer encore comme son petit garçon, comme si toutes ces années n'avaient pas compté.

— Quel âge as-tu, au fait?

— Vingt-neuf ans. Inutile de te préciser que sa protection et ses conseils me tapent sur les nerfs. Un jour, peut-être, on arrivera à se parler des vraies affaires. À nous dire nos vérités. Pas maintenant. C'est trop gros, trop énorme. Pour ma part, je crains d'avoir atteint le point de non-retour. Mon père peut aller au diable, s'il le veut!

— Quel dommage, cette barrière entre vous deux…

— Pire qu'une barrière, Françoise, un mur! Un mur de béton à travers lequel ni les voix ni la lumière ne passent. Un mur insurmontable, et je n'ai même pas envie d'essayer de le franchir! Ce mur s'appelle la rancune. Mon père peut bien marcher la tête haute dans cet enfer de la prison, il peut bien dormir dans la cellule à côté de la mienne, il peut bien me présenter à tout le monde comme «son» Christian, il ne gagnera pas mon respect, encore moins ma reconnaissance.

Je reste sidérée par cette virulence impromptue, nourrie par une exaspération évidente. Pour la première fois, je lis du ressentiment sur le visage de Christian. Me rappelant ses projets de prêtrise, je risque timidement un petit mot, ne sachant pas trop sur quel terrain je m'aventure.

— Et… le pardon?

— Le pardon? Pas encore, Françoise. Mais je prie pour que ça vienne. Et ma sœur Lison m'aide, sans le savoir. Par sa seule présence. Par sa sérénité à toute épreuve. Par son attitude, surtout, à l'égard de Roger. Elle, elle a réglé ces choses-là depuis longtemps. Elle n'a pas connu la hargne qui m'habite depuis mon arrestation. Ici, j'ai trop de temps pour y penser et ruminer.

Quelles «choses-là» Lison a-t-elle réglées? Que Christian rumine-t-il dans la solitude de sa cellule? De quel pardon s'agit-il? Bien que dévorée de curiosité, je n'ose l'interroger davantage. Il poursuit, d'un ton acerbe.

— Fasse le ciel qu'un jour, j'arrive à regarder Roger Larson comme un bon fils regarde son père. Pour l'instant, il a perdu ma considération. As-tu lu le livre *Père manquant, fils manqué*[5]? Eh bien! je me retrouve dans chacune des pages de ce livre. On y décrit mes carences en long et en large. Tout est là, à longueur de chapitres. Père manquant...

— Fils manqué, toi? Tu me sembles pourtant bien équilibré.

— Aurais-je atterri ici si j'étais parfaitement sain d'esprit? Je me le demande souvent! Tu te rappelles la prison intérieure dont je te parlais, l'autre jour? Il faut souffrir d'un déficit majeur pour aboutir au fond d'une cellule, crois-moi! On sort plus facilement d'un pénitencier fédéral que de sa propre prison. Le vacarme assourdissant des portes de fer qui s'ouvrent et se ferment ici n'est rien en comparaison du silence lugubre d'autres portes à jamais fermées à l'intérieur des êtres...

— Tu dois avoir confiance en toi, Christian, si tu veux t'en sortir.

— Pas facile de se débarrasser de certaines bibittes! Le vrai salut commence devant le miroir, un bon matin. Se regarder en pleine face et se dire honnêtement les vrais «comment» et les vrais «pourquoi». Pas facile, pas facile... Alors là seulement, tu peux commencer à retrousser tes manches.

— Sinon, tu risques de revenir ici, tôt ou tard, je suppose?

— Hélas, oui... Certaines prisons intérieures ressemblent à des labyrinthes. Bien des gars d'ici ne verront jamais le jour

---

5. *Père manquant, fils manqué*, Guy Corneau, Les Éditions de l'homme, 1989.

parce que rien d'autre à part la rage et la révolte, ou la peur, ou le peu d'estime de soi ne se trouve à l'intérieur d'eux. Ou pire, le vide total. Alors ils vont sans cesse récidiver.

— Pourtant, quand je gratte un peu, je leur trouve un cœur, moi, aux gars d'ici!

Surprise de mon audace, j'enchaîne spontanément avec la question qui me brûle depuis un certain temps.

— Christian, dis-moi que tu es sauvé.

— Oui… je pense que oui. Je me sens prêt à refaire ma vie. Mais il me reste tellement d'années à rester «en d'dans»…

Perdu dans ses pensées, mon ami se met à marteler distraitement les touches du piano du bout des doigts. Je n'ose bouger.

— Au fond, je n'accuse pas mon père pour mes bêtises. Trop facile de jeter le blâme sur quelqu'un d'autre! Mais quand je le vois fanfaronner et jouer au père affectueux, ça me fait chier. Un jour, je te raconterai tout ça. Mais pas aujourd'hui, j'ai trop de travail. Je dois filmer la visite d'un prêtre de la rue, un curé parisien invité à prononcer une conférence ici, en début d'après-midi. Je me sauve, je suis déjà en retard.

Christian rajuste ses lunettes et se secoue la tête comme s'il voulait chasser ses sombres pensées. La page est tournée, il s'apprête à partir. Je le vois enfouir les photographies dans sa poche, non sans y glisser à nouveau un œil rapide. Alors, la métamorphose s'accomplit. Ébahie, je vois ses traits se détendre. La force morale de mon ami m'impressionne. Mais j'y pense, si Christian est l'oncle des jumelles, Roger s'en trouve nécessairement le grand-père…

— Prépare-toi, Madame Piano, la semaine prochaine, je fais partie de tes élèves. Attends-toi à l'éblouissement, le génie arrive!

Nous nous quittons en riant. À la vérité, je n'ai pas vraiment le goût de rire. Lui non plus, je crois.

Émile, mon élève suivant, aura vite fait de me changer les idées. Il entre allègrement dans le studio, la figure épanouie. Se rend-il compte qu'il presse sa clarinette sur son cœur à la manière d'un bébé ? Comme à l'accoutumée, il a dû travailler ses partitions durant des heures au cours de la semaine. Un autre dont la présence jure dans cet enclos de malfaiteurs. Dans quelques minutes, quand les sons emmêlés du piano et de la clarinette dessineront des arabesques dans l'air vicié de Bonsecours, je sais qu'ils auront la beauté d'une prière.

Merci, mon Dieu, mon Christian sera sauvé, il me l'a dit.

6

Une fourmi patine sur le panneau incliné du piano, évadée du bouquet de pivoines cueillies dans mon jardin pour mes quatre élèves et d'autres détenus qui viennent me dire bonjour. La petite bête brune sans âme erre à l'infini sur la surface rugueuse et aride de la peinture craquelée par le temps. Un désert… Des pattes si minuscules qu'on les devine à peine, des milliards de pas, quasi invisibles à l'œil nu, qui ne la mèneront nulle part. Elle va, elle vient, elle pivote, puis elle retourne, et remonte, redescend, zigzague inlassablement comme une débile. On dirait qu'elle ne s'arrêtera jamais, à l'instar de certains personnages rencontrés ici. Fascinée, je la regarde tourner en rond, sans fin. Tant d'énergie gaspillée…

Elle aurait dû rester cachée entre les pétales de sa fleur, l'espèce d'étourdie! Ici, elle ne trouvera que maigre pitance, les brins d'herbe se faisant rares au fond d'un placard de prison. Encore chanceuse si une semelle distraite ne vient pas anéantir sa précieuse vie en une fraction de seconde! Le nectar enivrant de la pivoine ne lui suffisait-il pas? Ce nid, au cœur de la fleur, ne lui semblait-il pas assez douillet, assez confortable dans son minuscule univers d'insecte? Il lui a fallu mettre le nez dehors, déroger aux règles naturelles des fourmis pour finalement débouler sur ce piano. Que cherche donc cette écervelée ? L'ivresse des grands espaces ? La frénésie de la bougeotte ? La jouissance de l'échappée ? Le contentement de désobéir aux règles ? Le plaisir du fruit défendu ?

Elle me fait penser aux récidivistes comme ce bonhomme rencontré tantôt dans le corridor, fanfaronnant haut et fort devant un groupe d'admirateurs. Son comportement ne dépasse pas celui de la fourmi. Il va, il vient, il revient, on le libère, il est repris, il recommence, il s'éparpille dans tous les sens. Il joue au dur et s'en pète les bretelles. Imperméable aux thérapies, il troque la pivoine pour la pomme interdite, au risque de retourner perpétuellement en prison.

Tôt ou tard, la fourmi finira par mourir d'épuisement et d'inanition sur le piano. Le récidiviste aussi. Trop longtemps coupé de la réalité et pris en charge par l'institution, la paralysie psychologique le guette. Plus capable de jugement, plus capable de prendre une décision, plus capable d'initiative. Plus capable, non plus, de se débrouiller et de fonctionner en honnête citoyen. Trop institutionnalisé, le bonhomme ! Le méfait deviendra sa seule et unique façon d'agir. Plus capable de se prendre en main, sinon justement de tendre cette main pour mendier ou chaparder. Ou pour se shooter. Ou pire, pour abuser et violenter. Mort à lui-même, le récidiviste… Lui resteront la drogue et l'alcool pour masquer son mal de vivre. Pour oublier.

Aujourd'hui, je n'ai le goût de rien. Un élève ne s'est pas présenté à son cours et je me contente de laper mon deuxième café, la tête vide. Les mouvements de la fourmi m'étourdissent et m'hypnotisent. Pauvre insensée… Était-ce donc si difficile de vivre dans une fleur ? Brutalement, sans même y réfléchir, je l'écrase rageusement d'un puissant coup de pouce. Je voudrais la visser, l'enfoncer à l'intérieur de la planche de bois pour qu'elle n'existe plus. La faire disparaître… Comme si un piano pouvait absorber une fourmi! Comme si des leçons de piano pouvaient dissoudre la folie d'un récalcitrant! Et si j'étais moi-même une fourmi qui vagabonde dans le désert d'une prison?

– Coucou, c'est moi!

– Salut, Roger! Comment ça va?

Pourquoi lui poser cette question? L'homme exhibe invariablement un sourire désarmant. Depuis que je connais son lien génétique avec Christian, je ne peux m'empêcher de scruter son visage à chacune de ses visites. Malgré moi, je cherche à déceler dans son regard quelque stigmate me révélant l'horreur des drames vécus par lui et son fils. Condamnés tous les deux à vingt-cinq ans ferme… Ce n'est pas rien, tout de même! Pourvu que ces malheurs n'aient pas pris naissance dans des pratiques sexuelles dégueulasses. Bof! ça ou autre chose! Et puis, non, pas ça… S'il vous plaît, mon Dieu, pas ça…

De multiples rides griffent le contour des yeux de Roger et lui confèrent un rictus que le visage plutôt ascétique de Christian n'accuse pas. Une secrète gravité obscurcit le regard du fils tandis que l'homme chauve aux pourtours grisonnants me paraît un gai luron fort bien dans sa peau. Je l'entends toujours venir de loin, à travers la porte du studio, la voix claironnante et le rire cascadant. Prisonnier exemplaire, il anime des sessions d'accueil pour les nouveaux arrivés dans ce bagne à caractère éducationnel. Ici, on vient apprendre ses lettres ou un métier. Très souvent, je rencontre Roger suivi d'une horde d'hurluberlus, pendant un tour du propriétaire. À sa jovialité, on pourrait l'imaginer en train de faire la tournée dans un club Med! Il s'arrête toujours pour un brin de jasette.

— Dis donc, Roger, j'ai appris que Christian Larson est ton fils ? Tu ne m'avais pas dit ça ! Et te voilà grand-père de jumelles ! Félicitations, mon vieux !

— Christian t'a montré les photos ? Comment les trouves-tu ? Mignonnes comme leur grand-père, n'est-ce pas ?

Roger éclate de rire. Cet homme représente l'antithèse du prisonnier triste et torturé. La fourmi en vacances. Les paroles de Christian me reviennent à l'esprit : « Une prison intérieure réside en chacun de ceux qui se trouvent ici… »

— Eh bien ! Tu peux te montrer fier de ton fils. Il contraste avec le reste de la population, crois-moi. Quel garçon sympathique et brillant ! Un pur… Quand il sortira d'ici, il ira loin, s'il le veut. Dommage de le voir enfermé pour une si longue période. Quelle perte de temps !

Est-ce le fruit de mon imagination ou Roger vient-il de rentrer la tête dans les épaules ? Chose certaine, son effervescence s'est subitement calmée. Perdus le sourire radieux et la belle attitude décontractée. Préoccupé, il se lève brusquement et va s'appuyer contre le chambranle de la porte. L'atmosphère prend tout à coup la lourdeur du silence. Je souhaiterais déguerpir à toute vitesse.

Quelle gaffeuse je fais ! Les histoires du père et du fils ne me concernent pas. J'aurais dû me retenir d'aborder l'incarcération de Christian. De toute évidence, j'ai réveillé certains démons. Je voudrais m'excuser, mais les mots ne viennent pas. D'ailleurs, pourquoi s'excuser de faire l'éloge de quelqu'un ? De déplorer son malheur à voix haute ? De toute manière, Roger ne m'en laisse pas le temps et s'empresse de changer de sujet.

— Tiens, Françoise, je t'ai apporté quelques-uns de mes poèmes, tel que promis.

– Quelle gentillesse! Je vais te les échanger pour une fleur. Aimes-tu les pivoines? J'en ai apporté des blanches, des roses et des fuchsia.

Il choisit la blanche, symbole de pureté, selon lui. Je saute sur l'occasion pour exprimer mon empressement à découvrir ses talents de poète, et pour palabrer sur le plaisir d'écrire et l'effet thérapeutique d'une telle activité. Expression, libération, évacuation, diminution des tensions, vérité... Maladroite! Ne te rends-tu pas compte que tu t'engages de nouveau sur un terrain glissant?

Mais Roger coupe court et me quitte rapidement. Je le regarde tenir sa pivoine à bout de bras. Qu'ont-ils donc tous à tenir leur fleur comme on porte un cierge?

Je serre contre moi l'enveloppe contenant les poèmes et éprouve déjà de l'impatience. Décidément, ce personnage pique ma curiosité.

Je ne serai pas déçue. Les feuillets ont été recopiés à la main. Dos appuyé contre le vieux piano du socio, je plonge avec stupeur dans la confidence d'un être déchiré. Ni la pudeur ni la méfiance ne l'ont empêché de s'ouvrir à ma connaissance. La première page me chavire.

Regrets

Où vont les larmes qu'on s'est refusé à verser, les gestes retenus, les mots jamais prononcés? Où vont les pas perdus et l'attente inutile de ce qui n'est jamais venu? Où vont les rêves jamais réalisés? Et que deviennent les rendez-vous manqués, les confidences inavouées, les lettres sans réponse, les prières oubliées, les traces de nos pas sur le sable? L'envers de nos vies est-il inscrit quelque part en lettres d'éternité?

Si la peine de mort avait encore existé dans ce pays, on m'aurait pendu. Je n'existerais plus. On aurait dû ! J'habiterais alors cet univers mystérieux où il nous est enfin donné de revivre nos silences, nos refus, nos absences, nos indifférences... Et nos faux espoirs.

Mais on aurait aussi pendu mon fils.

Roger Larson

Je sais qu'à partir d'aujourd'hui, je ne regarderai plus jamais Roger et Christian de la même manière.

Sur la tablette du piano, je vois soudain se faufiler une autre fourmi. Va-t'en, maudite !

7

La valise rouge

Chaque fin d'après-midi, Christian se trouvait aux prises avec un dilemme : rentrer ou se sauver. Mais où ? Après l'école, il n'avait pas le goût de revenir chez lui. Il aurait donné n'importe quoi pour ne plus se retremper dans l'atmosphère malsaine de son foyer en présence d'une mère en tenue débraillée, incapable de se prendre en mains, et auprès d'une sœur revêche, refusant de se plier à l'autorité de son frère. Autorité dont il se serait bien passé, à la vérité.

Mais qui d'autre préparerait le souper, mettrait de l'ordre, aiderait Lison à s'acquitter de ses devoirs, lui dirait de se brosser les dents ? Presque chaque jour, Jeanine lui demandait de prendre de l'argent dans son porte-monnaie pour aller acheter «de quoi manger». Il faisait bien de son mieux, le petit Christian, mais il oubliait toujours quelque chose, soit le pain, soit le lait, soit le jus. Certains matins, il ne trouvait même pas un bout de carotte à mettre dans les sacs à lunch. Heureusement, Lison se contentait de croustilles et de petits gâteaux sans protester.

Les négligences de la mère n'atteignaient guère la fillette insouciante. Elle semblait trouver, dans son univers hermétique, quelques bribes d'un bonheur que Christian lui enviait sourdement. Plusieurs fois, Roger était venu la chercher pour deux ou trois jours, et elle revenait toujours de bonne humeur. Christian, lui, refusait obstinément de se rendre chez son père.

— Je n'irai pas. Je déteste Nathalie et elle aussi me déteste. Si tu veux me rencontrer, papa, tu n'as qu'à revenir chez nous.

Au fond, Christian espérait punir son père par ses refus. Peut-être cela le motiverait-il à rentrer au bercail? Hélas, les semaines s'étiraient et devenaient des mois sans aucun changement. Non seulement Roger ne renouvelait plus ses invitations, mais il lui manifestait de moins en moins d'intérêt. Alors l'enfant apprenait la solitude, une solitude amère qui ne tarderait pas à éteindre, au fil du temps, sa fougue et son exubérance. À briser son estime de soi aussi. Comment se croire digne d'amour devant un tel rejet? Et comment croire au bonheur face à l'indifférence d'un père et à la souffrance d'une mère?

Dorénavant, il incombait au nouvel « homme de la maison » de protéger Jeanine. Chaque matin, il la quittait donc à regret pour se rendre à l'école, oppressé par la culpabilité de l'abandonner à son triste sort. Visiblement, elle n'en menait pas large. « Dépression », avait diagnostiqué le médecin. Christian avait entendu prononcer ce mot à voix basse, l'autre soir, par Maria, sa grand-mère pater-nelle, venue rendre une courte visite à la famille.

— Mon mari et moi avons honte du comportement de Roger. Pourrons-nous jamais réparer ses conneries?

Christian avait feint de dormir, mais il avait gardé l'oreille alerte. « Dépression »… Si ce terme désignait l'état de prostration dans lequel se trouvait sa mère, il s'agissait d'un mot terrible, et il le remplissait d'horreur. En réalité, Jeanine se lamentait jour et nuit. Malgré son absence, elle implorait inlassablement Roger de réintégrer le domicile.

— Reviens, mon amour, reviens. Ne me laisse plus toute seule…

Profondément troublé, Christian s'écrasait. Pourquoi sa mère disait-elle ça? Elle n'était pas toute seule pourtant, son fils se trouvait là, juste à côté d'elle, prêt à s'occuper de tout. Mais elle semblait ne pas le voir. Durant ces périodes de crise, le garçon se taisait, déconcerté, n'arrivant plus à détacher son regard de sa mère, la surveillant constamment du coin de l'œil. Il lui arrivait d'aller se coller contre elle sans émettre un son. Qu'aurait-il pu lui dire? Que son père reviendrait? Encore eût-il fallu y croire!

Il en vint à ne plus pouvoir supporter ces scènes. Les doléances de Jeanine prenaient de plus en plus des couleurs d'apocalypse et le menaient au bord de l'affolement. Incapable de se concentrer sur autre chose, il maudissait son père pour les avoir précipités dans cette galère.

En fin de journée, après avoir un peu dilué sa misère dans les activités scolaires, le courage lui manquait pour revenir à la maison. Autant il décollait difficilement le matin, autant, à la fin des classes, il lui prenait l'envie de s'enfuir. De l'univers douillet de l'enfance, il ne restait plus rien. Roger avait balayé du revers de la main les rêves naïfs de son fils. Tué son innocence et, surtout, son droit à l'émerveillement.

C'est pourquoi, vers quatre heures, il arrivait à Christian de flâner dans la cour de récréation pour jouer au ballon avec les derniers retardataires, dans l'espoir de voir se prolonger, ne serait-ce que quelques instants, ces précieux moments d'oubli. Mais le sens du devoir finissait par l'emporter. Déchiré par le remords d'avoir volé du temps à sa mère, il finissait par ramasser son sac et s'acheminer à petits pas vers la rue de la Visitation.

Passant devant l'église du Sacré-Cœur, il lui arrivait de pénétrer dans la nef, déserte à cette heure, et de s'agenouiller dans la pénombre. Alors, porté par le silence et l'odeur des lampions, il sentait les tensions se relâcher enfin. Fasciné par les petites flammes dansant devant ses yeux, il ne pensait plus à rien. Havre de paix, trêve bienheureuse dans la maison de l'ami qui, lui, savait tout et comprenait tout. Christian en ressortait avec la certitude qu'au moins quelqu'un l'aimait et s'occupait de lui dans le foutoir qu'était devenue sa vie. Et, avec une ferveur infinie, il réclamait à Dieu de régler ses problèmes.

— Mon Dieu, guéris maman. Et ramène papa chez nous.

Le cœur de l'enfant ne connaissait pas la révolte. Jamais il ne lui serait venu à l'idée de se demander pourquoi ce Dieu tout-puissant, détenteur de tous les pouvoirs et censé prendre soin de lui, le laissait croupir depuis des mois. Mais cet ami l'écoutait et représentait son seul espoir, l'unique lueur dans l'obscurité. Entrouvrant difficilement la lourde porte de l'église à la force de ses bras chétifs, Christian quittait le refuge béni le cœur plus léger, prêt à affronter, une fois de plus, la démesure de ses responsabilités. Dieu se trouvait avec lui, il l'aiderait. Ses visites au temple devinrent de plus en plus fréquentes, presque quotidiennes.

Un jour, en dévalant à toute allure les marches du large perron de l'église, il vit une voiture ralentir à sa hauteur et klaxonner impérieusement.

— Hé! Christian! Coucou, c'est moi! Viens ici!

Christian n'en revenait pas de voir son père au volant d'une rutilante vieille Chevrolet blanche aux pare-chocs chromés. Vraiment, elle avait fière allure! Si Jeanine voyait ça, elle qui en avait toujours eu envie!

— Monte, mon grand, je vais te reconduire à la maison.

Le garçon n'hésita pas une seconde, incapable de résister à l'envie d'une promenade dans cette vraie voiture de rêve! Et seul avec son père! Il se hissa sur la banquette avant, n'en croyant pas ses yeux.

— Dis donc, fiston, que dirais-tu d'une balade aux « États » dans mon char avec Nathalie et Lison, la fin de semaine prochaine?

— *Avec Nathalie ? Non… j'aime pas Nathalie. Tu devrais amener maman, pas cette… cette femme. Pourquoi pas moi tout seul ?*

— *Bon, si tu veux t'entêter, ça te regarde. Moi, j'insisterai plus. Si jamais tu changes d'idée, fais-moi signe.*

Christian claqua la portière et regarda, pantelant, s'éloigner la voiture. Pendant un instant, il regretta son refus. Au-delà de tout, il importait de renouer avec son paternel. D'où lui venait donc ce besoin soudain de sentir Roger le préférer à sa blonde pour une fois, une toute petite fois ? Se leurrait-il en espérant voir, un jour, son père se présenter rempli de regrets et valises au bout des bras ? Devant le détachement et la brusquerie de Roger, l'idée effleura Christian qu'effectivement son père ne reviendrait plus. Et cette pensée porta un coup fatal aux derniers vestiges de sa candeur d'enfant.

En rentrant, il entendit résonner la voix de sa grand-mère Maria dans la cuisine. Jeanine affichait des yeux rouges comme d'habitude et ne prononça pas une parole à son arrivée. Chaleureuse, la grand-mère se pencha sur lui et l'embrassa sur le front, entourant ses épaules de son large bras. Le garçon frémit à tant de douceur. On ne lui avait pas manifesté de tendresse depuis si longtemps qu'il en avait oublié la bienfaisante griserie.

— *Regarde, Christian, je t'ai apporté une valise. Si tu le veux bien, on va mettre dedans tout ce dont tu peux avoir besoin pendant quelques semaines. Ta maman est très malade et a un urgent besoin de se reposer. Elle ne peut plus s'occuper de toi et de Lison. Tu vas demeurer avec ton grand-père et moi durant un certain temps. Ta sœur est déjà rendue chez nous. Nous allons prendre soin de vous deux.*

Troublé, Christian regarda la valise rouge à bordure blanche comme un symbole de délivrance. Sans trop s'expliquer pourquoi, l'homme de la maison éclata en sanglots.

8

Mon amie Pauline ne va pas bien. Je l'ai vue, hier soir, affalée dans son salon, le souffle précaire, l'œil terne, méconnaissable. Depuis des mois, elle se bat contre le cancer avec l'énergie du désespoir. Est-ce la maladie ou le poison chimique instillé dans ses veines qui a creusé ces sillons sur ses traits ravagés et couverts de cernes noirs ? L'ombre s'est emparée de son visage autrefois lumineux et a éteint son regard. L'ombre de la mort… Pauline ne sourit plus, toute tournée vers son combat intérieur. Car la mort s'affronte de l'intérieur, il s'agit d'une question d'âme autant que de corps. La pulsion de vivre ne jaillit-elle pas des fibres mêmes de l'être ? Mon amie est en train de perdre la bataille. Je le sens, je le sais. Elle n'en peut plus.

— Je suis fatiguée, si fatiguée.

— Lutte, Pauline, lutte ! Il ne faut pas lâcher.

Mais l'ennemi est de taille et enfonce ses griffes plus profondément dans sa chair à chaque jour. Pauline va mourir. Malgré la sollicitude de ses proches, malgré la meilleure volonté du monde, malgré le ralliement des milieux scientifiques et médicaux et leurs cocktails de produits chimiques, malgré son grand amour de la vie, elle est condamnée.

Je n'ai pas dormi de la nuit, obsédée par le visage affreux de la mort et révoltée devant l'impuissance de l'être humain face à l'inéluctable. On repousse l'ennemi le plus loin possible, on le maintient artificiellement à distance à coups de bistouri et de drogues, mais tôt ou tard, il resurgit dans toute son omnipotence. La lutte est perdue d'avance. Et quand la mort vient cueillir des enfants, ou des amies très chères de quarante-cinq ans, elle triche ignominieusement. La vieillesse doit tracer le chemin de la mort, pas la jeunesse!

Où t'en iras-tu, Pauline? Quels abysses mystérieux vont t'avaler? L'absence... Ton absence pour ceux qui restent, voilà toute l'horreur! Je ne pourrai plus te voir, t'entendre, te parler... En prenant ma douche, ce matin, j'ai longuement palpé tous les recoins de mon corps, à la recherche d'une protubérance ou d'une quelconque tache qui pourrait éventuellement signer pour moi le début d'un tel combat. Mais non, tout me paraît normal. Je reste condamnée à vivre. Je dois fonctionner, aller de l'avant. Et pourtant, j'ai mal dans ma tête et dans mon cœur, un étau se resserre. Je voudrais pleurer, hurler ma douleur de te voir mourir. Au secours, quelqu'un!

Renfrognée, je m'achemine vers Bonsecours. Mercredi, jour des cours de piano en prison... Je ne m'attends pas à trouver de réconfort ici. À la porte, je dois me délester de mon chagrin. Madame Piano n'a pas de vie personnelle. Elle doit rester impassible et joviale. Solide comme un piano.

Entre les bâtiments, les détenus se dirigent par petits groupes vers leur travail ou leurs ateliers. Pour la première fois, je remets mon bénévolat en question. Qu'est-ce que je fais ici, moi, ce matin, en compagnie de ces criminels, de ces irrespectueux de la vie? Lesquels parmi eux ont détruit, en quelques secondes, une existence si précieuse? Lesquels ont tué, achevé, le temps d'un coup de feu ou de poignard, le combat que mon amie met tant d'acharnement et de douleur à terminer ? Si la vie vaut cette souffrance, la monstruosité de leur geste gratuit m'apparaît encore plus effroyable aujourd'hui. Existe-t-il des sanctions suffisantes pour punir les actes diaboliques de ces hommes ? De quel droit ces chevaliers de la mort sont-ils intervenus dans le destin d'un être humain ? Injustement. Honteusement. Monstrueusement.

Ce matin, j'aurais envie d'amener ces meurtriers à l'hôpital pour les mettre face aux cancéreux intubés en train de lutter désespérément pour sauver leur vie. Ils verraient alors le prix de l'existence et l'énormité de leurs crimes. Je devrais leur présenter mon amie Pauline, tiens ! À les voir circuler, en ce moment, débordants de santé et indifférents aux problèmes de l'humanité, j'aurais le goût de m'installer au milieu de la place et de leur gueuler un sermon.

Je n'aurais pas dû venir, aujourd'hui, je ne retrouve pas mon âme de bénévole. Instinctivement, je remonte le collet de ma pèlerine. Je voudrais m'y cacher, y dérober mes doutes. Calme-toi, Françoise, calme-toi. Si tu te mets à juger les gars enfermés ici, aussi bien t'en retourner chez toi et ne plus revenir. Ils tentent de tourner la page, eux, alors tourne-la, toi aussi. Le regret des condamnés ne ramènera pas leurs victimes à la vie ! Alors, relève la tête, ma vieille, et accroche-toi un sourire. Il faut regarder en avant, pas en arrière. Et un peu de courage, que diable ! Oui, mais Pauline, elle…

– Bonjour, Madame Piano !

Ils sont trois à me regarder venir, tout guillerets, adossés contre le mur du socio. Émile, Georges et Miguel le Colombien. Quant à Christian, il ne s'est pas encore montré le bout du nez. Encore une fois, la porte du bâtiment est restée verrouillée même s'il dépasse largement huit heures. Le *récréologue*, sempiternellement en retard, apparaîtra bientôt, clés en main et sans un mot d'excuse. Il se fiche de nous voir rester dehors, là, à geler en l'attendant. Je m'appuie contre le mur avec mes compagnons. L'un des gars raconte une histoire drôle. Tout le monde rigole. Moi aussi. Je sens la vie me reprendre, le miracle s'accomplit. Les fourmis égarées auront leur cours de piano ce matin.

Christian semble mal en point et se présente en retard, le visage blême. Derrière ses lunettes embuées, je devine les yeux larmoyants et rougis.

— Je suis venu quand même, mais je sors de ma cellule pour la première fois cette semaine. J'ai une grippe carabinée, je fais de la fièvre et j'ai mal partout.

— Pauvre toi! As-tu vu le médecin?

— Bof… Attendre en file pendant deux heures à l'infirmerie pour me faire examiner la gorge en deux secondes en disant que ça va aller mieux avec des aspirines…

— Ça se passe comme ça dehors aussi, tu sais.

Je n'avais jamais vu Christian aussi accablé. Affalé sur le banc du piano, il n'ouvre même pas la bouche, lui habituellement si bavard. Il tourne et retourne entre ses mains le rouleau de papier hygiénique dont les détenus se servent pour se moucher.

— Enlève au moins ta tuque et ton manteau. Cette fois, je vais moi-même chercher le café. Un lait, deux sucres, c'est bien ça?

— Je t'avertis: j'ai pas touché au piano de la semaine. Heureusement, j'avais mes livres. Ça m'a changé les idées. J'ai enfin fini ma recherche.

— Ta recherche?

— Oui… Il manque seulement trois crédits pour mon bac en théologie. J'ai attendu jusqu'à la dernière minute pour terminer cette recherche. Ce serait ridicule de ne pas obtenir mon diplôme pour un insignifiant travail de dix pages, n'est-ce pas ? À vrai dire, je manquais d'intérêt, voilà le problème.

— Bravo pour ta persévérance !

— J'ai laissé tomber l'idée de devenir prêtre, tu comprends. Et comme l'université n'offre plus de brevet d'enseignement, je doute de pouvoir jamais enseigner la religion dans les écoles. De toute manière, la religion s'en va à la débandade, paraît-il.

— Ton diplôme ne servira à rien du tout ?

— Au contraire ! Il m'a beaucoup servi. Et il me servira toujours, je pense.

— Est-ce indiscret de te demander pourquoi tu as renoncé à la prêtrise ?

Halte, là ! Quelle entorse à ta consigne personnelle, ma vieille ! Oui, c'est indiscret ! Bas les pattes, la Françoise !

Mais Christian semble prêt à répondre sans sourciller.

— Je n'aurais pas pu devenir un prêtre à part entière, j'ai trop soif de liberté. Alors j'ai préféré laisser tomber. Avec moi, c'est tout ou rien. Alors, c'est rien !

Ce matin, au-delà de la méchante grippe, je me demande si le moral de Christian n'est pas atteint, lui aussi. Le « vieil adolescent » épiloguant sur la liberté lors de nos premières rencontres a fait place à un vieux désabusé rembruni. Se trouver malade et piégé entre les murs d'une cellule n'a évidemment rien pour remonter le moral d'un condamné à des années de réclusion. Ma fibre maternelle tressaille. Je me surprends à m'inquiéter pour lui. « Mon p'tit gars… »

— Au début, quand je suis entré en prison, j'étais très peu conscient de la portée de mon crime. On me parlait de payer ma dette à la société. J'avais le sentiment de ne rien devoir à personne, moi! Bien au contraire! Seule la réflexion, à la longue, m'en a fait réaliser la gravité. La théologie m'aura au moins apporté ça: une prodigieuse prise de conscience. Je me sentais tellement perdu dans cet univers-ci que je n'ai pas eu le choix de me tourner vers le haut. Dieu représentait la seule planche de salut à laquelle me cramponner pour ne pas me noyer dans ce cloaque. Ce Dieu que, petit garçon, j'entrais saluer dans l'église au retour de l'école. Oh... il s'était bien foutu de moi pendant des années, ce sacripant de bon Dieu! Il aurait pu intervenir au lieu de me laisser perdre la tête!

— Alors, tu as songé à devenir prêtre...

— L'idée a tranquillement fait son chemin. Après ma condamnation, je ne m'en faisais pas pour mon avenir. Vingt-cinq ans de bagne ne représentaient rien de concret à mes yeux. On me suggéra de poursuivre mes études. Je passai donc à travers le collégial, puis, grâce à une mesure d'exception, on m'a permis de faire ma théologie par correspondance. Enfin j'avais trouvé un sens à ma vie, la solution à toutes ces années creuses s'ouvrant devant moi, ces années dont je commençais de plus en plus à sentir l'horreur. C'était surtout une manière de me racheter, vois-tu...

— Combien de temps te reste-t-il à écouler ici?

— Ça dépend. «Condamné à vie» signifie demeurer la propriété du système judiciaire pour le reste de ses jours. En principe, on pourrait me garder ici pendant vingt-cinq années pleines. Et même toute ma vie durant, si on le juge opportun! Ça dépendra... d'eux et de moi!

— Mais un jour, elle finira bien par venir, cette fameuse libération!

– Oui, après quinze ans de détention, c'est-à-dire dans un peu moins de quatre ans, j'aurai le droit de formuler une demande de libération conditionnelle devant jury. On se basera alors sur mon comportement et les possibilités de danger que je représenterai pour la société.

– Et alors?

– Si on accède à ma demande, à ce moment-là, je serai libéré. J'aurai trente-trois ans.

Christian courbe l'échine, écrasé par le poids de cette réalité. Désespérément, je cherche une diversion, un point positif.

– Trente-trois ans, c'est encore jeune...

– Une condamnation pour meurtre avec préméditation, c'est ça, mon amie...

Meurtre avec préméditation! Quoi? Ai-je bien entendu? Meurtre avec préméditation!!! Comment est-ce possible? Christian Larson n'a pu commettre un homicide au premier degré, je ne le croirai jamais! Le gars qui prie, qui étudie la théologie, qui lit, qui médite, qui réfléchit, qui s'émeut devant des photos d'enfant... Le gars intelligent, doux, délicat, bonasse même. Le gars sans agressivité. Le gars qui joue *Love Me Tender* à sa manière «carrée» mais avec tant d'ardeur! Le petit garçon qui autrefois parlait à Dieu comme à un ami... Meurtre prémédité, prévu, projeté, planifié. Non, non, je n'arrive pas à l'admettre! Christian Larson n'a rien d'un tel assassin.

Celui-ci respire bruyamment et cesse de parler. Je me demande s'il renifle à cause de sa grippe ou d'une envie de pleurer. Quelle tare, quelle monstruosité a pu mener cet homme dans ce merdier? Quelle folie? Je me retiens pour ne pas le secouer, le supplier de m'expliquer. Ce garçon représente l'antithèse du minable gibier de potence, l'ennemi public attesté par son statut de prisonnier condamné à vie. Il doit bien exister une justification à ce mystère qui m'échappe.

Je n'ose ouvrir la bouche de crainte de troubler la méditation dans laquelle il semble plongé. Le silence pèse, dense et assommant. Je m'y réfugie, frappée de stupeur. Ainsi, Christian Larson a tué quelqu'un froidement et avec préméditation... Je croyais en lui, moi! J'imaginais, j'espérais qu'on l'ait manipulé, obligé à commettre un crime. Une malchance, quoi! Pas un meurtre au premier degré! Ah! ça... non! Oh là! Françoise, calme-toi! Ne pas juger, surtout ne pas juger...

Christian reste là, muet, et sirote son café à petites doses, la tête basse. Peut-être se sent-il bien à côté de celle qui se dit son amie? J'entends frapper à la porte avec soulagement.

– Coucou, c'est moi! Salut, fiston! Je ne t'ai pas vu dans ta cellule, alors j'ai pensé te trouver ici. La grippe, ça va mieux?

– Ouais... ça va mieux. Bon, bien moi, je me sauve. La leçon se termine là, je crois?

Oui, la leçon est finie. La leçon, elle est pour moi, ce matin. Le piano est resté silencieux, témoin de l'impénétrabilité d'une souffrance. En ce moment, je voudrais devenir ce piano, ces murs, ce silence, cet espace désert, pour prendre le temps de digérer, d'assimiler ma déroute. Mais on ne m'en laisse pas le loisir. Christian s'approche de moi et me gratifie sans mot dire d'un bec mouillé sur chaque joue. Pour la première fois depuis que nous nous connaissons, il me presse sur son cœur. Je serre mes bras autour de lui.

– Tu prends soin de toi, hein, mon grand?

– Oui, oui, t'inquiète pas, Françoise.

Je le regarde traverser la pièce d'un pas lent et traînant, le dos courbé, sans un regard pour moi ni pour son père. Déjà des allures de vieux à vingt-neuf ans...

Roger s'empresse de venir m'embrasser à son tour.

— Salut, Françoise, as-tu lu mes poèmes?

— Oui, je les trouve bouleversants. J'aimerais bien en reparler avec toi. Il y en a un, surtout, la dernière phrase…

Roger se retourne d'un bloc vers la sortie en me coupant la parole.

— Désolé. Pas le temps de jaser ce matin! Je reviendrai une autre fois. Salut!

L'espace d'une seconde, je me demande s'il n'a pas attrapé la grippe de son fils en déposant rapidement ses lèvres sur ma joue. Traversant la pièce d'un pas cadencé, il brise le rayon de lumière de l'ampoule sur le plancher et déclenche l'explosion de milliers de particules de poussière qui se mettent à danser dans l'air. L'univers invisible, insoupçonné. La vie…

Quand je quitte le pénitencier, sur l'heure du midi, un extrait de ce poème revient me hanter comme une idée fixe: « *On aurait aussi pendu mon fils…* » Brusquement, la pensée de Pauline resurgit dans mon esprit.

Ne lâche pas, Pauline, s'il te plaît, ne lâche pas.

9

L'intrus

Grimpé sur un tabouret, Christian brassait le cacao, le sucre à glacer et le gras à l'aide d'une énorme spatule de bois. Il éclaboussait tout le comptoir tant il y mettait de l'ardeur.

— Doucement, Christian, si tu en gaspilles trop, il n'en restera plus à lécher.

Christian ne s'inquiétait pas. Comme à l'accoutumée, sa grand-mère avait volontairement incorporé un surplus d'ingrédients. Une fois le gâteau décoré, le gourmand petit-fils se pourlécherait les babines ad nauseam *avec le reste du glaçage.*

Depuis son installation chez ses grands-parents Larson, Christian avait retrouvé un semblant de sérénité. On avait finalement envoyé Lison chez son père par manque d'espace. Un incessant va-et-vient animait cette maison de chambres, et les enfants trouvaient difficilement une place au milieu des pensionnaires qui les considéraient trop souvent comme des intrus tapageurs. Dieu merci, Christian adorait la lecture, surtout les bandes dessinées rapportées de la bibliothèque du quartier par son grand-père.

Cependant, dans le secret de son cœur, il s'ennuyait de chez lui. Sa mère lui manquait. Quant à sa sœur, il la croisait parfois dans la cour de l'école, et elle ne lui manifestait que de l'indifférence. Roger ne lui donnait plus de nouvelles depuis son refus d'aller en promenade aux États-Unis. Christian aurait tant souhaité qu'il revienne le chercher, lui tout seul, pour une journée entière. Une journée entre hommes, à l'instar de son compagnon de classe dont les parents venaient de divorcer. Ce garçon ne se sentait pas abandonné par son paternel pour autant. Christian le jalousait secrètement.

Ah! sortir avec Roger, une seule fois, main dans la main… Et puis, non! À son âge, on ne donne plus la main à son père. «Je suis un homme maintenant.» C'est ça! Une vraie rencontre d'homme à homme. Peut-être pourraient-ils aller au cinéma ou au restaurant ensemble? Ou simplement se promener dans la grosse bagnole? Ils jaseraient comme de vieux amis. Le garçon mourait d'envie de lui montrer ses espadrilles neuves. Il lui parlerait aussi de Guy Lafleur, son joueur de hockey préféré. Et puis, il lui apprendrait qu'on construisait des modules de jeux dans la cour de l'école. Il pourrait exhiber sa dictée de mardi dernier avec une note parfaite. Et aussi discuter de sa nouvelle charge confiée par l'institutrice pour aider des élèves en difficulté. Mais, plus que tout, il pourrait lui confier ses appréhensions au sujet de Jeanine, toujours en dépression. Roger accepterait sans doute de lui rendre visite de temps en temps. Qui sait si elle ne prendrait pas du mieux en le revoyant? Christian ne doutait pas un instant que là se trouvait la réponse à tous les problèmes.

Mais Roger demeurait absent, autant pour Christian que pour Jeanine. Il n'appelait même pas chez la grand-mère, et le fils en ressentait un déchirant chagrin. À chaque sonnerie du téléphone, il accourait dans l'espoir inavoué d'être le premier à entendre la voix de son père au bout du fil. «Coucou, c'est moi…» Hélas! Il s'agissait toujours de quelqu'un d'autre.

Pourquoi son père le délaissait-il ainsi ? À la tombée de la nuit, la tête enfouie dans les coussins du divan transformé en lit, Christian l'appelait désespérément. Un jour, Roger choisirait de nouveau son fils et sa famille. Il reviendrait à la maison et la remplirait encore de son âcre odeur de tabac et de sa grosse voix chaude et réconfortante. Il s'agissait d'une question de temps, il fallait se montrer patient, voilà tout ! Alors, son ourson serré contre lui malgré ses dix ans, l'enfant tentait de trouver l'oubli dans un sommeil agité et entrecoupé de cauchemars.

D'autres fois, pourtant, il en voulait à son père pour son insensibilité. « T'es pas fin, papa ! Tout va mal à cause de toi. Je t'attendrai plus jamais ! » Mais il savait bien qu'au moindre signe, il laisserait Roger réintégrer le trou béant laissé au fond de son cœur. Ces soirs-là, seule la prière, génératrice d'espoir, arrivait à le calmer.

Jeanine, par contre, lui téléphonait tous les jours. Elle n'avoua jamais à son fils son séjour de plusieurs semaines dans un hôpital psychiatrique. Lorsqu'on lui permettait une sortie, elle se contentait de visiter Christian chez les grands-parents, après avoir ingurgité une quantité astronomique de médicaments. Elle se gardait bien aussi de prononcer le nom de Roger Larson.

— Je ne pleure plus, tu sais, mon Christian. Bientôt, tu vas revenir à la maison avec Lison. Je me cherche du travail, sur la recommandation du docteur. Ça me fera du bien de sortir. Avant longtemps, nous allons essayer d'être heureux tous les trois ensemble, tu verras.

Ce « tous les trois ensemble » laissait Christian perplexe. Comment pourraient-ils être heureux sans Roger ? Sa mère n'espérait-elle pas son retour, elle aussi ? Pourquoi n'en faisait-elle pas mention ? Tout était la faute de cette maudite Nathalie.

Quand il pensait à cette femme, un souvenir étrange remontait à la surface, un souvenir qui perdurait depuis des années. Il avait, à l'époque, quatre ou cinq ans. La famille s'était retrouvée à la plage en compagnie de l'amie Rolande et de sa jeune sœur Nathalie. Pendant toute la journée, cette dernière s'était dandinée, provocante dans son bikini presque transparent. À un moment donné, Jeanine et Rolande s'étaient éloignées pour aller acheter des hot-dogs et des frites à la cantine. L'enfant, intrigué, avait vu son père s'étendre sur la serviette de plage et se frotter contre la jeune fille. Il lui avait alors caressé les seins et embrassé la bouche et la poitrine.

Témoin silencieux de la scène, Christian s'était senti mal à l'aise et avait feint de ne rien voir. Mais il en avait éprouvé un extrême dégoût. Jamais lui-même ne pourrait faire de tels gestes envers une femme, ça non, jamais! Cette vision l'avait profondément marqué : son père avait trompé sa mère à cause des attraits de cette fille, cette plantureuse femelle aux formes insolentes. Étrangement, il n'en avait pas voulu à Roger pour cet égarement. C'était elle, la responsable! À partir de ce jour, il s'était mis à haïr non seulement Nathalie, mais toutes les femmes émoustillantes, ces symboles de tricherie et de mensonge. À l'école, certains copains railleurs traitaient de catins les filles aux contours généreux. Christian ne comprenait pas trop la signification de ce mot, mais il l'attribuait d'emblée à Nathalie, la blonde de Roger. Cette voleuse de père...

Jeanine mit du temps à se sortir de son état dépressif. Elle finit par se trouver un emploi de couturière dans une manufacture du boulevard Saint-Laurent. Le médecin avait raison, ce travail l'obligeait à se réintégrer dans la société. Elle se fit des amies et se mit à sortir avec elles le vendredi soir, pour aller au cinéma ou à la discothèque. Elle ne dédaignait pas non plus de recevoir un salaire pour s'offrir quelques gâteries. Au moins, à cet égard, elle n'avait rien à reprocher à Roger, car les chèques de pension alimentaire rentraient régulièrement. Mais un peu de superflu faisait du bien au moral.

Un jour, au retour de l'école, Christian aperçut la valise rouge déposée sur le divan et déjà remplie de ses affaires par sa grand-mère.

– Bonne nouvelle, mon Christian! Aujourd'hui, tu retournes chez toi. Ta mère et Lison t'attendent. Tu vas prendre soin d'elles, j'espère!

Prendre soin d'elles? Lui? Ah non! Pas encore cette histoire d'homme de la maison! L'image de sa mère en robe de chambre, couinant à longueur de journée sur le canapé, lui effleura l'esprit. Fallait-il se réjouir de retourner dans cette atmosphère invivable? «Elle va beaucoup mieux», avait déclaré sa grand-mère, «mais elle reste encore fragile. De telles blessures ne guérissent pas sans laisser des cicatrices.»

Christian se jura, malgré tout, de faire l'impossible pour rendre sa mère heureuse et contente de lui. Il pénétra dans la maison en courant, suivi de son grand-père, valise à la main. Quel plaisir de rentrer au foyer et de retrouver, après plusieurs mois, le grincement de la porte, la couleur des murs et les rainures du vieux prélart où il faisait naguère rouler ses petites voitures! Rien n'avait bougé. Le tapis du portique, les meubles de sa chambre, le corridor sombre, la nappe de plastique sur la table de la cuisine, le tableau au-dessus du divan, tout paraissait propre et rangé.

– Maman, maman, c'est moi!

En pénétrant dans la cuisine, il s'arrêta net. Un étranger se trouvait assis sur la chaise berceuse et lui souriait. Jeanine se leva aussitôt de table pour accueillir son fils.

– Bienvenue, mon Christian. J'ai une belle surprise pour toi. Viens, je vais te présenter Gerry, mon nouvel ami. Il habitera avec nous. Gerry, voici Christian.

L'enfant toisa l'homme et ignora la main tendue. Quel était cet intrus qui osait s'asseoir sur la chaise de son père ? Il n'avait pas le droit de s'établir ici ni de dormir dans le lit de sa mère. Il détesta aussitôt ce visage joufflu, ce crâne chauve et luisant, cette main pesante posée lourdement sur son épaule.

— Salut, fiston ! On va bien s'entendre tous les deux, tu vas voir !

Ce clin d'œil, cet air protecteur... Il n'avait pas le droit, non plus, de l'appeler fiston, ça appartenait à Roger. Uniquement à son père ! Qu'il aille au diable, ce vieux sans-gêne qui s'imaginait trouver une place chez eux !

Christian s'enfuit dans sa chambre à toutes jambes et se jeta sur son lit, prêt à hurler. Non, vraiment, il n'avait pas prévu une si affreuse surprise. Jeanine vint le trouver et se mit à lui caresser les cheveux.

— Allons, mon grand, tu vas t'habituer. Tu verras comme Gerry est gentil. Il va prendre soin de nous. Lison le connaît seulement depuis hier et déjà elle semble vouloir l'adopter. Tu comprends, Christian, je ne peux pas rester toute seule. Ton père ne reviendra jamais.

« Ne reviendra jamais... ne reviendra jamais... » Ces mots résonnaient dans la tête de l'enfant comme une massue démolissant une à une ses dernières illusions. Tout n'avait été que mirage et faux espoir... Sa famille ne se reformerait jamais, Jeanine venait de le confirmer. Et le grand « Jack » en train de glapir dans la cuisine se trouvait là pour rester.

Il pouvait aller se rasseoir, celui-là, jamais Christian ne deviendrait son ami. Si Jeanine et Lison acceptaient sa présence, tant mieux pour elles ! Lui, il reprendrait sa valise rouge et s'enfuirait le plus loin possible. Mais où aller, grands dieux, quand on a dix ans et qu'on voit son univers s'effondrer définitivement ?

Christian se mit à geindre faiblement, mais personne ne revint le consoler. À travers les bribes endiablées d'une chanson diffusée à tue-tête à la radio, il pouvait entendre rire sa mère retournée à la cuisine. Et ce rire coula soudainement dans son âme comme une eau de source. Sa mère riait... Alors une lueur apparut dans son horizon restreint, telle une étincelle d'espoir. Le bonheur existait encore quelque part... Dans sa confusion, il n'osait y croire, trop jeune pour se révolter, trop jeune pour réaliser à quel point l'être humain a parfois peu d'emprise sur son destin.

10

On a finalement transporté le piano dans une immense salle vide dont les murs nus traduisent bien la froideur d'un complexe carcéral. Les parois rapprochées de la petite remise avaient au moins l'avantage de créer une vague ambiance d'intimité.

Ici, par contre, tout semble vacuité, sécheresse, clarté glaciale et silencieuse. Seul signe de vie : deux plantes suspendues au-dessus des fenêtres. J'arrive mal à réchauffer ce lieu trop vaste. Ma présence apaisante doit compenser, ponctuée par les sons tordus du piano mal accordé, sons maladroits et timides ou au contraire tonitruants lancés par les détenus, mais portant toujours sur leurs accents la meilleure volonté du monde. Et certainement quelques émotions jamais exprimées auparavant.

Le déménagement de l'instrument dans ce lieu créera aussi une autre sorte de problèmes. Je ne sais combien de fois des élèves dépités m'annonceront ne pas avoir pu s'exercer certains soirs à cause de réunions organisées dans cette salle : Alcooliques Anonymes, Narcotiques Anonymes, ARCAD[6], pour ne nommer que celles-là. Certains détenus finiront même par se décourager et abandonner les cours. D'autres me jureront avoir

---

6. ARCAD : Association de rencontres culturelles avec les détenus.

travaillé leur piano toute la semaine sur un clavier grandeur nature dessiné sur des cartons brochés!!! Malgré mes demandes répétées, on mettra des années à inclure dans le budget de ce pénitencier fédéral l'achat de quatre claviers électroniques pour permettre à chaque élève de travailler son piano dans sa cellule, écouteurs sur les oreilles.

Ainsi, Georges n'est pas revenu après quelques semaines. Mais cette fois, je n'ai pas protesté. Cet homme grognon et bâti comme une armoire à glace ne me disait rien qui vaille. Pour la première fois depuis mon arrivée ici, je me sentais sur la défensive dès son entrée dans le studio. Peu intelligent et incapable de fournir des efforts, il ne touchait pas à l'instrument de la semaine. Pire, il ne se rappelait plus mes enseignements de la semaine précédente. Quand, un jour, il m'a annoncé tout de go qu'il n'avait pas terminé son école primaire et qu'il se trouvait sans famille, je l'ai pris en pitié et me suis armée de patience.

Au bout de trois mois, il ne reconnaissait pas encore les premières notes, ni sur le clavier ni sur la portée. Inlassablement, je reprenais les mêmes explications et, pour le motiver, lui proposais d'autres morceaux de calibre de la maternelle. Quand il a commencé à me les remettre brusquement en affirmant que c'était trop difficile, je lui ai suggéré gentiment d'abandonner les cours. Ses gros bras tatoués me faisaient peur. Il aurait suffi que sa colère monte d'un cran et c'en était fait de moi. Du moins, je l'anticipais avec inquiétude.

Mais la semaine suivante, il revenait tout enjoué, prêt à recommencer. Sans doute étais-je la seule personne dans l'enclos à lui manifester un peu d'attention et à supporter calmement son sale caractère. Mais, un jour, il s'est réellement fâché. Dieu merci, il a eu la sagesse de s'en aller après m'avoir vertement reproché de me montrer trop exigeante. Tant mieux!

Il n'avait qu'à ne plus revenir! Un jour, enfin, il m'annonça qu'il abandonnait.

Hélas, j'ai commis l'erreur de partager mon soulagement avec l'élève suivant. À mon grand étonnement, le type s'est emporté.

– Quoi? Il t'emmerdait à ce point? Il va le payer cher, l'écœurant!

– Non, non, je t'en supplie. Je ne te racontais pas ça pour cette raison. Laisse tomber, voyons! Il ne reviendra plus. Oublie ça!

Je le lui fis jurer sur l'Évangile, sur sa femme, ses enfants, sa mère, sa maîtresse, sur Beethoven et sur notre amitié. Il n'était pas question de créer une émeute à l'intérieur des murs à cause de la stupidité d'un grossier personnage et de la langue trop longue de son professeur. Mon élève tint parole et l'histoire de Georges est finalement tombée dans l'oubli. Madame Piano en a tiré une leçon…

Christian, lui, n'abandonne pas malgré ses difficultés d'apprentissage. Mais je le soupçonne de manquer de persévérance dans ses pratiques. Selon mon expérience, le travail arrive en général à compenser l'absence de talent. Et je n'ai aucun doute sur ses capacités intellectuelles. Mais il n'aboutit à rien. En six mois, il est à peine arrivé à piocher quelques airs simplets dont le fameux *Love Me Tender* d'Elvis Presley. À la vérité, il le massacre royalement avec un son trop percutant et un rythme parfaitement tortueux. Il le sait et réussit même à s'en moquer.

– Je suis le plus cancre de tes élèves, mais j'ai du *fun*. C'est ça l'important, hein?

Oui, Christian, je le sais. Mais on se lasse vite de ce genre de *fun* quand la véritable motivation fait défaut. Pourtant, quand il joue du piano, je vois son visage se transfigurer, transporté ailleurs. L'évasion…

Ce matin, la grippe semble avoir rendu les armes. Je trouve mon ami encore un peu pâlot mais de meilleure mine. Notre conversation de mercredi dernier n'a cessé de me hanter toute la semaine. Tant de questions ont surgi dans mon esprit… Peut-être faisait-il partie d'une *gang* de délinquants? Peut-être a-t-il tué pour de la drogue? Ou un vol dans une épicerie? Tiens, c'est cela : il a dû se présenter chez un dépanneur ou une banque avec une arme, et les événements ont mal tourné… Ou peut-être s'est-il agi d'une bataille de rue, un cas de légitime défense? Mais non, voyons, on l'aurait condamné pour homicide involontaire. Où se trouverait alors la préméditation dont il a parlé? Et quel rôle son père tenait-il dans cette affaire?

— Comment te sens-tu, ce matin , mon beau Christian?

— Pas si mal. Mais je suis débordé, pas une seule émission n'a été présentée, la semaine passée. Mon collaborateur n'a rien foutu pendant que j'étais malade. Un vrai con!

— Dis donc, ça te plaît toujours, cette télévision communautaire?

— J'adore! J'apprends à réaliser des émissions et à manipuler les caméras. Je fais même les montages. Et je tiens le rôle d'annonceur de temps à autre. Tout ça de manière artisanale, bien sûr! Une émission d'une demi-heure par jour représente beaucoup de travail, tout de même. On y commente l'actualité, on émet les petites annonces du pénitencier, les menus potins, les événements, les faits divers ou les histoires cocasses. Il ne manque pas d'en survenir dans un lieu comme ici.

— Ah oui?

— Tiens, par exemple, j'ai raconté comment le gardien t'a enfermée par distraction au socio avec ton élève, l'autre midi, alors que tout le monde avait quitté les lieux pour le décompte dans les cellules. D'après tes dires, le gars a paniqué, pas toi! Et il s'est mis à crier comme si tu allais le violer alors que toi, tu as tranquillement grimpé sur une chaise et frappé dans la fenêtre pendant au moins dix minutes pour avertir le premier gardien passant par là de venir vous délivrer. C'était drôle, non? Ç'a fait rire tout le monde.

Ah bon. Je n'aime pas le rôle du dindon de la farce, mais si tout le monde a ri... Christian ne remarque pas mon léger tressaillement et se contente d'enchaîner.

— Dans les périodes de calme plat, on diffuse de la musique et des vidéo-clips. Au moins, j'ai l'impression d'apprendre un métier, de préparer mon avenir. Ça pourra toujours servir, qui sait? Mais le mot «avenir» est un bien grand mot! Tout ça m'apparaît tellement lointain...

— Comment un juge a-t-il pu condamner à vie un jeune de dix-huit ans? Tu n'avais même pas fini de grandir! Les juges, quand ils obligent des jeunes de cet âge à purger une peine à perpétuité dans un vrai pénitencier, réalisent-ils que certains d'entre eux sont encore des enfants? que cette mise à l'écart constitue une autre forme d'assassinat en quelque sorte? La punition doit-elle donc primer sur les chances de réhabilitation?

— Certains sont déjà irrécupérables, même à cet âge-là, Françoise...

— Mais toi...

— Moi, j'avais tué, je méritais ma sentence. La loi et la justice ont simplement suivi leur cours normal. Quant à la chance de grandir...

Christian n'achève pas sa phrase. Je vois son visage prendre brusquement des couleurs, celles de la colère, de la révolte de l'enfant jeté en pâture aux loups voraces et sans âme. Je vois sa main crispée sur son verre de carton, une main blanche et propre, une main de criminel, pourtant, qui aurait pu devenir la main consacrée d'un prêtre. Cette main a, un jour, supprimé la vie, et je la vois s'élever devant moi, en cet instant même, en un poing rageur. Christian s'empresse pourtant de ramener ce poing sur sa poitrine, silencieusement, à la hauteur du cœur. *Mea culpa, mea maxima culpa...*

— Dis donc, si on jouait du piano ?

11

Le nouveau maître des lieux

La présence de Gerry apporta, durant les premiers mois, un simulacre de paix. Du moins la routine quotidienne semblait avoir trouvé un cours normal, et Jeanine reprenait intérêt à la vie. Le fait d'être considérée par un autre homme atténuait les anciennes balafres d'humiliation. Après tout, elle n'était sûrement pas si indésirable puisque Gerry la comblait d'attentions. Oh! leur relation ne s'avérait pas parfaite, loin de là, et l'amoureux se montrait aussi indépendant que généreux. Certains soirs, il rentrait très tard ou pas du tout. Elle n'osait exiger des précisions. Plus elle lui laisserait de latitude, plus il s'attacherait à elle, elle en avait la conviction. Pour l'instant, mieux valait simplement se réhabituer à la douceur de vivre. Rien de plus.

Malgré son emploi de couturière qui canalisait une grande partie de ses énergies, elle avait recommencé à s'occuper sérieusement de ses enfants. Christian n'en revenait pas de trouver des sacs à lunch prêts dans le réfrigérateur dorénavant rempli de victuailles. En fin d'après-midi, l'enfant s'étonnait d'entendre chantonner sa mère en train de préparer le souper pendant que lui et sa sœur faisaient leurs devoirs sur la table de la cuisine. Fallait-il que la vie normale et ordinaire lui ait manqué ces derniers mois pour l'apprécier à ce point!

Sans les va-et-vient constants de l'intrus, Christian se serait senti presque heureux. Mais il supportait difficilement l'étranger. Non seulement Gerry s'était emparé du cœur de sa mère et même de celui de sa sœur, mais monsieur prenait des aises de conjoint officiel et usait audacieusement de pouvoirs d'autorité paternelle. Jamais Christian n'acceptait de recevoir des ordres de ce faux père. Il le trouvait hypocrite et vulgaire et détestait le voir s'amuser à pincer les fesses de Jeanine ou à soulever sa jupe devant les enfants sous prétexte que leur mère possédait de belles cuisses. Elle riait chaque fois, mais Christian la soupçonnait de rire jaune. Cela lui rappelait trop la scène où Roger avait caressé à la dérobée le corps sensuel de Nathalie, la catin.

Qu'avaient-ils donc tous, les hommes, à convoiter ainsi l'anatomie des femmes? À part sa sœur, sa grand-mère Maria et son institutrice, Jeanine représentait la seule créature féminine à compter pour Christian. Jamais il n'oserait la toucher de la sorte! Il éprouvait trop de respect pour elle. Menue et délicate, la stature de Jeanine trahissait aussi bien sa fragilité de corps que sa sensibilité d'âme. Comment son père avait-il pu abandonner cette femme sans malice dont le seul moyen de défense consistait à ployer silencieusement?

Dernièrement, le garçon avait subi une poussée de croissance et se sentait devenir de plus en plus fort, assez pour se considérer enfin comme le protecteur de sa famille. Plus il grandissait, plus l'instinct de veiller sur sa mère faisait surface. Ce Gerry n'avait pas à s'en mêler.

Mais l'importun, avec ses épaules larges, ses mains puissantes et son rire sardonique, semblait vouloir prendre toute la place. Celle du père, mais aussi sa place à lui, Christian. L'enfant n'acceptait pas la façon tyrannique de l'emmerdeur d'imposer ses quatre volontés à chacun. Il déterminait l'heure des repas, du bain, des sorties. Même chose pour le coucher, le choix des émissions de télévision, les permissions pour aller chez les amis. Si Jeanine et Lison se pliaient volontiers à ce régime, lui, Christian, refrénait à grand-peine ses instincts de révolte. Le soir où le nouveau maître des lieux décida de mettre le nez dans ses travaux scolaires, il refusa carrément d'ouvrir son sac d'école.

— Mes devoirs sont déjà faits.

— Montre-moi ton carnet de leçons.

— Non! il m'appartient, ça te regarde pas!

L'homme grommela un sacre et Jeanine dut intervenir.

— Laisse-le tranquille, Gerry! Christian n'a pas besoin d'aide comme Lison. Il fonctionne très bien tout seul.

À partir de ce jour, le garçon omit souvent de faire ses devoirs, davantage pour le plaisir de la rébellion que par réel désintérêt. À vrai dire, cette résistance occulte le rendait un peu malheureux, car il aimait bien l'école. Mais tenir tête à Gerry le satisfaisait encore plus.

Un matin, au début de l'automne, ce dernier lui avait ordonné de revêtir son coupe-vent. «Habille-toi, on gèle!» Le garçon avait serré les dents et enfilé le vêtement. Mais une fois dans la rue, il s'était empressé de le lancer à toute volée dans le parterre d'une maison voisine. Malgré le froid vif qui lui piquait la nuque, il s'était acheminé vers l'école avec le sentiment d'avoir remporté une victoire sur l'ennemi. Puis, il oublia l'incident.

En fin de journée, quand il rentra tout bonnement à la maison, Gerry l'attendait de pied ferme, coupe-vent à la main.

— C'est pas toi qui mènes ici, ti-gars, c'est moi. Et tu vas t'en rappeler!

L'homme gifla Christian de toutes ses forces. L'enfant reçut le coup comme une brûlure qui lui incendia à la fois le corps et le cœur. Il se mit à hurler.

— Va-t'en, va-t'en, je te déteste !

Sidéré lui-même de son audace, Gerry s'arrêta net. Il tenta un revirement et saisit l'enfant par les épaules.

— Écoute, fiston, je t'ai frappé pour t'apprendre l'obéissance. Tu n'avais qu'à te conformer à mes ordres, ce matin.

— T'es pas mon père et je veux pas t'écouter. Et je vais dire à Roger ce que tu m'as fait.

Dire à Roger... Quelle chimère ! Son père ne s'était même pas donné la peine de le remercier pour la carte d'anniversaire qu'il lui avait dessinée et envoyée par la poste. Christian Larson n'avait plus de père, il devrait bien l'admettre un jour. Désormais, il aurait à se défendre seul et protéger sa mère et sa sœur contre le monstre, en homme fort et solide. Il serra les poings. Cette fois, il ne pleurerait pas. Un homme, ça ne pleure pas.

À son retour du travail, quelques minutes plus tard, Jeanine trouva son fils dans sa chambre, assis devant son pupitre sur lequel il n'avait ouvert aucun livre.

— Alors, on rêvasse ?

L'enfant resta muet et tourna la tête, braquant ses yeux dans ceux de sa mère. Elle remarqua le côté de son visage, rouge et enflé.

— Mon Dieu ! Qui t'a fait ça ?

— Ton maudit chum *!*

Toutes les résolutions de force, de cran, de bravoure, de résistance masculine ne tinrent pas le coup. Les digues s'ouvrirent brusquement et Christian se mit à sangloter comme un bébé. Il se retint toutefois de se jeter dans les bras de sa mère. Un homme, ça s'arrange tout seul. Mais elle s'empara de lui et le pressa sur son cœur avec une vigueur à lui faire perdre le souffle.

— Ça ne se reproduira plus, je te le jure, Christian.

Elle s'en fut dans la cuisine retrouver un Gerry repentant, filant doux.

— Si tu touches encore à un seul cheveu de mes enfants, tu prends la porte. As-tu bien compris? Tu me crois peut-être une femme faible et facile à exploiter, mais je ne tolérerai jamais ce genre de violence envers mes petits, tu m'entends? Jamais!

— Compris! J'ai eu un moment d'égarement, exagère pas!

Le lendemain, au retour de l'école, deux cadeaux attendaient Christian et Lison sur la table de la cuisine. Ils portaient l'étiquette «Aux enfants que j'aime. De Gerry». Lison, éblouie, s'empara de l'ensemble à fabriquer des bijoux de plastique.

— Il est tellement fin, Gerry!

Christian, quant à lui, se contenta de jeter un regard oblique sur la boîte de mécano. Justement le kit dont il rêvait! Mais il se garda d'y toucher. Quand vint le temps de dresser la table pour le souper, la boîte n'avait pas bougé.

— Alors, Christian, ce mécano ne t'intéresse pas?

— Euh... oui, oui, maman...

Il saisit le jeu et s'en fut le jeter sous son lit, au fond contre le mur, le plus loin possible. La boîte heurta un objet s'y trouvant déjà: la valise rouge. Personne ne s'aperçut, pas même Gerry, qu'il n'ouvrit jamais le jeu.

Cette nuit-là, seule la pensée de la valise rouge l'aida à sombrer dans un sommeil opaque.

12

Le tortionnaire

Gerry tint sa promesse et ne toucha plus à Christian ni à Lison. Un climat de tolérance et de haine silencieuse s'établit toutefois entre l'homme et le garçon. Chacun feignait d'ignorer l'autre, mais les deux ne cessaient de s'épier. Christian, surtout, surveillait les allées et venues de l'amant de sa mère, à la fois réjoui et ennuyé par ses fréquentes absences. Il n'aimait pas voir Jeanine se tracasser et redoutait par-dessus tout une récidive de la dépression dont il se souvenait avec épouvante. Et cela le rendait indulgent. Si la seule présence de l'importun constituait un vaccin contre cette maladie, il se sentait prêt à toutes les concessions. Alors, malgré lui, malgré son ardent désir de le voir s'effacer de leur vie, Christian souhaitait paradoxalement le retour de Gerry à chacune de ses sorties.

Le jeudi soir, jour de paye, l'homme manquait systématiquement à l'appel. Le vieux célibataire payait une partie du loyer et des dépenses pour la nourriture. À cet effet, lui et Jeanine avaient ouvert un compte commun. La pension de Roger suffisait à peu près pour les besoins des enfants et, pour le reste, chacun s'occupait de ses dépenses personnelles.

Jeanine se demandait comment son conjoint utilisait le reste de son argent. Son salaire de mécanicien d'expérience devait certainement lui permettre quelques écarts dont elle ignorait la nature. Il n'achetait ni vêtements ni objets de luxe pour lui-même et semblait se contenter du strict nécessaire. Pourtant, certains jours, il rebondissait à la maison dans sa bagnole déglinguée avec des cadeaux insolites d'un prix exorbitant, parfums coûteux ou fleurs par douzaines. Jeanine n'avait que faire d'un manteau de vison pour se rendre à la manufacture ou pour aller manger à la binerie du quartier où il les emmenait pour la sortie familiale du dimanche. Lison arborait une chaîne en or de trop grande valeur pour son âge. Christian, quant à lui, trébuchait sur des voitures téléguidées pour lesquelles il n'avait aucun intérêt. Toutefois, les enfants devaient user à la corde leurs souliers et leurs vêtements. Jeanine aurait apprécié un meilleur usage de ces sommes énigmatiques qui surgissaient sporadiquement dans les poches de Gerry.

Radin ? Dépensier compulsif ? Voleur ? Elle se le demandait parfois. Elle en était venue à conclure, quand il surgissait avec de tels cadeaux, qu'il voulait probablement se faire pardonner quelque écart de conduite ou sa disparition inexpliquée de deux ou trois jours. En réalité, elle vivait dans la hantise de voir une autre femme, une fois de plus, lui ravir cet homme à qui elle avait donné une place dans sa maison et dans son lit.

En l'absence de Gerry, Christian en profitait pour inviter ses amis à la maison, Hugo surtout, le grand spécialiste en mécano. Ensemble, ils passaient des heures à monter des grues, des pelles mécaniques, des ponts-levis sur la table de la cuisine. Perdu dans son univers enfantin, le garçon goûtait des heures exceptionnelles de quiétude et de paix. Souvent, Jeanine leur préparait des sandwiches pour éviter de déplacer les pièces de mécano étalées sur la table.

Il aurait souhaité voir ces moments devenir pratique quotidienne. Hélas ! Gerry ramenait invariablement le régime martial dès qu'il remettait les pieds dans le logement. Pas question d'éparpiller les jouets dans la maison, encore moins d'inviter des amis, pas question même de s'esclaffer ou de parler fort. Quand l'empoisonneur faisait irruption, Christian préférait filer en douce dans sa chambre et se réfugier dans les livres prêtés par son grand-père. Les parents de Roger se montraient si gentils avec lui... Ne pouvaient-ils pas signifier à leur fils que Christian l'attendait toujours ?

Maintenant capable de se rendre chez eux par lui-même, le garçon avait pris l'habitude de visiter ses grands-parents chaque samedi matin. Havre de paix, moment de grâce vers lequel il tendait durant toute la semaine... Il arrivait à l'heure où Maria cuisait ses pâtisseries dans le vieux four à bois. Il découvrait toujours quelque spatule à lécher, laissée au fond d'un plat à son intention. Petite attention à saveur de pâte sucrée dont l'enfant se délectait bien au-delà des papilles gustatives. Il retournait chez lui rempli non seulement des arômes de chocolat, de vanille ou de tarte aux pommes, mais surtout de la suavité d'un monde où il se sentait bien. Un monde de velours, à l'inverse de l'autre, rue de la Visitation. Un monde de répit.

* * *

La sonnerie du téléphone fit sursauter Christian juste au moment où Tintin, ligoté au bûcher du Temple du Soleil, s'écriait : « Une éclipse ! Nous sommes sauvés ! » Gerry avait disparu du décor depuis plusieurs jours.

— Ma mère ? Un instant, s'il vous plaît.

Jeanine prit l'appareil et commença à pâlir.

— *Mais je ne sais pas, monsieur. Oui, oui, je vous rappelle aussitôt. Promis!*

Effondrée sur le divan, elle se mit à trembler et à se tordre les mains. Christian vint la rejoindre avec un air interrogateur.

— *C'était le patron de Gerry. Il n'est pas rentré au travail depuis quatre jours, sans aviser. Monsieur Lagacé ne semblait pas content du tout. Il lui est arrivé un malheur, je le sens. Pire, la banque m'a appelée, ce matin: le chèque du loyer a rebondi à cause d'un manque de fonds. Notre compte commun a été complètement vidé récemment.*

Christian ne saisissait pas la signification de ces termes de finance, mais cela ne présageait rien de bon. Comment rassurer sa mère? Même absent, cet abruti rendait Jeanine malheureuse! Et pourtant, elle en avait bien assez avec cet ulcère à l'estomac qui la maltraitait depuis quelques semaines et la forçait, certains jours, à s'absenter du travail. Quand il l'observait à la dérobée, Christian la voyait souvent porter la main à la poitrine en grimaçant. Et ce geste le rendait fou d'inquiétude.

— *Il reviendra bien à un moment donné, maman, ton Gerry.*

Sans s'en rendre compte, Christian avait insisté sur le «ton» Gerry, comme s'il se dissociait inconsciemment de l'attente fébrile du tortionnaire. Et pourtant, cette nuit-là, il ne ferma pas l'œil, dans l'espoir absurde d'entendre le vacarme du vieux tacot en train de se garer devant la maison.

Le fugueur revint en effet, aux petites heures du matin, plus bruyant que jamais, vociférant à tue-tête, sans aucun respect pour le sommeil des enfants et des voisins. Il avait bu.

— *Eh! ma pitoune, fais-moi à manger, j'ai faim!*

Emmitouflée dans sa vieille robe de chambre délavée, Jeanine, livide et cernée, se surprit à lui tenir tête.

— Ah! ça, non! Tu vas d'abord m'expliquer où se trouve l'argent disparu du compte de banque. Mon argent... L'argent du loyer.

— Notre argent, tu veux dire, Jeanine. J'avais des petites dettes à rembourser. Rien de grave, je vais remettre le compte à flot dès ma prochaine paye. Capote pas, la mère! Le propriétaire peut bien attendre quelques jours.

— Ta prochaine paye? Mais, Gerry, tu ne t'es pas présenté au travail depuis quatre jours, ton patron me l'a dit au téléphone. Je me demande même si tu te trouves encore sur sa liste d'employés!

— Il a appelé ici, le vieux rat? Tu lui as dit que j'étais malade, très malade, j'espère!

— Pas du tout! Je lui ai dit la vérité: que j'ignorais où tu te trouvais.

— Sacrament, t'es pas folle? T'as même pas essayé de me sauver la face?

— Quelle face, Gerry?

— M'as te montrer, moi, c'est quoi, la face!

Il attrapa Jeanine et se mit à la frapper au visage à grands coups de claques lancées à bout de bras. Elle hurlait à fendre l'âme.

— Arrête, Gerry, arrête!

Christian se leva d'un bond pour assister, impuissant, au drame en train de se dérouler dans la cuisine. Serrés l'un contre l'autre et tremblant de peur, le frère et la sœur virent leur mère étendue par terre, assaillie par un Gerry hystérique en train de lui asséner des coups de pied.

— Maman!

Christian se jeta sur sa mère sans réfléchir une seconde. Ce geste eut l'impact espéré. Gerry s'arrêta net. Il aida même Jeanine à se relever.

— *Excuse-moi, ma pitoune, je me suis un peu emporté. C'est fini, astheure. Si on se faisait du Kraft Dinner? Viens, on va cuisiner ensemble, comme des amoureux.*

— *...*

— *Bon, les enfants, on retourne sagement se coucher, hein? La chicane est finie.*

Christian prit Lison par la main et la ramena dans son lit.

— *Ne pleure plus, Lison, maman va mieux. Elle prépare à manger pour Gerry.*

Il retourna à la cuisine et vit sa mère frissonnante en train de sortir une casserole de l'armoire. Elle affichait un œil boursouflé et un peu de sang s'écoulait de son nez. Elle n'eut aucun regard pour son fils. Sans un mot, il revint s'étendre sur son lit. L'odeur de fromage fondu lui donna la nausée. Il s'en fut en courant dans la salle de bain pour vomir son écœurement.

13

Ce matin, je suis en mal d'amitié. «Au secours! Écoutez-moi, quelqu'un!» Mon amie Pauline s'en est allée, hier soir, emportée en quelques mois par la maladie. Mais je ne dois pas manifester mon chagrin. Je le vivrai chez moi, avec mon mari et mes enfants. Ici, les détenus, obnubilés par leur propre survie, n'en ont rien à foutre des petits problèmes de Madame Piano. Christian comme les autres. Qu'importe! Ne jamais perdre de vue que je viens dans ce lieu pour donner et non recevoir. Tout est là: aimer sans retour. Y arriverai-je jamais?

Les mains du gros Robert courent sur le piano à la recherche de l'oubli, elles aussi, ce pitoyable apaisement pour l'être dépassé par l'irréparable. Gros comme des boudins, qu'ils sont, les doigts égarés de Robert…

L'homme se présente fidèlement depuis plusieurs semaines à mes cours, ce pansu avare de paroles et dont les fesses dépassent largement les côtés du banc pivotant. Il ne manque pas de talent ni de zèle pour les exercices musicaux. Mais toute son attitude trahit une profonde agitation. Fidèle à mes principes, je me retiens de le questionner. Mais voilà qu'il me regarde soudain d'un air de bête traquée.

— Françoise, est-ce que je peux te confier un secret? Ici, c'est impossible d'en parler car on me tuerait. Les prisonniers ont leurs propres lois, je te jure!

— Mais oui, je viens précisément pour t'écouter.

L'homme hoche la tête. Par la fenêtre ouverte, les rumeurs d'une partie de volley-ball ne suffisent pas à diluer la densité du silence à l'intérieur du studio. J'ose à peine respirer. Sans se redresser, le géant se met à parler d'une voix faible après s'être raclé la gorge.

— Sais-tu pourquoi on m'a enfermé ici?

— Aucune idée.

— J'avais des rapports sexuels avec mes quatre enfants. Ma femme se trouve à la prison des femmes pour la même raison. On faisait ça ensemble. Un jour, les petits ont parlé, à l'école. Une heure plus tard, nous étions sous arrêt, elle et moi.

Quoi! Ce gros cochon a abusé sexuellement de ses enfants? Ces doigts-là ont fourragé au fond de leurs petites culottes? Pétri la soie de leur peau de bébé, souillé sa blancheur? Sali, violé?… J'en ai le souffle coupé! Pour la première fois en six années de présence à Bonsecours, je ne sais quoi répondre. Il faudrait l'âme d'une sainte pour arriver à formuler un pardon, inventer un espoir, trouver une ouverture où laisser passer la lumière. Je n'ai pas cette grandeur, je reste muette, paralysée de dégoût. Avec le temps, peut-être trouverai-je une réponse. Pas ce matin.

— Sais-tu le pire, Françoise? On m'empêche de voir mes petits, et même de les appeler au téléphone. Ils me manquent tellement, tu peux pas savoir! On dira ce qu'on voudra, je les aime pour vrai!

Et il prétend les aimer, le salaud! Je serre les dents. Tant mieux s'il ne les revoit jamais! Est-il au moins conscient des ravages qu'il a causés ? Des marques qui ne s'effaceront jamais… Je le fusille du regard en tentant de me ressaisir.

— Il existe ici des thérapies à cet effet, je crois.

— Oui, je ne manque pas une séance.

A-t-il remarqué, sous ma froideur, la colère que j'essaye d'endiguer ? Vite, retournons à la musique ! Au secours, Beethoven ! Une nouvelle formule rythmique, une fausse note à corriger ou un phrasé à mettre en évidence vont créer une diversion. Tant pis pour la tape dans le dos et les paroles réconfortantes. La bénévole n'est pas à la hauteur, aujourd'hui.

Lorsqu'il me quitte, je dois fournir un effort surhumain pour embrasser cet immonde bloc de chair trempée de sueur. Le bonhomme semble soulagé de s'être confié malgré ma compassion mitigée. Il reviendra au cours des prochaines semaines, aucun doute là-dessus. Devrai-je supporter sans sourciller les détails scabreux de ses agressions sexuelles ? Oh ! mon Dieu, non ! Pitié… Je dois m'y attendre et méditer longuement sur le pardon. Focaliser sur l'immense solitude de ce malheureux. D'où me vient ce sentiment d'avoir à lui pardonner ? Il ne m'a pourtant rien fait, à moi !

En franchissant l'unique porte extérieure de Bonsecours, sur l'heure du midi, j'éprouve une brûlante envie de pleurer. Sans doute trop d'émotions. Peut-être s'agit-il simplement de la résurgence de mon chagrin au sujet de Pauline, oublié durant quelques heures. Mon deuil…

14

Le *Love Me Tender* de Christian reste incurablement cacophonique.

– Dis donc, si on attaquait autre chose?

Hélas, ni le *Ländler* de Mozart ni *Le Beau Danube bleu* ne trouvent grâce à ses mains. Au fond, son acharnement me plaît. Mon ami n'a rien du type qui se désiste à la première difficulté. De jouer bien ou mal du piano n'a pas d'importance, à bien y penser. Sa piètre performance ne représente rien à côté de la richesse de nos échanges.

Je m'attache de plus en plus à ce garçon et me fais du souci pour lui. Je le sens misérable, torturé intérieurement. Et seul. Infiniment seul au milieu de cette meute de criminels. Il se démarque largement du troupeau et ne semble faire partie d'aucune catégorie de détenus.

Impossible de l'identifier aux durs à cuire arrogants qui s'inscrivent rarement aux cours de piano. D'un autre côté, il m'apparaît trop brillant pour être classé parmi les simplets dont plusieurs ont sans doute joué le rôle de bouc émissaire pour les sales boulots de leurs chefs. Il ne ressemble pas non plus aux blessés de l'âme prêts à tout pour trouver l'oubli dans la drogue. Ceux-là sont légion. Ils fréquentent l'école de la prison, les ateliers, les programmes de thérapie. À jeun, ils se montrent fort sympathiques et coopérants. On les trouve plus souvent à la chapelle qu'à la bibliothèque. Restent les autres, soit les grands parleurs et menteurs invétérés à l'*ego* hypertrophié, soit leurs contraires, les solitaires qui vivent leur drame en silence. Ces derniers ont l'air de tout sauf de bandits. Sur mon banc de piano, les premières fois, ils focalisent exclusivement sur la musique. Mais un jour ou l'autre, si j'ai réussi à instaurer un climat de confiance, ils s'ouvrent spontanément. Alors fusent les confidences, les poèmes, les photos.

Je me rappellerai toujours le jour où le Sud-Américain Miguel, plutôt de mauvais poil, m'a montré tout à coup la photo de la femme de sa vie pour laquelle il semblait se tourmenter ce matin-là. La femme idéale, à l'entendre parler!

— *Mi amor* m'a triché, hier soir, je pense…

Je vois encore son visage à la fois fier et malheureux tandis qu'il me tendait l'enveloppe comme s'il me confiait le secret des dieux.

Le secret de la déesse, à franchement parler! J'ai dû me mordre les lèvres pour réprimer un fou rire en découvrant la pitoune flamboyante et complètement nue étalée voluptueusement dans la mousse d'un bain. Bonne mère! Et il s'attend à la fidélité de cette poulette-là? À l'exclusivité? Pauvre lui! Sa déesse incandescente ne va certainement pas l'accompagner bien loin sur le chemin de la réhabilitation! Mais au moins, il lui écrit et lui téléphone de temps à autre, et cela l'aide à écouler le temps.

Curieusement, Christian, s'il fait partie des solitaires, s'est montré volubile et ouvert dès notre première rencontre. Étrange amitié que la nôtre… Il ne sait rien de moi et ne m'interroge jamais à ce sujet. Madame Piano ne représente qu'une simple auditrice affectueuse et compréhensive, une heure par semaine.

– Je dois améliorer mon *Love Me Tender*, Françoise. On vient me filmer la semaine prochaine. Il faudra que je me montre à la hauteur.

– Quoi? Tu vas jouer du piano dans un film? As-tu décidé de créer une émission en circuit fermé sur tes cours de piano?

– Non, non! Un équipe de Radio-Canada doit venir vendredi prochain pour enregistrer l'émission *Le point*. On prépare un volet sur la violence, et la recherchiste m'a sollicité pour une entrevue. De plus, on montrera chacune de mes activités ici, entre autres les études, le jogging, mon travail à la télé communautaire et... la pratique du piano!

– *Wow*! Quel prisonnier populaire! Je vais devoir ajouter ton autographe à ma collection, mon cher!

– Oh! tu sais, quand les médias te connaissent, ils te lâchent plus. On m'a déjà invité à quelques reprises. La violence est un sujet brûlant de nos jours, et l'univers carcéral suscite toujours la curiosité. Les déclarations de détenus «pognent» davantage que celles de spécialistes autour d'une table. On se met facilement dans la peau d'une victime, mais pas dans celle du coupable. Le témoignage d'un bandit garantit l'originalité et monopolise davantage l'attention.

– Tu as raison. Je suis moi-même souvent la cible de questions au sujet de ce bénévolat. «Pourquoi tu vas là?» ou bien «Tu n'as pas peur?» ou encore «Comment fais-tu pour aller t'enfermer avec des bandits?» Monsieur Tout-le-monde apprécie secrètement les murs barbelés qui le protègent contre les gangsters, mais, à la vérité, il ne détesterait pas voir de plus près ceux dont il a peur. Un peu comme lorsque, bien en sécurité, on regarde un fauve au fond d'une cage.

– Des bêtes curieuses… Oui, je le sais, j'en fais partie !

– Certains n'ont pas l'air bien méchants, pourtant… Tu sais, Christian, il y a déjà plusieurs années, dans ma toute première lettre au prisonnier d'un centre de détention de la ville[7], j'avais avoué éprouver de la sympathie exclusivement pour les malades lorsque je circulais sur le boulevard entre la prison et l'hôpital en face. Il m'avait vertement répondu que derrière les barreaux, parmi les bêtes sauvages séquestrées, des centaines de mutilés de l'âme affrontaient, eux aussi, et seuls au monde, leur mort à une vie normale. Cette phrase m'avait bouleversée. J'ignorais que des petits Christian se trouvaient de l'autre côté de la rue…

– Pas de place pour moi dans cette rue, Françoise, ni à l'hôpital ni à la prison. La violence, je peux très bien en parler pour l'avoir vécue durant mon enfance, tout d'abord comme témoin passif. Mais petit à petit, elle m'a pénétré traîtreusement, par chacun de mes sens, par chacun des pores de ma peau. Elle s'est infiltrée jusque dans mes pensées sous forme de haine. Moi, l'enfant doux et faible… Elle m'a mutilé, moi aussi. Tu sais, la bête curieuse…

Christian baisse la tête, comme s'il cherchait un repère, une bouée à laquelle s'agripper. Je le sens fébrile et tendu. Instinctivement, je pose la main sur son bras. Existe-t-il des mots pour calmer la souffrance de toute une vie ? Je me demande quel rôle Roger Larson a pu jouer dans l'histoire de son fils. La violence semble si peu compatible avec ce gaillard sympathique.

---

7. *Mon grand*, témoignage, JCL, 2003.

Mon interlocuteur a-t-il pris conscience de mon geste? Il enchaîne sur le même ton acerbe, emporté par le torrent de sa révolte. J'ai le sentiment qu'il pourrait parler durant des heures.

— La haine, Françoise, c'est terrible. C'est le diable lui-même! Tu ne peux imaginer le pouvoir gigantesque de la haine. Elle pousse vers la violence comme un vent déchaîné. La haine blesse, la haine détruit. La haine tue. Elle invente les bombes et les guerres, elle commet les meurtres, la haine… Elle rend l'être humain inhumain, tu comprends? Elle le déshumanise. Elle le rend fou, brutal, infâme, démoniaque. La haine réduit l'homme à l'état de bête. À moins que cela, car les bêtes tuent uniquement pour survivre, tandis que les hommes… Elle les transforme en démons. Et c'est ce qui m'est arrivé.

— Christian, Christian, calme-toi… Il se trouve bien autre chose dans ton cœur, non?

— Parfois, je sens de nouveau monter cette haine en moi. La même qu'autrefois. La même rage. La même noirceur… Je me fais peur, Françoise. Depuis dix ans, je débats cette question. Je crains de ne jamais connaître la paix, la vraie paix…

— Mais voyons! Ne vous offre-t-on pas des séances de thérapie avec des experts? Tout reste possible quand on y croit, quand on veut…

— Oui… J'y ai cru jusqu'à un certain incident, survenu il y a quelques années. Je me trouvais encore au max, à ce moment-là. Au cours d'une réunion du comité des détenus où je représentais les gars de ma *wing*[8], un type a commencé à se vanter de ses relations avec les jeunes filles qu'il battait et violait. «Les petites vaches, t'as qu'à leur montrer le poing et elles viennent manger dans ta main!» Je le sentais sans remords et fier de sa

---

8. Aile d'un pavillon où sont disposées les cellules des prisonniers.

brutalité démente. Un bel écœurant! Plus je l'écoutais, plus je sentais la rage s'emparer de moi. Jusqu'à me rendre fou.

«À un moment donné, j'ai perdu le contrôle. J'ai sauté sur lui et je l'ai frappé de toutes mes forces. D'agir ainsi me soulageait. Ah oui! je savais comment faire, je l'avais appris à la dure école! J'avais envie de le tuer avec le sentiment stupide de défendre toutes les femmes du monde à la merci d'ordures comme lui. Sans le réaliser, je ressemblais à ce type: je tentais d'éliminer la violence par la violence.

«Évidemment, on m'a envoyé au trou pour une semaine. Je croyais avoir évolué, eh bien! j'ai eu tout le loisir de réfléchir à mon geste, je te jure, Françoise. Après toutes ces années de méditation, de réflexion, de thérapie, de prière, je croyais le volcan enfin éteint, vois-tu. Mais un simple événement avait suffi à me faire de nouveau perdre la tête. C'était tellement inattendu, tellement épouvantable. J'ai braillé comme un enfant pendant toute cette semaine-là écoulée dans la noirceur du trou.

– On n'éclaire pas le trou?

– Oui, oui, bien sûr! Les cachots ne ressemblent plus à ceux d'autrefois. Mais on y ressent un tel vide! Depuis ce temps, je marche la tête basse. Il y a toujours ce cri, au fond de moi, qui m'étouffe et m'empêche de respirer l'air libre. J'ai peur de moi-même maintenant, tu comprends? Ce cri abominable, arriverai-je jamais à l'expulser? À le sortir de moi?

– Oui, Christian, un jour tu y arriveras, j'en suis convaincue. Je t'y aiderai, je ne sais trop comment, mais nous réussirons. Sinon, je crierai pour toi. À ta place.

Qu'est-ce que je dis là? Ça n'a pas vraiment de sens. Il ne servirait à rien de crier pour lui. Absolument à rien. Ce genre de libération doit venir de l'intérieur, du fond de l'âme de celui qui souffre. Christian ne réagit pas à cette promesse insensée, et je m'empresse de poursuivre.

— Moi, je garde confiance en toi, mon ami. Tu ne dois pas te laisser écraser par un accident de parcours, voyons! Dis donc, j'y songe tout à coup... Tu ne vas pas déballer tout ça à la télévision, tout de même?

— Mais non, bien sûr! Je vais me contenter de témoigner contre la violence faite aux enfants.

— Et la thérapie?

— J'y suis toujours inscrit. Depuis trois ans. J'ai tout de même accompli un bon cheminement jusqu'ici. Quoique...

— ...?

— Je sens toujours ce cri, là, au fond de ma gorge. Non pas un cri de peur, mais un cri de rage.

— Mais, Christian, il faut le lancer, ce cri! T'en débarrasser!

— Dis donc, si tu me donnais des cours de chant au lieu de cours de piano?

Nous éclatons de rire tous les deux. Ouf! la tension vient de baisser d'un cran. Encore une fois, la leçon de piano aura tourné au dialogue. J'espère que, de son bureau, le nouveau gardien ne s'étonnera pas trop de ne pas entendre résonner le vieux piano.

— Il faudra répéter ton *Love Me Tender* cette semaine, mon Christian, si tu veux jouer de manière acceptable à la télévision.

— Sais-tu où je serais le plus heureux, Françoise? Dans le désert! Souvent le soir, quand on éteint les lumières dans la *wing*, je m'imagine dans le désert. Chez nous, sur le mur du salon, se trouvait un tableau représentant le désert. Un splendide désert de sable blond ridé par le vent. Immense et vide. Infini. Y ai-je rêvé!

J'imagine Christian vivant seul dans ce paysage sans fron-
tières où l'espace et le temps se confondent à l'infini. Je le vois,
faisant corps avec la nature, épousant la chaleur des jours et la
fraîcheur des nuits et devenant la fluidité du sable, la promesse
de l'oasis, la limpidité de la source. Se changeant en serpent
ou en cactus. Ou en petite fleur… Ne sachant de la violence
que celle du vent ou le picotement du sable sur ses joues, ne
connaissant des hommes que les pistes vite effacées de leurs
caravanes passagères. Ne vivant qu'avec lui-même et avec Dieu.

— Cet appel du désert me paraît grandiose, mon ami, mais
il ressemble à une fuite.

— Je le sais, mais on a les moyens de défense que l'on peut !

— Alors, vas-y ! Tout le monde a son petit port de mer ima-
ginaire où se réfugier...

Christian me quitte avec dans l'œil une pointe de rêve,
comme si l'enfant venait d'obtenir une permission spéciale.
Celle de rêver.

Cet après-midi, j'irai rue Saint-Denis. Je connais une boutique où l'on offre une superbe collection de cartes postales de
format géant. Je me souviens d'en avoir vu une représentant
une dune écrasée de soleil.

15

Le cri

Pour se faire pardonner son élan de violence, Gerry proposa une sortie spéciale pour le dimanche suivant.

— On va oublier tout ça et se faire plaisir. Que diriez-vous d'un pique-nique à Plattsburg? Ou d'un après-midi au cirque? Je vais voir si je peux trouver des billets.

Christian prévoyait refuser cette sortie, mais ne put résister au plaisir d'assister à un spectacle de cirque. Cependant, le samedi soir, Gerry sortit avec ses amis et ne rentra pas coucher. Le lendemain, Jeanine et les enfants l'attendirent en vain, lavés, bichonnés, alignés sur le divan du salon et prêts à partir, l'œil rivé sur la porte d'entrée. Il téléphona enfin au milieu de l'après-midi.

— Jeanine? Excuse-moi de t'appeler si tard. Non, je n'ai pas de billets pour le cirque. Prends un taxi avec les enfants et viens me rejoindre à Blue Bonnets. Je vous ai réservé des sièges. Apporte tout l'argent comptant que tu trouveras dans la maison, on va s'amuser.

Ils s'amusèrent peu, en réalité. Si les premiers tours de piste des coursiers les captivèrent pendant quelques instants, ils s'ennuyèrent ferme par la suite et perdirent vite l'intérêt de voir les jockeys hauts en couleur tourner en rond sur leurs bêtes dans un espace restreint.

Gerry n'était même pas venu s'asseoir avec eux dans les estrades, ayant affaire avec des amis.

Il revint néanmoins, au bout d'une heure, pour réclamer de l'argent à Jeanine.

— Voici cinquante dollars, je n'ai rien de plus.

— Comment ça, cinquante piastres? Tu aurais dû m'en apporter deux cent cinquante!

— Je ne garde jamais autant d'argent à la maison, tu le sais bien! Et il n'est pas question de jouer toutes nos économies aux courses. Es-tu devenu fou?

Depuis la fois où le patron avait failli congédier Gerry, Jeanine conservait secrètement une petite réserve d'argent dissimulée dans une vieille paire de souliers afin de pouvoir faire face à une urgence éventuelle. Gerry fulminait.

— Je suis dans de beaux draps! Mon copain m'a déjà avancé deux cents piastres… Donne-moi au moins ces billets, ce sera mieux que rien. Venez, les enfants, je vais vous expliquer comment se prennent les gageures aux courses.

Ils le suivirent jusqu'aux guichets. Christian aurait voulu miser deux dollars sur la jument Castafiore, du nom de la diva des albums Tintin, tandis que Lison optait pour le jockey Beautiful Tim comme se prénommait l'un de ses amis.

— Mais non! Il faut choisir plus intelligemment et tenir compte de tout: quels chevaux sont favoris, par quels jockeys ils seront montés et, par-dessus tout, le nombre de personnes qui parient sur chaque équipée. Moins on prend de gageures sur un cheval, plus sa victoire risque de rapporter gros.

La frénésie de l'emporter gagna Jeanine et les enfants. On misa les cinquante dollars sur Blue Heaven monté par Jack Strap. Jamais Christian n'avait vu Gerry aussi excité, survolté comme s'il était en train de jouer sa vie.

De retour dans les estrades, tous se mirent à crier pour encourager Blue Heaven. Mais l'étalon tirait de la patte et finit par terminer la course bon dernier. Gerry reprit son visage des mauvais jours.

— Ça va mal! Ça va très mal!

Impassible, Jeanine ne disait mot. Son plaisir éphémère n'avait pas valu les cinquante dollars qui venaient de lui filer sous le nez. De plus, il dépassait huit heures, ils n'avaient pas soupé et il ne leur restait plus un rond.

— Gerry, nous devrions rentrer à la maison, les enfants ont de l'école demain.

Il ne répondit pas immédiatement. Une idée semblait lui trotter derrière la tête, mais il semblait hésiter à en parler. Finalement, il se lança:

— Prête-moi ta bague, Jeanine. Je vais la donner en gage.

— Tu es fou! Cette alliance m'a été offerte par mon ex-mari lors de nos fiançailles, et je ne m'en séparerais pas pour tout l'or du monde. D'ailleurs, le diamant vaut dix fois plus que les deux cents dollars dont tu as besoin.

— Justement! Mon copain va me ficher la paix si je la lui avance en garantie. Il aura l'assurance de me voir revenir la chercher en lui apportant son argent, la semaine prochaine. Je connais bien le gars, il prendra soin de ta bague, on peut lui faire confiance.

Jeanine roulait l'anneau sur son doigt et n'arrivait pas à s'en séparer, ce symbole d'un beau rêve de vie à deux, promesse de bonheur que Roger n'avait pas tenue. Dans les moments difficiles, ses doigts cherchaient instinctivement le contact de cet anneau, comme s'il détenait le pouvoir magique de ramener le bonheur dans sa vie. Christian observait sa mère à la dérobée, suspendu à sa décision. Finalement, elle fit glisser la bague jusqu'au bout de son doigt en hésitant. Gerry la lui arracha brusquement.

— *Grouille-toi, torrieu! Ça prend pas de midi à quatorze heures pour enlever une bague!*

Le manque de respect, pour ne pas dire la cruauté du geste dont il venait d'être témoin frappa Christian de stupeur. Il ne connaissait rien aux valeurs sentimentales ou monétaires des bagues, mais il savait que Jeanine tenait à cet anneau. Il ressentit une rage féroce jusqu'au fond de l'âme. S'il avait disposé d'une plus grande force physique, il aurait battu ce voleur, cet effronté, ce malotru, ce minable. Mais il dut se cantonner dans le silence.

Jeanine reprit son ton mielleux.

— *Gerry, ramène-nous à la maison, s'il te plaît.*

— *Attendez-moi ici, je reviens dans cinq minutes.*

Il ne revint pas. Au bout d'une heure, après avoir fait le tour des coulisses, des guichets où s'effectuaient les gageures, après avoir vérifié dans les restaurants, les bars, les toilettes de l'endroit, Jeanine quitta Blue Bonnets et marcha en tenant ses enfants par la main jusqu'au boulevard Décarie. Elle n'avait plus un sou en poche, pas même un ticket de métro. Elle aurait pu appeler son ex-beau-père pour lui demander de les ramener avec sa voiture, mais la honte la retint. Le père de Roger n'avait pas à assumer les problèmes de son ex-bru. Elle préféra héler un taxi pour se faire conduire rue de la Visitation.

Une fois à destination, elle demanda au chauffeur d'attendre un instant pendant qu'elle allait chercher l'argent dans la maison. Elle revint aussitôt avec le montant exact, sous l'œil sidéré de Christian. Pourquoi sa mère avait-elle menti à Gerry en lui disant ne posséder rien d'autre que cinquante dollars? En les mettant au lit, elle tenta de trouver quelque excuse à l'attitude de Gerry.

— *On a dû l'attendre au mauvais endroit. Peut-être nous cherche-t-il encore en ce moment, le pauvre...*

Christian se retourna sans répondre. Il n'était pas dupe et ne croyait pas au malentendu. Le «pauvre» lui apparaissait comme un sale menteur et un joueur de la pire espèce. Telle était la vérité. Et lui seul, Christian, arrivait à la déceler. Si seulement Roger savait ça... Et puis, zut! Roger ne se fichait-il pas d'eux, lui aussi? Il s'enfonça le visage profondément sous l'oreiller.

Aux petites heures du matin, des cris en provenance de la cuisine confirmèrent les appréhensions de Christian: au cours de la nuit, Gerry était allé jouer la bague au poker. Et il l'avait perdue. La femme, affalée sur le canapé, se mit à verser toutes les larmes de son corps.

— Cesse de chialer, Jeanine, chus pus capable d'entendre ça. Une bague, c'est une bague, après toute! La fin du monde est pas arrivée! Si t'arrêtes pas de brailler, je vais te fermer la boîte moi-même, pis vite!

Il la lui ferma en effet, et pas seulement la «boîte»! Un œil aussi, qui ne désenfla qu'au bout de cinq jours en passant par toute la gamme des teintes de l'hématome. La fureur de Christian n'eut d'égale que la frustration de ne pouvoir débarrasser sa mère de l'emprise de ce sauvage.

Il manqua l'école pendant trois jours, restant à la maison pour soigner une Jeanine amochée et incapable de marcher, une grave contusion à la hanche la faisant souffrir dès qu'elle mettait un pied devant l'autre. Le fait de changer les compresses humides sur son œil et de lui servir de béquille contribuait à déculpabiliser le garçon, lui qui n'avait pas su la défendre. Évidemment, il aurait pu se jeter sur Gerry, mais le géant, dans sa rage aveugle, les aurait sûrement battus aussi, lui et Lison. Tout de même, il aurait dû essayer, au lieu de rester là à crier bêtement comme un lâche.

Gerry disparut pendant quelque temps, puis il fila doux jusqu'au jeudi suivant, jour de la paye. Il présenta alors une bague de remplacement à Jeanine.

— Elle n'a pas la valeur de l'autre, loin de là, mon amour. Je te l'offre en attendant l'occasion de te proposer un véritable diamant. Considère-la comme le signe d'une promesse.

Jeanine accueillit la camelote comme le plus beau cadeau du monde et donna son pardon en échange, mue sans doute par la folle espérance de voir ce bon mouvement ramener la paix dans son foyer.

Cette fois, la paix fut de courte durée. À cette saison, Blue Bonnets demeurait ouvert chaque soir et des amis organisaient une barbotte toutes les nuits sous le pont Jacques-Cartier. Sans parler des arcades des centres commerciaux et du bookmaker téléphonant chaque soir pour prendre les paris sur les événements sportifs du lendemain. Gerry ne se cachait plus. Il jouait à ciel ouvert. Quand il gagnait, il roulait gros carrosse et se montrait joyeux et prodigue. Mais il lui suffisait de perdre pour devenir hargneux et agressif. Jeanine reprenait alors invariablement sa place de bouc émissaire. Et mangeait les coups.

Le lendemain, elle recevait un cadeau, des friandises, des fleurs accompagnées d'excuses déchirantes, parfois même d'une lettre pathétique.

Ma chérie,

Je ne suis qu'un pauvre con, je ne te mérite pas, je n'aurais pas dû te frapper, j'ai perdu la tête. Je souffre de tes blessures, mon amour. Me pardonneras-tu jamais ? Je te le jure sur ma vie : cela ne se reproduira plus, je t'aime trop pour cela.

Ton Gerry qui t'adore

Jeanine ouvrait grand les bras et refaisait inlassablement cuire du Kraft Dinner à trois heures du matin. Et Christian, du fond de son lit et du fond de sa détresse, sentait la haine grandir en même temps que les muscles de son corps. Une haine froide, à la mesure du cri qu'il retenait au fond de sa gorge, une haine s'infiltrant insidieusement dans toutes les fibres de son être.

16

« *Love me tender, Love me sweet* », « *Aime-moi, tendrement, aime-moi, doucement* ». L'émission *Le point* sur la violence débute par cette musique. Contradiction, contraste indéniablement réussi : un homme condamné pour meurtre joue une chanson d'amour sur le piano mal accordé d'un pénitencier. La caméra, braquée sur le dos de Christian, s'éloigne de lui peu à peu pour donner une vue d'ensemble sur le studio de musique de Bonsecours traversé par la lumière entre les barreaux de la fenêtre. Le fait d'entendre mon élève y ajouter inconsciemment une choquante fausse note sur le dernier accord ajoute au paradoxe.

Ah ! Seigneur ! Pourquoi jouer l'accord de *sol* quand il devait jouer celui de *fa* ? Durant ma longue carrière de professeur, tant de bons étudiants auraient pu me faire honneur à la télévision, mais aucun d'eux n'a jamais été invité. Le destin a voulu que le moins habile aille se produire en public et plaque une affreuse fausse note à la fin de son exécution ! Mais cela a-t-il vraiment de l'importance ? Christian Larson a bien joué son rôle, parfaitement à l'aise.

Braquée devant mon écran, je n'en reviens pas de le voir s'exprimer si facilement en public. Une fois de plus, je m'interroge sur la fausse note de sa vie. Il joue peut-être mal du piano, mais pour l'art de communiquer, bravo! Le message passe.

— On parle beaucoup des femmes battues, on leur offre des maisons d'hébergement, des moyens judiciaires pour se défendre. Les agresseurs, quant à eux, sont pris en charge, encadrés, dirigés vers les thérapies, retirés de la population et incarcérés s'ils s'avèrent trop dangereux. Mais les enfants, eux? Qui y pense? On se contente de les arracher de leur milieu et de les envoyer dans des foyers d'accueil sans leur demander leur avis. Puis débrouille-toi, mon Ti-Pit, avec tes cauchemars, tes souvenirs effroyables, tes peurs atroces et les déchirements de la séparation. Et ravale ton cri avec tes sentiments de rejet et de culpabilité. Pas surprenant qu'à la longue, la révolte et la haine s'installent.

L'animateur, avare de paroles depuis un moment, se croit dans l'obligation d'intervenir.

— Et la violence qui en découle...

Mais emporté, Christian ne le laisse pas poser de question et s'empresse d'enchaîner.

— Tuer le cœur d'un enfant constitue un meurtre très grave, impuni par notre belle société. Parfois, il suffit de tromper ses attentes légitimes ou de le traiter de bon à rien pour le tuer à petit feu. Ainsi, un gars que j'ai bien connu en prison, membre invétéré des Bandidos, m'a raconté à quel point son père lui criait sans cesse par la tête qu'il ne ferait rien d'autre qu'un *bum* dans la vie. Eh bien! L'enfant a fini par y croire et s'est comporté en conséquence. Avant son arrestation, Jim était devenu l'un des chefs d'une *gang* de *bums*! Cette façon de détruire un enfant représente la ruse la plus désastreuse de la violence. Il s'agit d'un meurtre sournois, hypocrite, dissimulé aux regards de la collectivité. Le meurtre invisible d'un cœur d'enfant, un meurtre jamais jugé, un meurtre impuni...

« La justice semble n'exister que pour le visible et le concret, pour l'immédiat. Pourtant, la violence morale détruit le droit au bonheur d'un enfant et sa confiance en lui. Elle réduit sa capacité d'émerveillement. Elle abîme à l'avance son avenir. Selon moi, il s'agit là du plus impardonnable des crimes. Un enfant, c'est pur et sans malice. Un enfant, c'est sans défense, sans voix...

Le ton de Christian devient soudain chevrotant, à peine perceptible. Je sens pleurer l'enfant en lui...

– Et quand il la trouve enfin, cette voix, il ne lui reste plus qu'à crier dans le désert. Ou à se comporter en criminel comme je l'ai fait. Parce que moi, enfant, je n'avais pas le choix de vivre dans la brutalité, je n'avais aucun moyen pour m'en sortir.

L'animateur saisit ce moment d'accalmie pour poser des questions indiscrètes que moi-même je n'aurais pas l'audace de formuler dans l'intimité de nos rencontres. Franchement, ce type n'a aucun respect pour la pudeur ni l'amour-propre. La soif du sensationnalisme donne du culot !

– Monsieur Larson, regrettez-vous votre geste ?

– Euh... maintenant oui, car j'en réalise l'infamie. Mais durant mes premières années de détention, je n'éprouvais aucun remords, je vous l'avoue sincèrement. Ce regret résulte d'un long cheminement.

Décidément, non seulement Christian se débrouille bien devant les caméras et sait désastreusement piocher sur un piano, mais il ne craint pas de dire la vérité. À mes yeux, il demeure un grand homme malgré les dissonances de son existence. Il mérite que je l'aime.

Son cri, je le lancerai à ma manière : j'écrirai son histoire. Encore me faudrait-il en connaître davantage les détails.

17

Me voilà embarquée dans une belle affaire ! Trop lâche pour dire non, la Madame Piano ! Mais peut-on qualifier de lâcheté une générosité qui dépasse les bornes ? Quand le fait d'écouter son cœur étouffe la raison et déroge aux règlements d'un pénitencier ?

Lorsque Émile m'a tendu son billet de cinquante dollars d'une main fébrile, il ne cessait de regarder à gauche et à droite, de crainte de se faire prendre en flagrant délit. Évidemment, les détenus n'ont pas le droit de manipuler de l'argent. Chacun possède un compte en banque dans lequel on dépose son maigre salaire de travailleur ou d'étudiant afin de payer sa pension. Les cadeaux en argent sonnant apportés par les visiteurs sont automatiquement déposés dans ce compte. Le prisonnier utilise son capital pour se procurer des objets de première nécessité ou quelques gâteries à la cantine de l'établissement, mais il n'a jamais un accès direct à son argent. S'il désire commander un objet à l'extérieur, une radio, par exemple, il est limité à un montant maximal et devra obtenir la permission des autorités qui s'occuperont elles-mêmes d'effectuer le paiement.

Où Émile s'est-il procuré ce billet, je n'en ai pas la moindre idée. « En d'dans », une telle somme doit conférer un pouvoir inestimable. Tout peut s'acheter dans une prison : la drogue qui entre par l'entremise de visiteurs audacieux ou par les détenus au retour d'une permission, parfois même par des gardiens sans scrupules. Ou encore la « broue », cette boisson hautement alcoolisée fabriquée à partir d'aliments piqués à la cafétéria et fermentés clandestinement dans des contenants dissimulés entre deux cloisons de murs ou de plafonds. On peut aussi acheter le silence de l'un comme les services de l'autre. Services de tout ordre, à la vérité... J'ai vu des prisonniers écrire des lettres d'amour à la demande de leur voisin pour le prix d'un paquet de cigarettes !

Je n'ai pas résisté très longtemps aux supplications de mon joueur de clarinette. Il semblait tellement y tenir ! Tout a commencé la semaine précédente. J'étrennais fièrement un chandail en coton ouaté avec trois petits cœurs brodés au niveau de la poitrine. Émile se pâma d'admiration et, à ma grande surprise, s'informa du prix.

— Quarante dollars sans les taxes. Ils en ont plusieurs modèles dont l'un avec des chats au lieu de cœurs.

Rien de plus. La conversation bifurqua sur la musique et on oublia le chandail. Ce n'est qu'hier, quand il m'a tendu le billet, que j'ai compris la raison de sa question.

— Je t'en prie, Françoise. Ma femme aime tellement les chats... et c'est la fête des mères, dimanche prochain.

— Tu as une femme et des enfants, toi, Émile ? Tu ne m'avais jamais dit ça !

— Ma femme et mon enfant, je les ai tués... Le soir où j'ai surpris ma femme enceinte couchée dans mon lit avec un autre type, j'ai perdu les pédales.

Pauvre, pauvre bonhomme... À l'instar de Christian, Émile a de la classe. L'inverse du criminel stéréotypé que les bien-pensants s'attendraient à rencontrer en prison. Quarante-quatre ans, cultivé, éduqué, raffiné même, il étudiait la musique avec un clarinettiste de l'Orchestre symphonique de Montréal au moment de son arrestation. Je suis d'autant plus surprise de voir cet argent entre ses mains.

– Celle que j'appelle « ma femme » est simplement une vieille amie avec qui j'entretiens des liens affectueux. Comment pourrait-il en être autrement ? Devenir amoureux pendant la détention est la pire emmerde qui peut arriver à un détenu. Se languir à cœur de semaines et de mois… d'années même ! Se contenter de rencontres au milieu de la foule dans la salle des visites, téléphoner en sachant qu'un *screw*[9] surveille la conversation à l'autre bout du fil, faire l'amour dans la roulotte une fois de temps en temps et voir repartir sa compagne dans la vraie vie deux jours plus tard, crois-moi, tout ça génère beaucoup plus de frustrations que de bonheur. Je ne sais pas combien de fois j'ai vu des gars vivre des chicanes de ménage ou faire des crises de jalousie, suspendus à la ligne du téléphone, ou perdre les pédales parce que la princesse ne répond pas ou refuse les frais virés… Non, l'amitié est une bien belle chose ! Je ne dis pas en fin de peine, quand le gars commence à avoir des permissions de sortie. Et encore là, les premières fois, un gardien doit l'accompagner. Pas évident, hein ?

J'aurais pu rétorquer que les victimes de crime ont un tout autre prix à payer. Mais je reste muette. Je me trouve sur l'envers de la médaille…

– Tu sais, Françoise, Antoinette ne m'a jamais lâché, elle vient me voir régulièrement. Elle est la mère de deux jeunes enfants et… elle adore les chats ! Peut-être, un jour, vivrons-nous

---

9. Appellation par laquelle les prisonniers désignent leurs gardiens.

une véritable histoire d'amour, elle et moi? Pour l'instant, je ne sais pas, je ne sais trop… J'aimerais lui offrir un chandail semblable au tien. Si tu voulais bien me rendre ce service. Avec la monnaie, tu pourrais acheter une carte et un beau papier d'emballage. Du ruban… Elle habite en ville. Peut-être pourrais-tu le lui apporter de ma part, juste en passant?

Je n'oublierai jamais ses yeux de chien battu, sa main tremblante appuyée inconsciemment sur mon bras. Ce regard porte la douleur profonde de la liberté brimée, celle de l'impossibilité d'aimer l'être cher à ciel ouvert, celle de la répression des élans du cœur, même les plus purs. Ces barrières morales plus cruelles que les barreaux de fer…

— Mais, Émile, je n'ai pas le droit d'enfreindre les règlements. Je dois m'y soumettre comme vous tous.

Je me rappelle, à Pâques dernier, j'avais complètement oublié de demander à Monsieur Barrière la permission d'apporter des lapins en chocolat à mes quatre élèves. J'ai eu droit à un sermon en bonne et due forme.

— Si on commence à tolérer que les bénévoles apportent des beignes à leurs chouchous, ça va créer de la jalousie et des tensions inutiles. Pas question de laisser entrer de la nourriture ici, madame. Ni nourriture ni rien d'autre. Rien!

— Pour les rencontres de groupe, le soir, je peux très bien comprendre. Mais, moi, je viens ici seule et je vois mes élèves individuellement. Mes lapins n'ont rien de bien malin et ils vont procurer un peu de plaisir à « mes gars ». Désolée si j'ai oublié de vous en parler. Au pire, envoyez-moi en prison pour me punir, j'aurai enfin du temps pour lire, écrire et m'exercer au piano, ha! ha!

Malgré cette envolée et mon clin d'œil pour le dérider, le directeur n'avait pas répondu, et j'avais interprété son silence comme un consentement tacite. Cette fois, cependant, la situation semblait plus sérieuse. Accepter de l'argent d'un détenu pour acheter un cadeau à sa blonde, cela ne passerait pas. Monsieur Barrière portait bien son nom : s'il l'apprenait, il me ficherait à la porte, et non sans raison !

D'un autre côté, je voyais mon Émile suppliant et je songeais à son amie, sans doute frustrée d'être séparée de l'homme qu'elle aimait peut-être d'amour. L'incarcération punit aussi, sans contredit, ceux et celles qui restent de l'autre côté de la clôture. Un chandail avec des petits chats brodés… Combien d'hommes ont de telles délicatesses envers leur femme ? Non ! Je n'allais pas mettre le bâton dans les roues d'une si merveilleuse initiative. Tant pis pour le reste !

Tout content, Émile m'a remis le billet de banque, l'adresse de son amie et un petit mot à recopier dans une carte. Le coquin avait prévu mon acquiescement.

– Oublie pas : elle habille « small ». Françoise, tu es un amour !

L'« amour », ce matin, remet en question son consentement d'hier. L'imprudente ! La téméraire ! Dieu sait de quoi aura l'air cette femme ! Peut-être s'agit-il d'une poupée comme la blonde de Miguel, qui sait ? Non, quand même ! Émile m'a parlé d'une « vieille » amie, mère de famille. Qu'aurai-je l'air, moi, avec mon cadeau enrubanné, si je me retrouve à la porte d'un bordel ? Et si la donzelle n'est pas là, je fais quoi ?

Mieux vaut prendre un café et réfléchir à tout ça avant d'acheter le fameux chandail. Faire confiance à Émile… Pourquoi pas ? Je fouille dans mon sac à main à la recherche du message à recopier. Voyons voir. Je lis la première phrase, bouleversée. Les mots se mettent à danser sur la page. Mes yeux s'embrouillent.

Mon amour, je t'envoie mon ange pour te porter ce présent, messager de ma tendresse. Qu'il se soit rendu jusqu'à toi relève du miracle, et rends-en grâce au ciel avec moi. Que ce chandail t'enveloppe de mon amour comme mes pensées s'enveloppent de toi, particulièrement quand je joue mon instrument de musique. Bonne fête des mères, ma douce chérie. Et sois heureuse avec tes petits trésors.

Ton Émile

Moi, un ange! Moi, un messager de l'amour! Oh là là! Je ne suis qu'une bénévole ordinaire comme les millions d'autres bénévoles de la terre. Une simple prof de piano, épouse et mère de famille, qui n'a pas plus de mérite que la femme qui va bercer des bébés à l'hôpital ou le père qui entraîne l'équipe de hockey de son fils ou anime des rencontres de scouts. Par contre, une heure offerte de ma part à un détenu a le mérite de se multiplier en de nombreuses heures d'évasion chaque jour de la semaine. Croissance exponentielle du plaisir… mais surtout de l'apprentissage de l'effort et de la discipline, du contentement de soi, de la fierté d'accomplir, pour un banni de la société, quelque chose de beau et de grand…

Le chandail acheté, je m'engouffre dans une boutique de cartes et choisis la plus belle. Celle avec des fleurs, selon les recommandations d'Émile. Une fois le mot transcrit et le cadeau emballé, je me dirige coin Jarry et De Normanville.

La femme, derrière la porte entrouverte, m'apparaît plutôt timide. La trentaine avancée, les cheveux ébouriffés, une paire de grosses lunettes sur le bout du nez et un jeune enfant dans les bras, elle n'a rien d'une pitoune! Je lui tends timidement mon paquet tout en rose.

— De la part d'Émile Rivard.

— Vous êtes venue! Il m'avait avertie par téléphone d'une livraison surprise, mais je n'y croyais guère. Merci, merci beaucoup! Voulez-vous entrer?

— Non, merci, madame. Je vous souhaite une belle fête des mères. Euh… votre Émile est un homme bien sympathique.

Aussi mal à l'aise que moi, la femme se contente d'un signe de tête.

— Merci encore!

L'ange délinquant a des ailes en redescendant l'escalier en spirale. Mission accomplie! Je me sens fière de moi et… secrètement, dans l'intimité du fond de ma poche, je fais un doigt d'honneur à ce cher Monsieur Barrière et ses foutus règlements.

De retour à la maison, je vois traîner sur le buffet l'enveloppe déposée sur le piano de Bonsecours, hier, par Roger Larson, fort prolifique par les temps qui courent. Comme la plupart des hommes rencontrés en prison, il m'apparaît très près de ses émotions. Résultat, sans doute, de longues heures de solitude obligée où les incarcérés n'ont pas le choix de méditer et de développer leur «moi intérieur». En plus de son petit côté philosophe, Roger possède un réel talent créateur, et chacun de ses poèmes rivalise de profondeur et de lyrisme.

L'enveloppe contient une page unique sur laquelle il a rédigé son poème accompagné d'un court billet pour moi:

Françoise, je te souhaite une heureuse fête des mères.

Roger

À la lecture du poème, je me sens rassurée. Le «père manqué» de Christian reste tout de même un époux empressé et convenable. Quelle femme choyée a fait l'objet d'une telle inspiration! Quelqu'un habite le cœur de Roger et je m'en réjouis. Sans doute est-ce la mère de Christian… Une fois de plus, je me demande où réside la faille dans cette famille mystérieusement tordue.

Ma femme

Tu m'attends, je le sais,
Avec ton sourire réservé,
Tes gestes timides,
Ton romantisme maladroit,
Tes mots d'amour
Souvent mal exprimés.

Tu restes là,
Tu m'attends toujours,
Bras ouverts,
Tendresse à fleur de peau.
Mon petit coin préparé
Au creux de toi…

Au-delà des distances,
Au-delà des incompréhensions,
Le cœur à cœur est demeuré,
Les « je t'aime »
N'ont cessé de fleurir
À l'enseigne du temps.

C'est la fête en mon âme,
Tu m'attends,

Le nid est prêt,
Ma place,
Mon lit,
Mon berceau…

Roger Larson,
fête des Mères

18

L' espoir

Vers l'âge de treize ans, Christian accusa une prodigieuse poussée de croissance. Il se montrait très fier de ses jambes élancées et de sa silhouette longiligne qui lui conférait l'allure dégingandée d'un fantoche. En se mesurant dos à dos avec Roger, il aurait certainement dépassé son père de plusieurs centimètres. Mais le dos à dos ne se produisait jamais, le père s'obstinant à se désintéresser de son fils.

Ils ne s'étaient entrevus qu'une seule fois, ces dernières années, l'espace de quelques minutes, au moment où Roger était venu chercher Lison. Le fils avait jeté un regard incisif sur son père, comme on scrute un visage qu'on ne reconnaît plus, cherchant sur les traits oubliés quelques réminiscences de mansuétude.

Roger prenait un coup de vieux, sa peau se fanait, marquée de stries et de boursouflures à la naissance du cou et autour des yeux. Le sourire qu'il avait offert à son fils affichait la teinte cireuse de la désaffection. Lui aussi avait renoncé, l'adolescent l'avait bien senti. Christian Larson était devenu orphelin de père.

Depuis toutes ces années, Roger savait-il dans quel état lamentable vivaient ses deux enfants et leur mère sous la domination de Gerry ? Lison en parlait-elle lorsqu'elle allait passer des fins de semaine chez lui ?

Le casse-tout, sans doute au courant des sanctions sévères infligées par les tribunaux aux batteurs d'enfants, n'avait plus touché au frère et à la sœur. Mais qu'advenait-il des batteurs de femme ? Il s'acharnait sur Jeanine de plus en plus souvent. Il savait sa conjointe trop faible pour engager des procédures en justice ou se réfugier avec ses enfants dans une maison pour femmes violentées.

Elle avait pourtant toutes les raisons du monde de réclamer de l'aide. L'autre jour, deux colosses avaient sonné à la porte et l'avaient toisée d'un regard menaçant.

— Où est Gerry ?

— Je le sais pas. Au travail, je suppose. Je l'ai pas vu depuis lundi.

Du revers de la main, ils l'avaient repoussée et avaient pénétré dans la maison avec leurs grosses bottes souillées. Ils n'avaient regagné la sortie qu'après une fouille systématique de toute la maison.

— Si ton chum paye pas d'ici demain, c'est à toé qu'on va s'en prendre. Ou à tes enfants…

Témoins de la scène, Christian et Lison s'étaient tapis dans l'ombre sans dire un mot, paralysés de terreur. Après le départ des deux mastodontes, Jeanine avait tenté, tant bien que mal, de les rassurer.

— Allons, cessez d'avoir peur, Gerry ne permettrait pas qu'il nous arrive malheur. Il trouvera bien le moyen de rembourser ses amis.

Les jours suivants, ils n'avaient plus entendu parler de Gerry ni des deux types, mais la peur, elle, demeurait présente, vive et étouffante. Quand le joueur était revenu finalement avec son air des mauvais jours, personne n'avait évoqué les menaces des truands.

Un soir, Christian appela la police en voyant Gerry, hystérique, à genoux sur sa mère, en train de la frapper sur tout le corps.

Les policiers mirent presque une heure avant de se pointer. À leur arrivée, Gerry regardait la télévision aux côtés d'une Jeanine pâle comme une morte, blottie dans un coin du divan dont les coussins l'empêchaient de s'effondrer. Il expliqua aux policiers qu'en effet, une petite dispute de ménage, « comme en vivent tous les couples du monde », avait eu lieu, mais que c'était sans gravité. Les enfants s'étaient affolés pour rien. Tout était rentré dans l'ordre maintenant, ces messieurs n'avaient qu'à venir au salon pour constater par eux-mêmes. Les policiers se retirèrent aussitôt, s'excusant quasiment d'avoir dérangé la quiétude du foyer. Enfermé dans sa chambre et réduit au mutisme sous la menace, Christian n'en menait pas large.

En réalité, seuls les voisins pouvaient se douter des assauts subis par la famille d'à côté, car il n'était pas rare que Gerry se mette à lancer de la vaisselle par la tête de Jeanine. Les assiettes se fracassaient l'une après l'autre sur les murs du logement dans un vacarme infernal. Impuissants, Christian et sa sœur assistaient à la scène en tressautant et clignant des yeux. En même temps que les assiettes, l'amour-propre du jeune adolescent éclatait en miettes. Comment pouvait-il laisser Jeanine souffrir ainsi, lui, l'homme de la maison ? Bien pire, l'autre jour, il avait refusé de l'accompagner au marché à cause des marques de violence sur son visage. Cela le gênait d'être vu avec sa mère défigurée. Honte à lui, le faible et l'incapable, lui, le coupable ! Et honte à lui d'avoir honte de sa propre mère ! Ne l'avait-on pas désigné comme le responsable d'elle et de sa sœur, au moment du départ de Roger ? Il entretenait toujours le sentiment de faillir lâchement à ce rôle. L'assaillant installé chez eux avait pris les commandes de leur vie. Quelle aberration ! Et lui, Christian Larson, l'adolescent boutonneux, sans ami, sans personne à qui se confier, laissait les choses s'envenimer sans réagir. Hélas ! il ignorait comment se battre. Au fond, tout cela était la faute de Roger !

Gerry les avait avertis de ne raconter à personne ce qui se passait à la maison, sinon, il se vengerait sur leur mère. Même le reste de la parenté ignorait tout, car Jeanine évitait les rencontres. Elle avait peu de famille, à peine une cousine et la vieille tante qui l'avait élevée. Elle avait adoré ses ex-beaux-parents, le père et la mère de Roger, mais sa rupture avec ce dernier avait, à la longue, créé un climat de tension. Monsieur et Madame Larson n'approuvaient pas de voir leur bru imposer un sombre individu comme Gerry Désourdy à leurs petits-enfants. Bien sûr, ils ignoraient tout de ses moments de violence, mais ils éprouvaient des doutes sur l'harmonie familiale exhibée avec un peu trop d'ardeur par Jeanine. Christian allait encore de temps à autre rendre visite à sa grand-mère le samedi matin, question de se replonger pour quelques heures dans l'atmosphère doucereuse d'autrefois. Mais, réduit au silence par sa crainte de Gerry, il se gardait bien de décrire l'enfer dans lequel lui et sa sœur se débattaient. Les grands-parents ne se leurraient pas, cependant: le bonheur ne régnait pas, rue de la Visitation, l'air abattu de l'enfant en témoignait sans contredit.

Jeanine ne fréquentait plus aucune de ses amies. Qu'aurait-elle pu partager avec elles? Elle avait perdu le goût du plaisir et ne possédait plus un sou. À cause de ses trop nombreuses absences inexpliquées, son patron l'avait congédiée. La pension pour les enfants ne suffisait plus. Les factures s'accumulaient, la banque et les créanciers réclamaient leur dû, le propriétaire menaçait de les jeter à la rue. Sans les vingt dollars apportés en catastrophe au bureau régional de l'Hydro Québec, la semaine précédente, on leur aurait coupé l'électricité.

Gerry, comme tout joueur compulsif, ne pouvait s'empêcher de parier avec ses amis sur tout ce qui bougeait, la température, la couleur de la prochaine voiture qui passerait ou le laps de temps avant la prochaine sonnerie du téléphone. Tout, absolument tout, devenait prétexte à gager. Il jouait maintenant tout son salaire aux courses ou aux cartes. Jeanine envisageait de se trouver un nouvel emploi, incapable, certaines fins de semaine, d'acheter quelques victuailles à l'épicerie. Son ulcère à l'estomac la faisait toujours souffrir. Quand Gerry la battait, elle devait souvent passer plusieurs jours sans bouger. Comment, alors, aller travailler à l'extérieur ?

Avec le temps, Christian la voyait devenir une marionnette de plus en plus soumise, de plus en plus désarticulée. Sans réaction et sans âme. Mais comment réagir ? La prière ne suffisait pas, il s'en rendait bien compte. Ni l'appel aux policiers ni l'espoir d'une intervention de la part de Roger. Alors ? À quelle porte frapper ? Si seulement le crétin tombait malade, ou mieux, s'il subissait un accident à en crever... Il rêvait parfois de piéger sa voiture ou de dévisser le ventilateur au-dessus de son lit pour qu'il lui fracasse le crâne en tombant. Mais il ne connaissait rien à la mécanique et le ventilateur aurait pu dégringoler sur sa mère. Il devait sûrement exister des solutions plus simples. Gerry ne partirait jamais de son propre gré, Christian en avait la certitude.

Souvent, il tirait la valise rouge de sous le lit et y jetait des vêtements pêle-mêle, bien décidé à quitter le foyer. Il sortait alors en douce par la porte arrière et dirigeait machinalement ses pas vers la demeure de ses grands-parents. Eux ne pourraient pas refuser de l'aider. Mais les mises en garde de Gerry l'arrêtaient net. Hanté par l'image de sa mère battue par sa faute, il rebroussait chemin. « Maman... »

Il rentrait au bercail en courant, valise à la main, atterré par sa propre audace d'avoir voulu abandonner Jeanine, pauvre femme au cœur trop grand, trop faible, trop mou, trop fou, qui pardonnait toujours. Quel fils égoïste il se révélait ! Quel faiblard, quel filou ! La valise retournait sous le lit pour quelques jours. Fort de ses nouvelles résolutions, l'homme de la maison marchait la tête un peu plus haute. Jusqu'au prochain éclatement de violence où la terreur le réduirait de nouveau à l'état de petit garçon épouvanté, ne songeant qu'à s'enfuir plutôt que de regarder passivement sa mère se faire violenter par une bête furieuse.

Tant de fois, il avait tenté d'en discuter avec Jeanine, sachant intuitivement que la solution ne pouvait venir que de là. Mais la mère répondait à peine aux supplications de son fils.

— Pourquoi tu le mets pas à la porte, maman?

— Parce qu'il m'aime et que je l'aime. Ça va aller mieux doré-navant, tu vas voir. Gerry me l'a promis. Il regrette ses gestes et m'a demandé pardon.

— Mais non! Ça ne va jamais mieux! Tu le sais!

Cette réplique mettait automatiquement un terme à la discussion. Toujours les mêmes réponses, toujours les mêmes faux espoirs. Puis le silence, comme une porte close, ne laissant de place pour aucun argument. L'impasse… Christian ravalait sa salive et s'enfonçait encore un peu plus dans le désabusement.

À l'école, il rêvassait à longueur de journée. De l'enfant brillant et motivé qui rapportait des bulletins fort louables, il ne restait plus rien. Son désintérêt et ses absences trop fréquentes avaient réduit son rendement au minimum requis pour ne pas redoubler. Christian traînait maintenant sa bosse à l'école secondaire tout simplement parce qu'il n'avait pas d'autre endroit où aller. Les cours d'histoire et de mathématiques avaient perdu toute fascination.

Entre les périodes d'enseignement, il ne se mêlait à personne et préférait s'appuyer contre la clôture, le nez plongé dans un livre, son unique refuge dans cet univers d'indifférence. Tintin avait cédé la place à d'autres héros plus audacieux. À travers leurs aventures, Christian devenait puissant et invincible, il détenait tous les pouvoirs, ces pouvoirs auxquels il n'arrivait pas à accéder dans la vie réelle.

Un jour, vers la fin de la deuxième secondaire, il avait carrément décidé de tricher à un examen de mathématiques. À cause d'une absence prolongée, il n'avait pu se préparer à un test inscrit depuis peu à l'horaire. Ce matin-là, donc, enfoncé dans le dernier siège au fond de la classe, il posa son livre de maths sur ses genoux et copia allègrement les formules. Tant pis pour le regard scrutateur de Mademoiselle Beaumont! Au fond, il se fichait d'être repéré. Il se fichait de tout. «Puis après? Ils ne vont pas me battre, eux... Et tant mieux s'ils me foutent à la porte!»

Mademoiselle Beaumont ne broncha pas pendant toute la durée de l'examen, mais quand Christian remit sa feuille sur la pile avec un air frondeur, elle le retint par le bras et le pria de l'attendre à la fin de la période. Pour sûr que la foudre lui tomberait sur la tête! Mais, au lieu de cela, la vieille fille à la réputation de sévère s'approcha doucement de lui et mit son bras autour de ses épaules dès leur arrivée dans la salle des profs.

— Toi, mon grand, quelque chose ne tourne pas rond dans ta vie.

— Comment ça?

— Mais oui, mon beau Christian, je devine un secret au fond de tes yeux. Peut-être pourrais-tu m'en parler? Ne crains rien, ça restera strictement entre nous. Je n'en dirai rien à personne. Et je ne vais pas te disputer non plus au sujet de la tricherie à l'examen. On fera comme si tu n'étais pas venu, d'accord? Mais pour le reste, pour ce qui ne va pas, peut-être pourrais-je t'aider?

— J'ai rien à dire.

— J'aurais aimé connaître tes parents lors des deux rencontres organisées au cours de l'année. Mais ni l'un ni l'autre ne se sont présentés. J'ai appelé ta mère à plusieurs reprises au téléphone, et elle m'a toujours dit que tout allait très bien, sans plus. Elle me cachait quelque chose, pourtant, je l'ai bien senti. Ai-je raison?

Christian sourcilla. Sa mère avait dit ça? Elle aussi mentait pour sauver la face! De quel côté fallait-il donc pencher? Sauver la face ou tenter de résoudre un problème insoluble? Il regardait intensément la femme devant lui et ne percevait que de la bonté. Cette main qui le touchait lui faisait l'effet d'une brûlure. Il eut une envie folle de se blottir contre elle et de se vider enfin, enfin... De lancer ce cri bloqué là, dans sa gorge, ce cri qui l'étranglait à en mourir. Mais la loi du silence imposée depuis des années s'avéra plus impérative que l'instinct. Il resta muet et immobile, tentant de fixer son regard affolé sur les fleurs imprimées de la blouse de la femme. Des fleurs rouges, rouges comme le sang qui coulait si souvent des narines de sa mère...

— Parle-moi de ta mère. Elle va bien, ta mère?

Christian baissa piteusement la tête et fit signe que non. Puis lentement, une à une, comme les premières gouttes de pluie annonciatrices de l'orage, montèrent des larmes à peine perceptibles, amères, retenues. Mais la digue ne tarda pas à se rompre. Alors, jaillirent les sanglots. Christian se mit à déverser la démesure de sa douleur. Il ne s'agissait plus d'un orage mais d'une tempête. Une tempête foudroyante. Un gigantesque et terrible ouragan risquant d'emporter sa raison dans le gouffre vertigineux de l'hystérie. Il ne pouvait plus s'arrêter.

Il pleura ainsi pendant un temps indéfini, incapable de prononcer un mot. Mademoiselle Beaumont le prit dans ses bras, déconcertée d'avoir déclenché une telle crise.

— Mon pauvre petit, mon pauvre petit...

Après avoir braillé tout son soûl, Christian se retrouva complètement épuisé, presque endormi sur l'épaule de l'institutrice.

— Tu as besoin d'aide, mon Christian. Il ne faut pas garder ça pour toi tout seul, voyons! Dis-moi d'abord pourquoi ta mère ne va pas bien.

Christian lui raconta tout, sans ménager aucun détail. Les mots sortaient de sa bouche en un flot incessant, comme un torrent déchaîné. Mademoiselle Beaumont l'écoutait sans l'interrompre. Il ne vit pas la joue tremblante et les lèvres crispées de l'institutrice. Ni ses yeux étincelants de colère. Comment pouvait-on laisser des enfants croupir dans un tel bourbier ? Comment une mère pouvait-elle tolérer cela ? Fallait-il que cette femme soit écrasée, dépassée ! Ou totalement démente et inconsciente…

— En as-tu déjà parlé avec elle ?

— Oui ! je l'ai suppliée mille fois de quitter Gerry. Elle a refusé mille fois d'en discuter. Elle dit qu'il vaut mieux pardonner et se montrer patient.

Mademoiselle Beaumont connaissait bien la DPJ[10] et aurait pu signaler le cas. Mais cela s'avérait-il la meilleure chose à faire ? D'après les dires de Christian, les enfants ne semblaient ni battus ni agressés sexuellement. Alors ? On interrogerait Jeanine, et la pauvre femme tenaillée par la peur refuserait probablement de porter plainte pour les coups reçus. Les enfants, quant à eux, sauraient-ils exprimer leur détresse ? Non, la solution ne se trouvait pas là, il fallait chercher ailleurs. Du moins, il valait mieux passer par une tierce personne.

— Dis-moi, Christian, as-tu des grands-parents ou des tantes que tu aimes bien ?

— J'adore mes grands-parents Larson. Je me sens bien quand je vais chez eux.

À travers ses larmes, l'adolescent ébaucha un piètre sourire en évoquant le dévouement de sa grand-mère et les attentions de son grand-père.

---

10. Direction de la protection de la jeunesse.

— Ils ne savent rien de tout ça. Si je leur parle, Gerry va battre encore maman. Il l'a juré et il le fera! Quand ma grand-mère me demande comment ça va chez nous, je réponds que tout est correct.

— Écoute, Christian. Ça ne peut plus durer, nous devons faire quelque chose. J'ai un plan et tu en seras le principal acteur. Tu vas aller trouver tes grands-parents et leur confier ce que tu viens de me raconter, sans rien omettre. Tout! Ça te paraîtra difficile, je te préviens. Mais il le FAUT. Ton beau-père Gerry n'en saura rien, je te le jure. Fais-le pour ta mère et ta petite sœur. J'ai l'impression qu'elles courent un grand danger. Toi aussi, d'ailleurs.

— Je pourrai jamais. J'ai trop peur.

— Essaye, au moins. Demande à tes grands-parents de m'appeler. Voici mon plan: tu reviens me voir dans une semaine exactement. Si tu n'as pas encore trouvé l'occasion de leur parler d'ici là, tu me donneras leur numéro de téléphone. Je les verrai moi-même ou j'irai avec toi. Tu me le promets?

— Oui, mademoiselle, je vous le promets.

Le garçon poussa un soupir. Sa jeunesse et sa fragilité achevèrent de conforter l'institutrice dans sa décision d'intervenir avec vigilance.

Ce soir-là, en rentrant à la maison, Christian fit un détour jusqu'à l'église du Sacré-Cœur. Agenouillé dans le premier banc, face à la statue de la Vierge tenant son enfant dans ses bras, le jeune adolescent se remit à sangloter, la tête entre ses mains. Il n'avait plus la force de prier. Le fait d'avoir parlé à Mademoiselle Beaumont l'avait libéré d'un grand poids. D'un autre côté, ce geste officialisait sa propre impuissance à s'occuper de sa mère. Il se sentait dévoré de remords. Remords d'avoir tant pleuré devant l'institutrice. Remords de lui avoir tout raconté...

Et puis non! Soudain, il ne regrettait plus rien! Après tout, il fallait arrêter ce fou. Oui, il devait réclamer l'aide de ses *grands-parents, des voisins, de ses professeurs, de la police, du curé, de n'importe qui. Du monde entier! Il fallait que ça cesse. Mademoiselle Beaumont venait de le dire : il était le principal acteur du plan. Il releva la tête. L'espoir existait de nouveau, là, porté par ces angelots peints sur les parois du dôme derrière le maître-autel. Plus loin et plus haut que cette église…*

Longuement, il regarda la statue devant lui, ce visage gracieux incliné tendrement vers son tout-petit. Elle, personne ne la battait. Elle pouvait se pencher sur son enfant et veiller sur lui avec sérénité. L'inverse allait à l'encontre de la normalité. Au nom de quoi un fils de treize ans devait-il s'occuper de sa mère? Il implora ardemment la Madone de l'aider à tenir sa promesse à Mademoiselle Beaumont.

19

On a suspendu des ballons aux plafonniers et déposé sur les tables de jolis bouquets de fleurs de papier de soie fabriquées par les détenus. Les fêtes communautaires, plutôt rares, constituent un événement de taille. Durant les jours qui précèdent, le socio déborde d'activités. On lave les planchers, on installe des haut-parleurs, on époussette les chaises, on décore partout avec des guirlandes de papier crêpé. La fête est dans l'air et les éclats de rire deviennent plus retentissants. Les prisonniers ont le droit d'inviter qui une blonde, qui des parents ou des amis inscrits officiellement sur une liste d'approbation, pour un souper dansant qui se terminera vers dix heures. Roger et son fils m'ont conviée avec empressement. « On te doit bien ça ! » Quelques minutes avant le souper, on permettra exceptionnellement une visite des cellules.

Mis au courant de ma venue, Miguel a manifesté le désir de me faire visiter sa *pequeña casita*[11]. Il me rejoindra au socio *a las cinco*[12]. De là, nous nous rendrons ensemble dans sa *wing* située dans un autre bâtiment. Ce bonhomme-là me fait rire. Si quelqu'un nous enregistrait durant la leçon de piano,

---

11. Petite maison.
12. À cinq heures.

il trouverait de quoi se bidonner. Nous conversons dans un mélange savant de français, d'anglais, d'italien et d'espagnol : « Tu joues le *chord con la mano izquierda. Entonces*, tu fais un crescendo *on the right side*, juste avant le *rallentendo*[13] ! » On se comprend très bien de cette manière. Le Colombien est un charmeur, un tombeur de femmes. Il sait qu'avec moi, il n'en est pas question, mais il s'entête à jouer le jeu et à m'appeler *mi amor*[14] pour badiner. J'ai beau le prier de cesser de me *cantar la manzana*[15], il s'esclaffe à tout coup, amusé par l'expression inconnue des Espagnols.

Dès mon arrivée au pénitencier, le fameux samedi de la fête communautaire, Christian insiste pour me montrer, lui aussi, son petit nid. Qu'à cela ne tienne, je rattraperai Miguel dans la *wing*. En longeant les cellules en compagnie de Christian, je me retrouve tout à coup nez à nez avec mon Casanova sud-américain à moitié nu, enveloppé dans une serviette minuscule au sortir de la douche. À voir son air éberlué et la vitesse avec laquelle il s'engouffre dans sa *pequeña casita*, à l'autre bout du corridor, j'en conclus que le coup n'était pas monté ! De toute évidence, il ne m'attendait pas si tôt dans son patelin. J'éclate de rire.

— Je veux bien croire, Miguel, que tu désires me séduire, mais là, franchement, tu exagères !

Cette rencontre fortuite restera une bonne farce entre nous, et l'évocation de la scène de séduction ratée déclenchera toujours une franche rigolade.

---

13. Tu joues l'accord de la main gauche. Ensuite, tu fais un *crescendo* du côté droit, juste avant le *rallentendo*.
14. Mon amour.
15. Chanter la pomme.

Je n'en reviens pas de l'exiguïté des cellules : à peine un fond de garde-robe ! Christian a tout de même réussi à rendre son coin accueillant avec son abat-jour à franges, ses nombreux livres, ses posters et, bien sûr, affichée bien à la vue, ma carte postale du désert. Je m'attarde distraitement sur la dizaine de photos collées au-dessus du lavabo : les membres de sa famille, aux sourires gaillards figés sur la pellicule.

— Tu vas les rencontrer en personne, tantôt. Ils sont probablement déjà arrivés, d'ailleurs. Si on retournait au socio ?

À vrai dire, cela ne m'enchante guère de passer la soirée en compagnie de ces inconnus. Ils vont me toiser comme un animal curieux, la bénévole qui n'a même pas réussi à faire jouer le fils de la famille de manière potable à la télévision. Je n'ai rien en commun avec ces gens-là, moi ! Christian me tire par le bras pour me présenter les siens.

— Voici ma mère, Jeanine, la meilleure personne du monde. Voici Lison, ma sœur la plus vieille, et son mari Stéphane, les parents des deux plus adorables jumelles de la province : Brigitte et Nathalie.

Christian jette un regard interrogateur à sa sœur.

— Ariane n'est pas venue ?

— Non, c'est son bal de finissants, ce soir. L'avais-tu oublié ? Enchantée de faire votre connaissance, Madame Piano. Christian nous a souvent parlé de vous.

Ariane ? Qui c'est, celle-là ? Je n'ai pas le temps de réfléchir, on me sollicite pour la partie de pétanque déjà amorcée sur le gazon. Tous ont l'air de s'amuser ferme et boivent des boissons gazeuses en guise d'apéritif. Comme j'ignore les règles de ce jeu, Roger s'empresse de me les expliquer haut et fort.

– Eh! eh! Madame Piano! À mon tour de t'enseigner quelque chose! Viens, je vais te montrer de quoi a l'air un cochonnet qui s'énerve avec des boules!

Et tous de rire. Cré Roger! Toujours joyeux, toujours égal à lui-même! De temps à autre, je jette un regard à Christian. Il ne participe pas à la joute. En douce, il s'est éloigné du groupe en tenant les deux petites filles par la main. Je le vois se rouler avec elles sur la pelouse et prendre des allures de gros chien pour les attraper en aboyant. Les deux jumelles se jettent sur lui avec des cris de joie.

La vue de cette scène me serre le cœur. Jamais je n'ai vu Christian aussi détendu, aussi heureux. On dirait un père de famille. Ah! mon Dieu, pourquoi ce moment ne durera-t-il qu'un si court laps de temps? Ces enfants auraient pu être les siens. Je réalise soudain à quel point mon ami passe à côté de la vraie vie. Toutes ces années, privé de l'amour humain… De l'essentiel, quoi! Ces instants de joie provisoires comportent un côté cruel et impitoyable pour le prisonnier: dans quelques heures, les marchands de bonheur repartiront… Parti en fumée, le bonheur! Resteront le vide, le silence et l'absence. Et quelques doux souvenirs pour meubler les milliers d'heures de solitude et d'ennui qui s'égrèneront avec une lenteur désespérante jusqu'à la prochaine fête. À quoi pense Christian en ce moment? Son rire ne garde-t-il pas une légère pointe d'amertume, même en ces heures bénies?

Nous passons finalement à table, devant des poitrines de poulet commandées par le pénitencier à un restaurant du quartier. Je m'informe auprès de Roger.

– Quelqu'un a dû payer pour moi, à qui dois-je ma part?

– Oublie ça, ma chère, tu es notre invitée d'honneur.

Lison et son mari, timides et peu loquaces, prêtent une attention exagérée à leurs enfants. La jeune femme ressemble à son frère par ses traits prononcés et son nez légèrement busqué, héritage du côté maternel, semble-t-il. Je me demande quel genre de vie a été la sienne. Le drame de son frère l'a-t-il atteinte? Et celui de son père? Peut-être a-t-elle souffert de violence, elle aussi? Et la honte, connaît-elle? Quelle honnête femme peut se rengorger quand son père et son frère se trouvent en taule en même temps?

Jeanine, quant à elle, se montre plus volubile et ne cesse de questionner Christian sur sa santé et ses activités quotidiennes. Son fils tousse-t-il encore? Dort-il bien? Le projet de vidéo-cassette avance-t-il toujours?

— Et tes démarches pour une sortie conditionnelle, ça débloque?

— Oui, maman. D'ici quelques mois, si tout va bien, tu vas m'avoir à dîner chez toi, un midi. En compagnie d'un *screw*, évidemment. Mais je vais tâcher de t'en amener un beau!

Jeanine se retourne hardiment vers moi et dépose sur mon bras sa main glacée. Une main frêle, fripée. La main d'une vieille femme... Interloquée, je relève la tête et découvre un visage ravagé au regard éteint. Cette femme si menue n'a pas encore cinquante ans. Aurait-elle subi, elle aussi, les affres de la brutalité?

Je la regarde tristement. Pauvre femme, mère d'un meurtrier, épouse d'un criminel. J'imagine sa honte quand elle a appris le crime de son fils. Jusqu'où une mère se sent-elle coupable du geste de son enfant? Se tourmente-t-elle, la nuit, se questionne-t-elle pour savoir quelle défaillance ou quelle erreur s'est infiltrée dans l'engrenage et a rendu son fils fou, assassin? Devant le fruit avarié de son éducation maternelle, a-t-elle envie de se frapper la tête contre les murs ? Ou de s'agenouiller, face contre terre, effondrée devant l'horreur, devant l'inimaginable ? La main me serre de plus en plus.

— Vous savez, Françoise, mon fils est un grand homme. Je suis fière de lui, il est le meilleur fils de la terre.

Le regard de Jeanine s'allume d'un coup, et j'y vois les larmes se multiplier comme dans un prisme. Mais la lueur persiste au fond des prunelles. Cette femme est une vraie mère. Une mère dont le martyre est inscrit dans chacune des cellules de son corps. J'enveloppe sa main de la mienne en la souhaitant chaude et réconfortante.

— Oui, madame, Christian est un être exceptionnel. Un jour, il accomplira de grandes choses. Dommage qu'il doive rester emprisonné aussi longtemps.

Soudain, je me rappelle l'air renfrogné de Roger en entendant le même énoncé. Suis-je encore en train de me mettre les pieds dans les plats ? Je n'en sais pas plus sur le crime du père que sur celui du fils. Furtivement, je tourne les yeux vers les deux hommes. Christian se tient à distance, devinant vraisemblablement que nous nous entretenons de lui. Roger, lui, s'approche en arborant son air le plus enjôleur. A-t-il décelé la tension extrême entre Jeanine et moi ?

— Eh ! les femmes, ça va faire, le papotage ! Allons plutôt danser ! Madame Piano me fera-t-elle l'honneur de m'accorder cette danse ?

Après une entourloupette, Roger s'incline devant moi jusqu'à terre avec un salut digne d'un mousquetaire. Sur les airs d'une valse de Strauss, il m'emporte dans un tourbillon endiablé autour de la salle. Oh là là ! Au bout de quelques minutes, je demande grâce, à bout de souffle. Nous revenons à la table pour un répit.

— Mais tu vas me faire mourir, Roger Larson! Quelle énergie! Un vrai jeune homme!

J'ai visé juste. Le valseur dresse le panache. Depuis la lecture de ses poèmes, je sais que derrière la façade du blagueur se cache un homme sensible, intense, qui vit intérieurement sa tragédie, infiniment seul et ignoré.

— Roger, j'adore tes poèmes. Ils me font connaître de toi une facette surprenante. Tu te montres toujours si exubérant! Et pourtant, dans tes écrits, je te découvre profond, plein d'émotions secrètes. Douloureuses, même. Ces regrets, cette mélancolie... Mon préféré reste celui dédié à Jeanine. Ah! quelle chaleur, quelle tendresse! Ça m'a remuée jusqu'au fond de l'âme.

— À Jeanine? Mais... je n'ai pas écrit de poème à Jeanine!

— Mais oui, celui de la fête des Mères, intitulé «À ma femme».

— Oh! tu parles de Yolande. Jeanine n'est plus ma femme depuis vingt ans, nous sommes divorcés.

Ciel! Je l'avais oublié! Christian m'en avait pourtant informée. De voir ensemble son père et sa mère dans un même lieu m'a confondue. Roger m'explique qu'il correspond avec une femme depuis plusieurs années. Une belle histoire d'amour a finalement pris naissance entre eux. Il l'appelle sa femme et a bien l'intention de l'épouser au moment de sa libération, si elle veut encore de lui.

— Elle n'a pas pu venir, ce soir, mais j'ai réservé la roulotte[16] pour le mois prochain.

---

16. Maison mobile située dans l'enceinte du pénitencier. Les prisonniers peuvent l'habiter avec leur conjointe ou leur famille pendant deux ou trois jours, à quelques reprises durant l'année.

— Excuse-moi, je savais que Jeanine et toi êtes divorcés, mais comme tu as écrit ce texte pour la fête des Mères, j'ai cru qu'il s'adressait à la mère de tes enfants. Quelle idiote je fais ! Désolée pour cette méprise.

— Pas grave ! Nous sommes restés en bons termes, comme tu peux le constater. Je viens toujours la saluer quand elle rend visite à Christian.

— Et... tu quitteras le pénitencier bientôt ?

— Euh... à peu près en même temps que Christian : dans quelques années, selon mon bon comportement ici. Et si le gouvernement autorise encore les libérations conditionnelles.

Je me demande dans quelle magouille Roger a trempé. À bien y penser, je compatis davantage à l'affliction de Jeanine. Non seulement son fils a fauté gravement, mais aussi son premier mari. Roger se trouvait-il divorcé au moment de son délit ? Quels crimes l'ont mené jusqu'ici ? Je ne le saurai peut-être jamais, avec ma politique de ne pas poser de questions trop personnelles.

La faille dans l'éducation de Christian provient de ce côté-là, je suppose... Roger aurait-il prêché par l'exemple et entraîné son fils sur la mauvaise pente ? « Père manquant, fils manqué », a dit Christian. Et pourquoi pas « tel père, tel fils » ? Attention, Françoise, méfie-toi de ta curiosité. Te voilà en train d'extrapoler sur des situations que tu ne connais pas. Et de tirer des conclusions probablement farfelues. Ça va à l'encontre de tes principes, non ?

Je sais, je sais, je me montre trop curieuse. Je n'ai ni le droit ni l'obligation de juger. Je ne suis là que pour... être là ! Rien de plus. D'ailleurs, ce soir, je me sens quelque peu perdue en regardant Christian engagé dans une vive discussion sur un sujet politique avec son beau-frère, Lison cajolant ses jumelles,

Jeanine et Roger tournoyant sur la piste de danse, l'air distrait. À l'autre bout de la salle, je peux voir Émile soudé avec volupté à son Antoinette vêtue d'un magnifique coton ouaté avec des chats sur la poitrine. Un peu plus loin, dans un coin plus obscur, Miguel tripote allègrement les genoux de sa cocotte outrageusement maquillée et moulée dans une aguichante robe rouge. Décidément, sa « *mi amor* » du pénitencier ne supporte pas la comparaison! Cela me donne le fou rire et apporte une note joyeuse dans cette soirée qui n'en finit plus de finir. Le gros Robert, non admissible à rencontrer sa famille, brille par son absence.

À vrai dire, je me demande sérieusement ce que je fais là, en ce moment. Je suis là, tout simplement…

20

Le plaisir défendu

Après la rencontre avec Mademoiselle Beaumont, l'occasion d'informer les grands-parents de la situation ne tarda pas à venir. Trois jours plus tard, en rentrant de l'école, Christian trouva Gerry installé dans la cuisine, en train de jouer aux cartes en compagnie de trois partenaires. Black-jack, poker, trente-et-un, jeux de dés. Ça jouait fort et ça buvait dru. Le quarante onces de gin trônait sur le coin de la table parmi des piles de billets et de pièces sonnantes. Quand la bouteille fut terminée, on alla chercher des caisses de bière chez le dépanneur. La maison empestait la fumée et l'alcool.

Jeanine fit discrètement signe à Lison et à Christian, en leur refilant un billet de dix dollars.

— Il vaut mieux vous tenir loin de la fête. Allez chez le dépanneur acheter de quoi vous mettre sous la dent. Il n'y aura pas de souper ici ce soir.

Dans la cuisine, ça discutait de plus en plus fort, ça riait, ça se donnait des tapes dans le dos. Deux des comparses dépassaient largement la cinquantaine et tiraient voluptueusement sur leurs cigares. Le troisième, plus jeune, portait une casquette sur le bout de la tête et affichait un air plus distingué. Il avait salué les enfants à leur retour de l'école et s'était même informé de leur nom et de leur âge. Christian se demandait pourquoi cet individu fréquentait des canailles comme Gerry et les deux autres.

Vers neuf heures, Jeanine envoya les enfants se coucher et se réfugia elle-même dans sa chambre. Christian n'arrivait pas à fermer l'œil et mit des heures à s'assoupir, dérangé par les rires gras et les phrases incohérentes émanant de bouches de plus en plus pâteuses. Juste au moment où il allait sombrer dans le sommeil, il entendit les cris de protestation de sa mère.

— Non ! Je ne vais pas vous faire à manger à cette heure de la nuit !

— Aye, toé ! Tu viens faire le lunch, O.K. ! C'est moé qui a perdu le pari, c'est moé qui paye la bouffe. Pis c'est toé qui la fais ! Pis je t'avertis, la mère, mes chums couchent icitte, à soir.

Christian se retourna. Fausse alerte ! Il n'y avait pas de danger pour le moment, il pouvait s'endormir en toute quiétude. Gerry n'oserait jamais battre sa mère devant ses amis. Il bascula enfin dans ce lieu béni du rêve et du détachement. Mais pas pour longtemps.

Une main lui frôlant doucement le thorax le réveilla. Un homme se trouvait allongé contre lui. Horrifié, l'enfant bondit hors du lit en constatant que le type était complètement nu.

— Eh ! reviens, petit ! Aie pas peur, je te ferai pas mal. C'est Gerry qui m'a dit de venir dormir avec toi, faute de place. Reviens te coucher, je suis pas méchant.

Christian hésita un moment et décida finalement de réintégrer sa couche. Après tout, il s'agissait du plus gentil des trois amis, il ne risquait pas grand-chose. La main se remit à le masser doucement. Trop gêné pour réagir, il n'osait bouger. La main baladeuse se fit alors plus insistante. Elle ne cessait de le pétrir et de se glisser un peu partout sous son pyjama, explorant les reins et le dos, puis les cuisses, le ventre, et finalement le sexe dressé du garçon. D'abord réticent, Christian y trouva de plus en plus de plaisir, un plaisir indéfinissable, plus aigu que celui provoqué par ses propres caresses, certaines nuits où le sommeil ne venait pas. L'étranger lui enleva sa veste de pyjama et le rapprocha contre lui, la figure sur sa poitrine velue. L'adolescent sentit la peau ferme et tendue, lisse sous les poils recouvrant les mamelons bruns et durs. L'espace d'une seconde, il entrevit l'image des gros seins de Nathalie tripotés par son père sur la plage et en ressentit un haut-le-cœur. Mais l'homme le ramena bien vite à ses propres attouchements et à ses baisers mouillés lui parcourant tout le corps. Quand il parvint à son sexe, dur et enflé, Christian éclata dans une formidable explosion de jouissance. Jamais il n'aurait cru pouvoir ressentir un plaisir d'une telle intensité. Blotti entre les bras de l'inconnu haletant et mouillé de sueur, il mit un temps infini à se rendormir, troublé par ce qu'il venait de découvrir. Le plaisir défendu…

Lorsqu'il se réveilla, le lendemain matin, l'homme était retourné dans la cuisine où les parties de cartes avaient repris de plus belle. Il ne gratifia même pas Christian d'un regard complice quand ce dernier pénétra dans la pièce, abruti. Jeanine lavait silencieusement la vaisselle du lunch de minuit.

— Où est Lison?

— Elle n'est pas encore levée.

Lison! Ah! mon Dieu, comment n'y avait-il pas songé? L'un des autres joueurs avait sûrement dû dormir avec elle. « Pourvu que… » Christian s'effondra. Ah! non! Pas ça! Pas sa petite sœur de onze ans avec ces vieux cochons, tout de même! Il les scruta du regard: la bouche molle, le regard évasif, le visage mangé par une barbe bleutée. Dégueulasses… Ah! Seigneur!

Il courut réveiller sa sœur. Elle portait encore sa robe de nuit, et cela le rassura un peu. Son air perdu et innocent acheva de le *tranquilliser. Non, il ne s'était rien passé, cela se verrait. Du moins, il voulait y croire.*

Lorsqu'ils quittèrent la maison, en fin d'après-midi, les joueurs emportèrent la vieille horloge, souvenir de famille auquel tenait Jeanine, une paire de jumelles et un appareil de radio. Gerry les avait perdus au jeu. Ahuri, Christian vit l'amant de la nuit emporter son baladeur et celui de sa sœur.

— Non, non! s'il vous plaît!

— Que veux-tu, gagné, c'est gagné!

Le type eut pitié de l'adolescent et lui remit son appareil mais garda celui de Lison.

— Vous n'avez pas le droit, vous n'avez pas le droit! Il appartient à ma sœur!

Jeanine lâcha son linge à vaisselle et vint au secours de son fils.

— Allez-vous-en, bande d'écœurants!

Christian en bavait de rage et ressentit une envie folle de tout détruire à grands coups de masse. Pour qu'il ne reste plus rien. Plus rien de Gerry. Plus rien de sa mère et de sa sœur. Plus rien d'eux tous. Plus rien de la vie de fou qu'ils vivaient. Plus rien de cette maison. Plus rien de lui-même. Plus rien, rien, rien!

Mais Gerry ne lui en laissa pas le temps. Il se saisit dè Jeanine dès la porte refermée sur ses compères et la tira de toutes ses forces jusque dans la salle de bain pour lui frapper la tête contre le grand miroir.

— Ah! tu traites mes amis d'écœurants? Je vais te les apprendre, moi, les bonnes manières! Cré-moé que la prochaine fois, tu vas te montrer polie.

Cette fois, Christian n'hésita pas une seconde. Il traversa chez la voisine et téléphona à sa grand-mère.

— Venez vite, ça va mal chez nous!

Puis il raccrocha et retourna à la maison en courant.

* * *

À l'arrivée des grands-parents, Jeanine gisait par terre parmi les éclats de miroir. Les deux enfants hurlaient à gorge déployée. Gerry s'apprêtait à partir, mais le grand-père lui bloqua le chemin.

— Écoute-moi bien, mon salaud. Si jamais je te reprends à rôder près d'ici, tu auras affaire à moi. Avec ce que je viens de voir, je suis prêt à témoigner n'importe quand contre toi. Les juges ne font pas de cadeaux à des trous-de-cul comme toi. La prison, ça existe pour des pourris de ton espèce. Alors, disparais du décor à jamais! Tu m'entends? À jamais! Ta petite romance de violence avec ma bru vient de se terminer ici, aujourd'hui même.

Gerry ne protesta même pas. Il vida le contenu de ses tiroirs dans des sacs à ordures et déguerpit sans demander son reste.

21

L' exutoire

Hôpital Notre-Dame, chambre 752. Christian n'a pu résister et a quitté l'école en douce à l'heure du dîner. Pendant tout l'avant-midi, il n'a cessé de songer à sa mère, conduite en ambulance à l'hôpital après l'agression de la veille. Une fois Gerry disparu du décor, Jeanine s'est mise à vomir du sang, les yeux hagards et les mains crispées de douleur sur la poitrine. La grand-mère n'a pas hésité à appeler les ambulanciers.

Jeanine n'a pas eu le temps de protester et s'est écrasée par terre, évanouie. Saisi d'épouvante, Christian a assisté à la scène sans broncher. «Maman, ne meurs pas! Je ne veux pas que tu meures, maman...» Il avait envie de hurler, mais aucun son ne sortait de sa bouche. Encore une fois, il n'avait rien fait pour défendre sa mère à part supplier les voisins d'appeler ses grands-parents, ainsi que l'avait recommandé son institutrice.

Ce matin, à l'école, quand est venu le temps de travailler la géométrie en équipes, il n'a pas prononcé un mot. S'en fichait carrément, lui, de l'hypoténuse au carré!

— Eh! Christian, sors de la lune!

Ce matin-là, la lune ressemblait plutôt à une étroite salle de bain au carrelage blanc et noir, avec une femme étendue par terre, recroquevillée sur elle-même, le visage grimaçant de douleur. Sa mère... Et tout ce sang autour d'elle, ce sang rouge, de la couleur de l'horreur. À midi, il ne tenait plus en place, obsédé par une seule idée : aller retrouver Jeanine.

Dans le hall de l'hôpital, un agent de sécurité lui bloqua le chemin.

— Les visites sont autorisées à partir de deux heures seulement.

— Non ! je veux aller voir ma mère tout de suite, c'est grave, elle va mourir.

Il mentait. Elle n'allait pas mourir, elle ne pouvait pas mourir, elle n'avait pas le droit de mourir. Son ami le bon Dieu ne le permettrait pas, lui, le maître de tout. Il ne lui restait qu'elle au monde. Si seulement ce maudit Gerry arrêtait de la battre ! Grand-père avait juré, la veille, que le monstre ne reviendrait plus. Christian n'osait y croire, ce serait trop beau !

Jeanine, recroquevillée et aussi blême que ses draps d'hôpital, n'en menait pas large. Christian n'avait jamais remarqué sa maigreur ni les cernes charbonneux qui lui creusaient le visage. Branchée à un soluté, elle semblait dormir.

Il s'avança en retenant son souffle. Le centre de l'univers se trouvait là, dans ce lit. Longuement, le jeune homme contempla sa mère. De la voir si paisible et en sécurité calma ses hantises. Allons ! Tout n'était pas perdu, on la soignait, des spécialistes s'occupaient d'elle. On allait sûrement la remettre sur pied. Elle survivrait ! Bientôt, elle rentrerait à la maison pleine d'énergie et pétillante de vie. Et Gerry ne reviendrait plus les harceler, son grand-père l'avait dit.

Après un moment d'hésitation, Christian posa, sur l'épaule de sa mère, une main glacée. Bizarrement, depuis la nuit dernière, il n'arrivait pas à se réchauffer. Même durant la classe, ce matin, il frissonnait comme si le froid l'habitait à l'intérieur de son corps. Jeanine sursauta et se tourna de côté, décollant difficilement les paupières.

— Christian? Qu'est-ce que tu fais ici? Il est quelle heure?

— J'ai pas pu résister à l'envie de venir te voir, maman. Ça va mieux?

— Oui, j'ai moins mal au ventre. Mon ulcère a encore fait des siennes, la nuit passée.

— Ton ulcère? Comment ça, ton ulcère? C'est Gerry qui t'a encore battue, et tu as perdu connaissance. Je l'ai vu!

— Non, non, c'est mon estomac, je te dis! Le docteur est passé ce matin et il m'a parlé d'un nouveau traitement. Si ça ne fonctionne pas, il va devoir m'opérer.

— C'est la faute de Gerry, je le sais, moi!

— Pourquoi accuser Gerry? Son mauvais caractère n'a rien à voir avec mon ulcère!

— Il ne reviendra plus, grand-papa l'a dit.

— Le père de Roger Larson n'a pas à se mêler de nos affaires. Gerry fait des erreurs, je l'admets, mais qui n'en fait pas? Sans m'en rendre compte, je le pousse souvent à bout. Pauvre lui, il le regrette tellement par la suite! Il en fait pitié.

— Quoi? Mais c'est toi qui fais pitié, maman! Je veux plus que Gerry revienne. Il… il me fait peur. On dirait, des fois, qu'il veut te tuer!

— Mais non, Christian, il n'a jamais tué personne. Il nous aime tous les trois, même toi qui refuses de devenir son ami. Il s'emporte facilement, je te le concède. Mais songe à nos sorties de famille, le dimanche, et à ces soirées tranquilles où on regarde la télé tous ensemble. Nos bons petits soupers… Ça ne te rend pas heureux? Gerry prend soin de nous, il fait l'épicerie avec moi, il répare les *choses dans la maison, il s'intéresse à vos activités. Tu sais, il ne faut pas regarder seulement ses erreurs.*

— Quand il saute sur toi, je le déteste!

— C'est laid de parler comme ça! En dehors de ses crises de colère, Gerry reste un homme gentil. Un bon mari et un bon père.

— Un bon père?!? Cet homme-là ne sera jamais mon père, tu m'entends? Jamais!

— Vous ne faites pas bon ménage, je le sais! Mais préférerais-tu voir ta mère toute seule avec deux enfants sur les bras?

— Oui, on se sentirait bien, juste entre nous.

— Tu appelles ça se sentir bien, toi, vivre dans la solitude et la pauvreté?

— Grand-père dit que nous allons déménager et que Gerry n'en saura rien.

— Fiche-moi la paix avec ton grand-père!

— Si Gerry revient chez nous, je vais m'en aller, maman. Je suis sérieux!

— Calme-toi, voyons! Laisse-moi d'abord guérir. Ensuite, on avisera.

À court d'arguments, Christian resta muet. Ainsi, Jeanine n'en voulait nullement à la brute. Il ravala ses vains espoirs et allait s'en retourner quand son regard se porta sur la table de chevet. Comment ne l'avait-il pas remarqué plus tôt? Un vase contenait une douzaine de roses accompagnées d'une petite carte:

«Ma pitoune, pardonneras-tu jamais à celui qui t'aime plus que tout au monde?»

Frappé de stupeur, l'enfant déguerpit sans même saluer Jeanine. Ah! le rat! Il a dû pousser l'audace jusqu'à venir, ce matin même, lui demander pardon avec ses maudites fleurs! Et sa mère a candidement mordu à l'hameçon. Elle n'en finira donc jamais avec lui? Il traversa la rue sans faire attention aux voitures et se mit à courir dans les allées du parc Lafontaine.

Combien de temps courut-il ainsi, propulsé par la colère comme un robot sans âme? Une colère folle, vertigineuse, plus grande que sa raison. La vue d'une plate-bande au pied d'un monument l'arrêta net. «Sales fleurs, je vous hais!» Il se mit à dévaster le massif et à arracher les tiges en les lançant avec rage autour de lui. Puis, il commença à renverser les tables de pique-nique et les poubelles, emporté par une force démente qu'il ne se connaissait pas. Pour la première fois de sa vie, une puissance prodigieuse le transformait en un géant invincible et terrifiant. Et tout autant terrifié. La haine lui donnait tous les pouvoirs...

Il trouva alors une pile de piquets servant à maintenir la bande d'une patinoire. Il s'empara de l'un d'eux et se mit à frapper dans les vitres de l'édifice situé près de l'étang. «Maudit Gerry! Maudit écœurant!» La fureur s'était emparée de son esprit, plus rien d'autre ne comptait que ces fenêtres qui reflétaient soudain le visage du monstre...

La main d'un policier l'interrompit.

— Eh! jeune homme, on se défoule, aujourd'hui?

Christian regarda l'homme d'un air hébété, comme s'il tombait d'une autre planète.

— Viens-t'en, on va te ramener chez toi avant que tu démolisses le parc Lafontaine au complet. Où habites-tu?

— Rue de la Visitation. Et puis, non! J'habite plus là! Je reste chez mes grands-parents maintenant, en attendant de déménager.

— Et tes parents?

— Mes parents? Qui ça, mes parents? J'en ai plus, de parents! Mon père est parti pour la gloire, et ma mère est à l'hôpital juste en face. Elle est devenue complètement folle.

— Écoute, je pourrais t'accuser de vandalisme, mais je vais te donner une chance. Dorénavant, tu feras mieux de rester tranquille, mon ti-gars. Viens-t'en, on s'en va chez toi.

— C'est Gerry Désourdy que vous devriez arrêter, pas moi.

— Qui ?

— Un minable. Il... Et puis, rien ! Laissez faire !

Lorsque le policier sonna au domicile de Christian, la grand-mère accueillit son petit-fils à bras ouverts. L'école l'avait déjà avisée de la fugue du garçon. Pour sauver la face, Maria Larson affirma à l'homme que Christian se trouvait passablement perturbé par la grave maladie de sa mère. En effet, l'hôpital venait justement de l'appeler : on allait opérer Jeanine d'urgence, car une autre hémorragie massive s'était déclenchée au milieu de l'après-midi. Et cela l'inquiétait.

Christian s'effondra. Il ne voulait pas perdre sa mère. Si elle mourait, il deviendrait fou. D'ailleurs, ne l'était-il pas devenu un peu, tantôt, en frappant comme un dément sur tout ce qu'il voyait ? Ah ! quel soulagement il avait ressenti ! Jamais auparavant il n'avait éprouvé une telle libération. À chaque coup, il avait l'impression de battre Gerry avec toute l'intensité de sa haine. Il était devenu déchaîné, redoutable. L'homme de la maison venait de découvrir le potentiel libérateur de la violence physique et son terrible pouvoir de défoulement.

Mais cela n'avait rien réglé. Jeanine se trouvait sur une table d'opération, entre la vie et la mort, tandis que Gerry, lui, restait présent, sur sa table de chevet, par le biais d'une petite carte blanche lui demandant hypocritement pardon.

Une fois le policier reparti, Christian s'enferma dans un mutisme profond. De sa crise d'hystérie, au parc Lafontaine, il ne parlerait à personne. Il tourna la chaise berceuse face à la fenêtre et se mit à se balancer comme un débile, cherchant dans le mouvement de va-et-vient une sorte de refuge mental hors du temps et de l'espace. Hors de la réalité. Malgré l'insistance de son grand-père pour lui faire avaler une bouchée, il se pelotonna dans son cocon, ce monde sans nom où plus rien n'existait, ni son père, ni sa mère, ni sa sœur, ni Gerry. Pas même Christian Larson.

Il ne réagit qu'au retour de sa grand-mère, tard dans la soirée. Elle apportait de bonnes nouvelles de l'hôpital : l'opération avait réussi et on avait pu enrayer l'hémorragie sans devoir enlever une partie de l'estomac. Tous les espoirs restaient permis. À ce moment seulement, Christian éclata en sanglots et alla se réfugier dans les bras de sa grand-mère.

Elle le berça longuement, mais n'arriva pas à le réchauffer.

* * *

Cette fois, Jeanine mit du temps à se remettre. Les grands-parents l'hébergèrent pendant sa convalescence, en même temps que Christian. Le garçon devait se contenter de dormir sur des coussins étendus par terre, à côté du divan où l'on avait installé la convalescente. Une fois de plus, Lison s'installa chez Roger. Ce dernier ne daigna pas téléphoner pour prendre des nouvelles, ni de son ex-épouse ni de son fils.

La nuit, le garçon se laissait emporter par le rythme régulier de la respiration de sa mère. Enfin, elle se trouvait là, tout près de lui, bien vivante, en paix et en sécurité. Il devait une fière chandelle à Mademoiselle Beaumont. Il était retourné à son bureau à plusieurs reprises pour jaser avec elle. Il aurait bien voulu lui confier l'expérience vécue dans son lit avec le joueur de cartes, mais cela le gênait trop. Il valait mieux n'en parler à personne, surtout pas à sa mère, cela la choquerait outre mesure. De toute manière, il s'agissait d'une chose du passé, et on ne pouvait pas recommencer le passé. La vie le lui avait cruellement appris.

De voir Jeanine dormir calmement le soulageait d'un grand poids. S'il en voulait encore à Roger pour les avoir abandonnés, sa rancœur se dirigeait surtout contre Gerry, cette pourriture qui ne méritait même pas le titre d'être humain. Ah! l'égorger... ou mieux, le regarder mourir à petit feu...

Ces nuits-là, l'homme de la maison, au lieu de devenir l'adolescent tranquille et équilibré qu'il aurait dû devenir, se métamorphosait en un être vieilli prématurément, capable de haïr au-delà de lui-même, et dont le potentiel de violence n'avait d'égal que la démesure de sa rage.

22

On a transféré le gros Robert dans un autre pénitencier. Je ne regretterai pas sa présence, même si j'ai réussi à surmonter ma répugnance et à considérer sa pédophilie comme une maladie dont la souffrance silencieuse inspire le dégoût. Pauvre lui! Et, surtout, pauvres enfants! Je souhaite sa réhabilitation, même si je n'y crois guère.

Sylvain, son remplaçant, possède déjà quelques rudiments de musique. J'ai mis plusieurs heures, sur mon propre piano, à trouver des arrangements originaux pour accompagner la composition qu'il veut présenter, sur vidéo-clip, au Concours artistique annuel interpénitenciers. Sa chanson, sur le thème de la liberté perdue, mérite bien quelques efforts. Christian fera office de cameraman, et Claude, un autre détenu, réalisera la bande sonore à partir de mes accords joués par Sylvain sur le vieux synthétiseur du centre. Ouf!

Sylvain a un physique fort séduisant et une voix chaude et juste. Quand il chante en s'accompagnant à la guitare, je le trouve formidable. Si sa courte vie n'avait pas déjà pris la tangente du délit, il aurait pu envisager un avenir dans le show-biz. Mais il appartient plutôt au genre de garçons inhibés et facilement influençables, celui qui a manqué d'encadrement et qu'une bande de voyous a rapidement pris en charge. Celui qui se fait attraper pendant que les autres récoltent le magot!

Ce matin, en venant s'asseoir sur le banc du piano de Bonsecours, il affiche la mine de celui qui a passé la nuit à faire les «dix» pas dans sa cellule.

— Et le scénario pour le clip, ça se concrétise, Sylvain?

— Ouais... Ça va assez bien. Pour la bande sonore, par contre, j'éprouve des problèmes. Le cher Claude n'est pas de tout repos. D'un côté, il promet de m'écouter et, de l'autre, il accepte les directives de Christian qui ne connaît pas grand-chose en musique, pas plus qu'en réalisation scénique d'ailleurs. Chacun tire de son côté. Ce projet m'appartient. Il s'agit de MON idée à moi. C'est MA chanson, MON vidéo-clip, MA participation au concours. Ils ont accepté d'apporter leur assistance technique, alors qu'ils s'en tiennent à ça!

— Parles-en à Christian. Il peut très bien comprendre ça, il me semble.

— Il m'écoute pas. Il n'a d'yeux que pour son beau Claude...

— Son beau Claude? Comment ça, son beau Claude?

— S'il savait que son *chum* me drague, il fanfaronnerait moins. Je suis aux femmes, moi, pas aux hommes!

— Quoi?!? Christian et... Claude?

— Tu ne savais pas ça? Allons donc! Tout le monde ici est au courant: ces deux-là sont en amour depuis belle lurette!

Christian Larson, en amour avec un gars depuis longtemps? Avec Claude, ce grand sec pas très sympathique? Christian Larson, homosexuel? Comment n'y ai-je pas songé? Ça crève les yeux, pourtant! Ces longs cheveux dans lesquels il passe la main continuellement, cette démarche légèrement dandinante, cette façon de plisser les lèvres. Cette délicatesse, ce raffinement...

J'ai le sentiment d'avoir été dupée, même si Christian ne m'a jamais parlé de ses amours. Quelle naïve je fais !

Enfermé depuis l'âge de dix-huit ans, comment aurait-il pu engager une relation amoureuse avec une femme ? Son champ d'action s'est toujours limité à des détenus masculins, évidemment ! Christian Larson, homosexuel… Quel choc, tout de même ! Enfin… Ce qui se passe dans son lit et dans son cœur ne me regarde pas. Mais il y a le sida ! Se protège-t-il ? S'il fallait qu'il attrape cette saloperie…

– Tu ne lui en glisserais pas un mot, Françoise ? Ce projet de chanson compte beaucoup pour moi, tu comprends ?

– Promis.

Plein d'espoir, Sylvain me gratifie d'un grand sourire. Sourire d'enfant à qui l'on vient de promettre une friandise. Pauvre garçon ! Incapable de s'imposer, ni même de gérer son propre projet. Déjà en prison à dix-neuf ans ! Avec un reste d'innocence dans le regard. Si seulement quelqu'un le prenait en mains, le guidait dans la bonne direction, ce petit gars-là… Peut-être n'est-il pas trop tard ?

Bas les pattes, Françoise ! Tu ne sauveras personne ici. Contente-toi de l'aider à produire sa chanson. Soudain, mes futiles rencontres hebdomadaires prennent la dimension d'une goutte d'eau dans l'océan. Je ne sauverai ni Sylvain, ni Georges, ni Christian, ni Émile, ni qui que ce soit. Ce n'est pas mon rôle. Mais le vidéo-clip sera réussi, je m'en fais la promesse formelle. Je passerai donc de longs moments à peaufiner cette satanée chanson.

Un jour, j'avais confié ce sentiment d'inutilité à la nouvelle femme d'un prisonnier. Souvenir pathétique d'un mariage célébré à Berthier lors d'un week-end de libération conditionnelle de l'époux qui m'y avait invitée. De savoir que Serge retournerait en prison le lundi suivant m'avait crevé le cœur. Je n'oublierai jamais la réponse de la mariée, travailleuse sociale en milieu carcéral : « Pour qu'une bicyclette se mette en marche, un engrenage doit l'actionner, formé de centaines d'éléments minuscules attachés en chaîne. Chacun des maillons se révèle donc aussi indispensable que les grosses parties, car il suffit du bris d'un seul d'entre eux pour entraver le fonctionnement de tout l'appareil. Aider un prisonnier consiste souvent à remettre en place, sans éclat et en sourdine, un de ces obscurs maillons disloqués qui a fait défaut. » J'ai tant de fois ressassé cette réflexion dans ma tête, les jours de doute…

Lorsque Christian se pointe à sa leçon, une heure plus tard, je ne le regarde plus du même œil. Ce ton mielleux, cette façon qu'il a de pencher la tête… Et je n'ai rien soupçonné ! Non, je ne rêve pas, mon ami est bel et bien gai.

— Dis donc, tu es en amour, il paraît ? Petit coquin, tu m'avais caché ça !

Christian me jette un regard timide et rougit jusqu'à la racine des cheveux.

— Euh… ça n'avait pas adonné ! Tu sais, Françoise, je ne porte pas mon homosexualité comme un étendard. J'ai lutté contre ce penchant durant mon adolescence et même pendant mes premières années d'incarcération. J'avais honte. Mais un jour, j'ai dû me rendre à l'évidence : je venais de tomber sérieusement en amour avec un gars.

— Eh bien ! si telle est ta nature… Bien sûr, cette voie ne s'avère pas la plus facile, la société entretient encore des préjugés négatifs envers les gais. Mais si tu te sens assez fort pour l'assumer, alors, sois toi-même, mon grand !

— Jusqu'à maintenant, ça m'a plutôt perturbé et rendu malheureux, je t'avoue. Voilà pourquoi j'ai renoncé à la prêtrise, tu dois bien t'en douter! Mon attirance pour la gent masculine me semble trop impérieuse pour la transformer en générosité envers l'humanité au nom de Dieu, comme l'exige le sacerdoce. C'est plus fort que moi, j'ai envie d'une relation profonde et personnelle avec un être humain. Je veux au moins connaître ça dans ma chienne de vie. Et j'ai aussi besoin de relations sexuelles, tu comprends? Au fond, je n'en suis pas très fier et j'ai mis du temps à l'accepter.

— Et... Claude?

— Ah... Claude! Un bon gars, au fond... Il n'est pas un grand criminel, seulement un petit cambrioleur ordinaire. Rien de majeur. Mais il m'inquiète parce qu'il n'arrive pas à se sortir de cet univers. Son histoire constitue un éternel recommencement: bonnes résolutions, récidives, regrets et rechutes. Voler représente tout ce qu'il sait faire, on dirait! Pourtant, ce garçon-là est intelligent et féru d'électronique, il pourrait gagner sa vie honnêtement. Si seulement il le voulait...

— Et alors? Ça te surprend? La place me semble pourtant remplie de types de ce genre.

L'espace d'un moment, je repense à la fourmi errant comme une imbécile sur le panneau du piano. Ne sera jamais rien d'autre qu'un insecte qui tourne en rond, la fourmi... Je regarde Christian. Non, il y a des exceptions. Surtout ne pas généraliser.

— Depuis qu'on s'aime, Claude change petit à petit. Un jour, peut-être pourrons-nous connaître une vraie vie de couple. De couple libre. Mais il me reste tant d'années à vivre en d'dans, c'est un peu fou d'y croire! Alors, on se contente du moment présent, rien de plus.

— On tolère ce genre de relation, ici?

— Oui, officieusement. On nous fournit même des condoms sous la table !

— Et ça te rend heureux ?

— Ça me rend la vie plus vivable, mettons ! Nous nous retrouvons facilement sur la même longueur d'onde. Claude aime la lecture, les études, la musique, l'exercice en plein air. Et même les marguerites, tout comme moi !

— Tu aimes les marguerites ? Je ne le savais pas ! Les champs autour de la prison en sont remplis en ce moment.

— Je les adore ! Elles me font penser au soleil ! De la cellule de Claude, située à l'étage, on peut les voir à perte de vue par-dessus la muraille.

Christian pousse un soupir. Soudain, il ne semble plus là. Parti batifoler dans les prés, le bel amoureux ! Je n'arrive pas à imaginer deux gars se tenant par la main et tournoyant dans un rayon de soleil, parmi les petites fleurs. Cette image m'arrache un sourire.

— Changement de propos, mon ami, serait-il possible pour ton… euh…pour ton copain et toi de collaborer davantage avec Sylvain pour le vidéo-clip ? Ce petit gars-là me paraît bien misérable dans son entreprise. Il se plaint de votre manque de coopération.

— Ah ! celui-là, pas facile de travailler avec lui ! Il voudrait devenir une vedette, mais les complexes lui sortent par les oreilles ! Il se sent toujours persécuté. Il prétend même que mon *chum* flirte avec lui ! Tu parles ! Claude le déteste !

— Pour une fois, Sylvain accomplit quelque chose de beau dans sa vie. Pour l'amour du ciel, n'essayez pas de le contrecarrer ! Aidez-le plutôt !

— Tu as raison. Je n'avais pas envisagé les choses sous cet angle. J'en parle à mon *chum* dès aujourd'hui.

Son *chum*, ce Claude? Ce grand dadais à la tête de girouette? Pauvre Christian…

Ce jour-là, je quitte Bonsecours avec le sentiment d'avoir un peu fait avancer les choses, mine de rien. Je ne déclencherai sans doute pas le mécanisme d'engrenage de la machine à sauver les hommes, mais j'y aurai au moins posé un ou deux maillons.

À partir de ce jour, je cueillerai un bouquet de marguerites des champs pour Christian tous les mercredis matins avant d'entrer à l'intérieur des murs. Tant que les vents d'été les feront danser sous mes yeux.

* * *

Le vidéo-clip a remporté un grand succès et gagné le premier prix du concours parmi toutes les présentations des détenus du Québec. Quelques jours plus tard, Sylvain, Christian et Claude obtiennent la permission spéciale de sortir, sous bonne escorte naturellement, pour présenter leur chef-d'œuvre à un gala médiatique organisé par la ville. Ils reviendront à Bonsecours avec, en poche, la promesse de distribution de leur vidéo-cassette dans différents postes de télévision. J'exulte. Qui sait si cette heureuse tournure ne déclenchera pas un virage dans la vie de Sylvain? Cela pourrait devenir une rampe de lancement vers un nouvel horizon. Sa belle voix douce chantant son poème pendant que la caméra balaye l'univers carcéral à travers les barreaux séduira peut-être un producteur?

Et puis, ils le méritent bien tous les trois, ce prix, non seulement pour la qualité technique et artistique de leur clip, mais surtout pour la victoire remportée sur eux-mêmes, la bonne entente et l'excellent travail d'équipe finalement élaboré tout au long de l'enregistrement. Je suis fière d'eux, vraiment.

Moi seule connais le prix de leurs efforts. Mentalement, je leur décerne une autre médaille, celle de la bonne volonté.

Je déchante cependant le lendemain matin : Sylvain, à la fin de la soirée de gala, a échappé à ses gardiens sous prétexte d'un besoin urgent de retourner aux toilettes, vu son énervement. L'insensé en a profité pour s'évader par la porte de derrière, six mois avant sa libération définitive.

Ce jour-là, en roulant dans ma voiture au centre-ville, je ne peux m'empêcher de chercher des yeux, parmi la foule anonyme, la silhouette d'un grand garçon aux yeux verts, dérobant son beau visage aux regards des passants. En le prenant par la main, je pourrais le ramener sagement au bercail, j'en ai la certitude. Hélas… je ne le trouve pas. Adieu, Sylvain, je t'aimais bien.

Christian se montre scandalisé par cette évasion. Cette attitude me rassure.

23

La trêve

La trêve dura quelques mois. Gerry ne revint plus à la maison. Jeanine refusa de déménager et réintégra son logement avec les enfants. Elle traversa enfin des jours plus calmes. Trop calmes à son goût, à la vérité. Même son estomac lui laissait un peu de répit! À vrai dire, elle se languissait durant les heures laissées vacantes par son emploi de couturière à temps partiel, le seul qu'elle ait pu dénicher. À part quelques rares sorties avec des compagnes de travail, elle hésitait à prendre des initiatives et se sentait davantage portée vers l'oisiveté et le laisser-aller. Seule lueur à l'horizon : elle ne négligeait pas ses enfants. Ses relations avec eux se limitaient cependant à l'essentiel. Elle leur parlait rarement, peu intéressée par leur rendement scolaire et leurs occupations, et se contentait de voir à leur alimentation et à leur propreté, sans plus. Au fond, elle se mourait d'envie de rencontrer un autre compagnon de vie pour rallumer la flamme et donner un nouveau sens à ses jours.

Christian ne considérait pas l'attitude de sa mère du même œil. Il la voyait enfin tranquille et débarrassée du vautour prêt à dévorer sa proie à tout instant. Il espérait sourdement que la place nette ramènerait Roger. Pourquoi pas? Jeanine l'avait bien séduit autrefois, elle le pouvait encore! Comme ils seraient heureux, tous les quatre!

Hélas! son père ne reviendrait, de toute évidence, jamais. Pourquoi cultiver l'espoir inutilement même si, après toutes ces années, Roger lui manquait toujours cruellement?

Avec le temps, le garçon avait mûri et saisissait mieux les problèmes des adultes. Il se serait senti prêt à quelques concessions. Même à s'approcher de Nathalie! Que Roger ait cessé d'aimer Jeanine et se soit acoquiné avec une autre femme, fût-elle une catin, il pouvait comprendre cela à présent. Il n'avait pas à porter de jugement sur cette union dont la longue durée prouvait le sérieux. Il ne devait plus se buter, en petit garçon têtu, comme autrefois. Il accepterait maintenant de payer le prix d'une réconciliation et de se montrer poli et correct envers cette femme. Encore faudrait-il quelqu'un pour amorcer les retrouvailles...

L'adolescent s'en sentait incapable. Quand Roger venait chercher Lison et l'attendait dans sa voiture, Christian le regardait à travers les rideaux, le cœur battant. Il aurait suffi d'un simple mot ou d'une main tendue pour qu'il coure se jeter dans les bras de son père. Pourquoi celui-ci n'osait-il pas ces gestes? Son fils avait-il donc perdu toute importance à ses yeux? Il incombait au père de tenter un rapprochement, pas au fils. Lui, se sentait trop timide, trop apeuré. Lui, était devenu le fils prisonnier du silence...

De plus en plus replié sur lui-même, Christian coulait une existence vide, dans le plus complet désœuvrement. Ni les études, ni les jeux, ni même les amis ne trouvaient grâce à ses yeux. Les jours de congé, il passait des heures écrasé sur le divan devant un écran de télé retenant à peine son attention. En de rares occasions, Jeanine faisait de vaines tentatives pour le tirer de sa torpeur.

— *Christian, que dirais-tu d'un abonnement au Centre Immaculée-Conception ? Tu pourrais jouer au hockey ou apprendre le judo.*

— *Bof...*

— *On annonce la formation d'un club de joueurs d'échecs dans le journal local. Avec ta grande intelligence, tu pourrais sûrement devenir un champion.*

— *Je déteste les échecs, tu le sais, m'man !*

— *Et si tu commençais une collection de timbres ?*

— *Avec quel argent ?*

Christian se renfrognait. Pourquoi faire des efforts ? Il ne croyait même plus au plaisir ! Quand le pain quotidien, pendant des années, a consisté en de faux espoirs et d'incessantes déceptions, quand les sentiments de rejet et de culpabilité ont systématiquement étouffé tous les rêves, quand la violence a pris la place de la tendresse, quand le seul langage connu, gifle ou silence, n'a jamais mené à la compréhension et au partage, quand ravaler sa rage a constitué la seule nourriture de l'âme, comment croire que d'une activité sportive ou intellectuelle quelconque pourrait jaillir la joie de vivre ? Pourquoi sa mère insistait-elle pour lui trouver des distractions en dehors des cloisons de la maison ? Plus rien au monde ne l'intéressait !

— *Sors donc un peu, mon Christian ! Ou invite un ami, ça va te faire du bien !*

Lui faire du bien ? Comment cela ? Depuis le départ de Gerry, il se trouvait enfin à son aise, là, immobile dans le vide, prostré entre les murs d'un nid familial déficient, dans l'attente inconsciente de rien. Absolument rien ! Un rien morbide, sinistre, certes, mais un rien rassurant qui lui garantissait enfin un semblant de paix. Et il goûtait à ce rien comme à un grand bonheur trop longtemps désiré.

Un jour, en rentrant de l'école, il trouva un billet de sa mère collé sur la porte d'entrée.

Christian, je serai absente pour le souper. J'ai préparé un pâté chinois pour toi et Lison, il suffit de le réchauffer. Soyez sages, je ne reviendrai pas trop tard.

Ta mère

Ah?... Jeanine n'avait pas l'habitude de ce genre d'escapade. Sur le guéridon à l'entrée du salon, placé bien à la vue, trônait une énorme gerbe de roses rouges, éclatantes de beauté. Était-ce le parfum trop insistant de ce bouquet, ou la peur soudaine d'en comprendre la signification, qui lui noua l'estomac? Ces fleurs... Il en avait vu d'autres! Il se mit à explorer partout dans la maison. Dans le tiroir de la table de chevet de sa mère, il trouva l'objet de sa recherche: une carte ou, plutôt, une lettre. Il n'avait pas le droit de violer ainsi l'intimité de Jeanine et de farfouiller dans ses affaires. Et pire, de lire sa lettre. Mais, à ce moment précis, sa conscience ne possédait plus de voix. Il s'agissait de survivre, il s'agissait de la vie de sa mère mais de la sienne aussi. Surtout la sienne... Il saisit l'enveloppe. L'écriture irrégulière, hachurée, très appuyée, ne permettait aucune équivoque. Il lut le feuillet avec le désespoir du condamné en route vers le gibet.

Ma pitoune,

Depuis notre terrible séparation, j'ai beaucoup songé à nous deux. Je tiens encore à toi, tu sais, et je m'ennuie de toi. Je me suis comporté comme un imbécile et je m'en veux de t'avoir fait tout ce mal. Je t'offre ces quelques fleurs en espérant obtenir ton pardon. Savais-tu que je vais en thérapie depuis trois mois? Eh! oui, non seulement j'assiste aux rencontres des Joueurs Anonymes, mais je vois aussi un psychologue à toutes les semaines pour soigner mon agressivité. Il s'agit de Monsieur Adrien Labrie, tu peux vérifier mes dires auprès de lui. Je fais tout ça par amour pour toi, ma pitoune, car je ne peux t'oublier. Cette fois, je veux te mériter.

Mon plus grand rêve serait de t'épouser. Je deviendrais alors le vrai responsable de la famille, et cela m'aiderait à me tenir loin du jeu. Mais avant de prendre une décision, laisse-moi guérir complètement. Je veux faire mes preuves et te démontrer à quel point j'ai changé. En attendant, accepte ces humbles fleurs accompagnées de mille baisers.

Je t'aime, ma pitoune chérie,

Gerry

Christian se jeta sur le lit de sa mère en hurlant. «Non! non! C'est pas vrai, il va pas revenir! Je veux pas, je veux pas! Oh! mon Dieu, faites que non!» Il se mit à marteler le matelas à coups de poing et de pied et à mordre les oreillers du côté où Gerry avait l'habitude de dormir. Puis, après une accalmie, il se leva et, le visage grimaçant, il s'empara du vase de fleurs pour pisser allègrement dedans. Qu'elles crèvent, les maudites, tout comme celui qui les a envoyées!

Le lendemain matin, Christian et Lison trouvèrent Gerry installé sur la chaise berceuse, une tasse de café à la main.

— Salut, les enfants! Surprise! Me revoilà!

Ce jour-là, le garçon ne trouva pas le courage de se rendre à l'école. Il erra plutôt dans les rues comme une âme en peine, obsédé par une valise rouge.

24

En entrouvrant la porte, j'entends le son d'un clavecin en provenance du studio. Une musique divine... Quoi? On a invité Jean-Sébastien Bach ici, ce matin? *L'Invention à trois voix* est superbement interprétée. Sans doute un détenu a-t-il apporté sa chaîne stéréo pour faire jouer cette musique en attendant mon arrivée.

Erreur! À mon grand étonnement, je découvre un inconnu assis derrière la grande table sur laquelle il a déposé son clavier électronique branché sur la fonction «clavecin». Et il joue lui-même cette œuvre passablement difficile de Bach!

— Bonjour, jeune homme! Quelle belle surprise!

— Salut! Je m'appelle Francis, je suis votre nouvel élève.

— Eh bien! mon vieux, à t'entendre, je ne suis pas certaine que tu aies besoin de moi!

— Oh non! J'ai encore beaucoup à apprendre! Malheureusement, il me reste peu de temps pour les cours de piano. Dans quatre mois, je serai libéré.

— Et tu joues depuis longtemps?

— Depuis toujours. J'ai pris des leçons un an ou deux au cours de mon enfance. Le reste, je l'ai appris par moi-même.

— Tu m'épates! Quel talent!

— Je suis diagnostiqué bipolaire, c'est-à-dire maniaco-dépressif. En phase «high», je prenais du Ritalin pour aiguiser davantage ma concentration et je restais au piano dix heures par jour! Je suis ici pour cette raison, d'ailleurs : falsification d'ordonnances pour me droguer au Ritalin. Comme j'adore la période baroque, j'interprète exclusivement des œuvres de Bach.

— Et les autres compositeurs?

— Ils ne m'intéressent pas à moins d'appartenir au baroque : Rameau, Couperin, Scarlatti, Haendel, Telemann, Pachelbel et compagnie.

Il les connaît tous, le coquin! Je suis estomaquée.

— Bon. Que dirais-tu si on attaquait les *Préludes et Fugues* à partir de la semaine prochaine? Mais… es-tu certain de ne pas vouloir essayer une sonate de Haydn?

— Bof… si tu veux…

J'écris le nom de Francis sur la première page du cahier Canada dans lequel je note les devoirs de la semaine.

— Mon nom de famille est Gravelin, mais inscris Levinovitch. C'était mon nom de danseur russe.

— De danseur russe?!?

— Eh oui, je faisais aussi du ballet classique. Je me prenais pour un danseur russe jusqu'au jour où est arrivé un vrai Russe dix fois meilleur que moi, ha!ha!

Le bonhomme se met à rigoler et m'entraîne avec lui. Quel énergumène, tout de même! Silhouette gracile et efféminée. On lui donnerait dix-huit ans mais il en a trente et un. Un autre qui détonne sur le reste du troupeau…

— N'oublie pas que je suis «gai» et que les collants roses, dans mon cahier, me feront doublement plaisir!

J'éclate de rire. Un vent de fraîcheur quitte la salle en même temps que lui.

Quelques minutes plus tard, Christian arrive sur la pointe des pieds, l'air penaud. L'antithèse de l'élève précédent. Une fois de plus, il n'a pas touché au piano de la semaine. Je n'ose protester malgré la liste d'attente qui s'allonge. Je pense à ce Francis qui sort d'ici après avoir patienté plus de dix mois... Si Christian renonçait aux cours, il mettrait fin par le fait même à nos conversations. Non! reste, Christian, je t'en prie! Tant pis pour la musique et tant pis pour ceux qui attendent! Je ne viens pas ici pour faire de vous d'excellents musiciens mais des hommes heureux. Ou, plutôt, un peu moins malheureux...

Ce matin, l'ami semble morose. Plongé dans ses souvenirs, il me raconte ses premiers mois d'internement dans un pénitencier à sécurité maximale.

— Je te le jure, Françoise : les premiers temps, si je n'avais pas cru en Dieu, je me serais ouvert les veines ou pendu quelque part. Tous ces caïds qui régnaient autour de moi, ces grosses brutes tatouées qui voulaient m'inscrire dans leur *gang*... Je me défilais, tu penses bien! Tu sais, malgré les barreaux et la surveillance excessive, malgré les règlements sévères et rigides, les relations humaines restent empoisonnées et dangereuses dans un max. Tu ne peux faire confiance à personne. Pas même à celui que tu crois être ton meilleur ami.

— À ce point?

— J'étais un jeune naïf de dix-huit ans exploitable à volonté. Un jour, un gars est venu m'annoncer que son «boss» voulait coucher avec moi. Le «gros beef» puant me dégoûtait, et j'ai refusé. On a menacé de me battre et j'ai pris panique. J'ai alors confié à l'un de mes amis mon intention de porter plainte aux autorités. Le salaud est aussitôt allé me trahir auprès du «boss», en échange de quelques grammes de poudre. Maudite drogue! La rossée, je l'ai eue, crois-moi! Oh là là! J'ai passé cinq jours à la clinique et je suis sorti de là mort de peur.

— Quelle cochonnerie!

— Je n'étais pas au bout de mes peines. Ma mère et mes sœurs déposaient régulièrement de l'argent pour moi à la cantine. Quand les salopards l'ont su, ils m'ont obligé, toujours sous la menace, à fournir des cigarettes à tout le clan du «boss». J'en suis venu à sortir le moins possible de ma cellule et à ne fréquenter personne, à part mon père. Bien sûr, je ne lui racontais rien de ça, il avait ses propres problèmes. On se rendait visite parfois, d'une cellule à l'autre, sans plus.

A-t-il bien dit: «mes» sœurs? Je n'ose pas l'interrompre. Il poursuit, sans même reprendre son souffle:

— Malgré mes tentatives d'isolement, il m'était difficile d'échapper aux autres. On se retrouvait forcément à la cafétéria, aux douches, aux toilettes, dans les cours extérieures, ces enclos où on confine les prisonniers, tel un troupeau obligé d'y demeurer jusqu'au son de la cloche. Il faut le vivre, Françoise, pour comprendre combien ces lieux à sécurité maximale ressemblent au repaire du diable, et pourquoi certains humains peuvent s'y transformer en bêtes féroces.

Je me retiens pour ne pas lui demander ce qu'il faisait là, lui, Christian Larson… Je tourne ma langue sept fois. Tout me paraît tellement calme à Bonsecours.

— Ici, c'est mieux, non?

— Bien sûr! Les criminels sont admis dans un «médium» seulement après avoir démontré un sérieux cheminement personnel et une amélioration de leur comportement. Les premiers jours ici, je me suis senti au paradis. Enfin la possibilité de circuler librement entre les bâtiments sans crainte de voir un mec me sauter dessus ! Mais il ne faut pas se leurrer, les hypocrites et les manipulateurs restent nombreux. On ne devient pas un ange parce qu'on relâche un peu la surveillance. La drogue circule comme au centre-ville, mais l'atmosphère reste tout de même moins tendue. On offre toutes sortes de cours, de thérapies individuelles ou de groupe, de programmes de réinsertion sociale. Ça aide à se considérer comme un être humain. On y donne même des cours de piano !

Christian me lance un clin d'œil amusé, mais lorsqu'il me quitte, il reprend ses pas traînants en direction du studio de télévision. Dans sa main droite, il tient négligemment le bouquet de marguerites que je lui ai apporté.

Mes ridicules petites fleurs d'espoir…

25

Le virage

Sous l'œil désapprobateur de Christian, les épousailles eurent lieu en mai, par un samedi ensoleillé. « Le plus beau mois de l'année, le mois de la renaissance », avait clamé Jeanine, radieuse dans son tailleur de crêpe turquoise. Il s'agissait de recommencement, en effet : elle revint de la lune de miel la figure couverte d'ecchymoses.

Si, autrefois, Gerry avait gardé un certain statut d'étranger, de celui que l'on peut mettre éventuellement à la porte, il pénétra cette fois dans la maison en maître de céans. Désormais, tous lui devaient respect et obéissance. Jeanine et Lison se plièrent de bonne grâce à ses caprices, mais Christian se rebuta plus que jamais contre celui qu'il considérait toujours comme un intrus et non comme le mari de sa mère. Et encore moins comme son beau-père. Ah ! ça non, jamais !

Il ignora les rares tentatives de rapprochement de la part du despote.

— Eh ! le jeune, viens m'aider à repeindre la dépense !

— …

— C'est ça, reste dans ton coin, espèce de gnochon !

Non, le « gnochon » n'appartenait plus à cette famille de débiles, il ne le voulait plus. Il ne se mêlait plus aux conversations à table et refusait toute activité avec les siens, préférant s'enfermer dans sa chambre.

Ce retranchement psychologique lui procurait un semblant de paix, isolé dans sa bulle où rien ne pouvait l'atteindre. Il passait des heures le nez dans ses livres, les écouteurs de son baladeur sur les oreilles, dressant un rideau sonore entre lui et le monde extérieur. Il avait découvert la musique « heavy metal » et s'y réfugiait comme dans une tanière malgré la violence virtuelle qu'elle distillait. Qu'importe ce qui se tramait dans la maison, cela ne le touchait plus. Pourtant, il avait l'impression de tourner en rond. Chevalier errant sans aventure et sans idéal…

Il en voulait à sa mère pour ce mariage. Elle n'avait pas tenu compte de la répulsion de son fils pour le bourreau. Son fils… Christian se demandait quelle place tenait un fils au sein d'une famille ordinaire. Assurément, celle d'un être adoré et dorloté… Il ne doutait pas de l'amour de Jeanine pour lui, mais cet amour demeurait superficiel, comme celui porté à un objet auquel on tient mais qu'on regarde chaque jour avec indifférence, sans vraiment le voir.

À la vérité, son foyer ne ressemblait en rien à un foyer normal. Toutes ces scènes d'atrocité, ces cris, ces nuits blanches, ces blessures infligées, ce sang, cette peur muette… Sa vie ne ressemblait en rien à celle de ses compagnons d'école. Chose certaine, les épousailles avaient fait éclater ses illusions sur son rôle d'homme de la maison. Il ne l'était plus. Par son mariage, sa mère l'avait officiellement destitué. Et cela le soulageait.

Lison, elle, baignait dans cette atmosphère malsaine sans trop s'en formaliser. Elle n'avait pas plus besoin d'un frère protecteur que d'un beau-père. Elle avait sa mère, elle avait Roger et Nathalie une fin de semaine sur deux, elle avait sa vie d'écolière, ses petites amies, son monde à elle, et les événements semblaient glisser sur elle sans l'atteindre.

Il en allait autrement pour Christian. La simple pensée de Gerry lui tordait les entrailles. La haine continuait de s'infiltrer traîtreusement, comme une infection chronique, et cela rongeait sa sérénité. De la candeur, de l'ingénuité de l'enfance, il ne restait nulle trace. La vie lui avait appris non seulement à se méfier, mais à haïr. L'enfant était mort, il n'y avait plus d'enfant.

Désormais, il envisageait les choses autrement. Jeanine avait choisi de vivre avec Gerry? Eh bien! elle n'avait qu'à s'arranger avec lui! Si ça lui plaisait de se faire battre, tant pis pour elle! Elle l'avait décidé en toute connaissance de cause. C'était son problème à elle. Pas le sien. Non seulement il avait perdu son père, mais il avait maintenant mis une croix sur sa mère. Du moins, il essayait.

Dorénavant, il allait vivre sa vie à lui, pour lui seul. Uniquement lui-même. Un seul but, une seule idée l'obsédaient: fuir. Changer de milieu, se libérer de tout ce qui l'avait torturé. À quinze ans, il se sentait maintenant assez homme pour mener sa barque. Dès l'année scolaire terminée, il prendrait le gouvernail, se trouverait un emploi en dehors de la ville et quitterait la maison avec sa valise. Pour de bon, cette fois. Pour vivre enfin libre. Et en paix.

Ce grand projet, même lointain, lui donna tous les courages. Une lueur au bout du tunnel.

26

Promesse de solidarité

Christian ne se leurrait pas sur les effets bénéfiques de la fameuse thérapie suivie par Gerry. Les bleus sur le visage et les bras de sa mère démontraient mal la sincérité de ses bonnes résolutions. Mine de rien, l'adolescent guettait l'apparition d'autres signes de récidive. Ils ne tardèrent pas à venir, en effet.

Un matin, Jeanine se retrouva mal en point, incapable de se lever à la suite d'une nouvelle dispute. Inquiet, Christian préféra rester à la maison malgré les examens de fin de session qui approchaient. Il avait beau vouloir croire que sa mère ne lui était plus rien, il suffisait d'une larme ou d'un cri de douleur pour qu'il voie s'écrouler son bel échafaudage d'indifférence.

En fin d'après-midi, Hugo, le vieux compagnon du temps des mécanos, sonna à la porte pour remettre des documents à Christian. Dans un excès de zèle, son professeur avait cru bon de lui faire porter des devoirs de français et de mathématiques afin de réduire son retard sur le reste de la classe. Christian accueillit son ami comme un vent frais et n'hésita pas à le prier d'entrer quelques instants.

— *Viens prendre des biscuits et un verre de lait. C'est l'heure de la collation.*

— *T'as pas l'air très malade...*

— *C'est ma mère qui est au lit. Elle... elle s'est fait mal en tombant. J'ai dû rester pour la soigner.*

Hugo devinerait-il son mensonge? Christian l'emmena dans le salon et s'empressa de tourner le bouton du téléviseur pour créer une diversion. Il regrettait son invitation, tout à coup. S'il fallait que Jeanine montre son visage boursouflé et son poignet recouvert de pansements... Pire, s'il fallait que son ami découvre, sur le mur de la cuisine, les marques de bris de la carafe de vin. Il aurait dû nettoyer les dégâts, ramasser les morceaux de verre, laver le mur, effacer les traces. Mais ça ne lui était pas venu à l'idée. Sans doute n'en trouvait-il pas le courage, dépassé par les événements.

Dévoré de honte, il regardait Hugo à la dérobée et se demandait de quoi l'entretenir. On aurait dit qu'il avait oublié comment s'adresser à des copains « normaux »! Personne ne devait savoir ce qui se passait chez lui. Sinon, on se moquerait de lui et on le pointerait du doigt. Peut-être même dévoilerait-on son histoire au grand jour. Gerry redoublerait alors de cruauté. Sans doute tuerait-il Jeanine.

— *Si on jouait aux cartes? Ma sœur Lison m'a appris un nouveau jeu de patience à deux, ça t'intéresse?*

Il n'avait pas reçu un ami à la maison depuis des années. Hugo se montra affable et gentil et se contenta de manipuler les cartes. Christian l'envia secrètement. Lui, au moins, semblait vivre à l'abri des tragédies. Il n'avait personne à défendre ni à cacher. Et il ne craignait personne. Étrange comme de regarder le beau visage paisible du garçon lui faisait du bien. Même s'il le jalousait. Même s'il avait conscience d'une barrière infranchissable dressée entre eux. La barrière du silence... Ce sourire avenant, ce regard franc et limpide, ce calme apaisant, tout cela coulait en Christian comme une eau de source dans l'aridité de sa journée. Quelque part, le bonheur existait.

Mais le moment de grâce fut de courte durée. La porte d'entrée s'ouvrit brusquement sur un Gerry furibond qui trébucha de tout son long sur les bottes et le sac d'école laissés par Hugo au milieu du vestibule. Il se releva, écumant de rage.

— Où est le morveux qui a laissé traîner ça dans la place?

Hugo rentra la tête dans les épaules, pétrifié.

— Je... je suis désolé, monsieur.

— Ah? Tu es désolé? Veux-tu savoir ce que je fais, moi, des déficients désolés?

Il saisit l'adolescent par le collet et s'apprêtait à le lancer sur le mur lorsque Jeanine apparut dans l'embrasure de la chambre, criant à tue-tête.

— Lâche-le, Gerry! Il est mineur, t'as pas le droit!

Le regard mauvais, l'homme repoussa sauvagement le garçon terrorisé.

— Crisse ton camp d'icitte, maudit mal élevé! Pis que je te «revoye» plus jamais la face!

Hugo ne demanda pas son reste et sortit en trombe de la maison, sans même prendre le temps d'enfiler son manteau et de remettre ses bottes.

Le garçon n'adressa plus la parole à Christian. Ce dernier, bien décidé à s'excuser et à lui dévoiler la vérité malgré ses craintes, tenta vainement de lui parler dans les corridors de l'école. Se rappelant l'effet bénéfique de ses confidences d'autrefois à Mademoiselle Beaumont, il espérait trouver en Hugo une écoute amicale, peut-être même de bons conseils.

Mais l'autre l'ignorait et s'esquivait à chaque tentative de rapprochement. Au bout de quelques jours, Christian renonça, obligé d'admettre avoir perdu l'ultime ouverture qu'il lui restait sur le monde.

À partir de ce jour, il se mit à fuir systématiquement le logement de la rue de la Visitation. «Ma mère va être contente, je m'occupe ailleurs, maintenant!» Après la classe, il se mit à traîner dans la rue et au parc. De nouveaux compagnons s'étaient présentés récemment. Une bande de voyous, il le savait bien, au fond. Des gars tout aussi désorientés que lui. Il désapprouvait leurs comportements, les larcins chez le dépanneur, le taxage auprès des élèves les plus vulnérables, le vandalisme qui alimentaient leur quotidien. Malgré cela, auprès d'eux, il se sentait bien, estimé. Fasciné, surtout, par l'intensité des sensations partagées avec eux.

Ces délinquants se doutaient-ils que Christian allait encore à la messe, le matin, avant de se rendre à l'école, cherchant la lumière entre les promesses de l'eucharistie et les fantasmes de la drogue fumée le soir en leur compagnie? Savaient-ils qu'entre sa famille misérable et la gang de dévoyés, entre l'enfer et le paradis, il cherchait désespérément le salut? Qu'entre son enfance massacrée et les sombres perspectives de l'avenir, ses hésitations le rendaient confus? Qu'entre le pardon et le mépris, entre la tolérance et la fuite, entre la probité et la délinquance, il se trouvait de plus en plus écartelé? Et perdu? Et malheureux?

— Tiens, Christian, un petit joint?

Christian tétait le petit joint avec l'avidité du nourrisson au sein de sa mère, lèvres pincées et paupières closes comme si, de cette aspiration, un grand soulagement allait surgir. Il n'était pas dupe, cependant. Cette euphorie s'avérait passagère et trompeuse. Dangereuse même, il le savait. Mais quelle illusion douce et agréable, tout de même! L'envers du réel. La libération, tout éphémère soit-elle…

— Eh, man! *On fait un* hit *à soir, viens-tu avec nous autres?*

Les faux amis ne manquaient pas. Christian faisait taire sa conscience et rejoignait la gang de vauriens. Quelques bières et quelques sniffes suffisaient à noyer ses derniers principes d'intégrité.

Un soir, on l'obligea à participer à un vol de cigarettes dans un dépanneur. Il n'avait pas le choix s'il désirait conserver sa place au sein de la bande et recevoir sa part d'herbe magique. Oh! pour ce début, il ne joua qu'un rôle anodin près des réfrigérateurs du magasin afin de distraire l'employée. Jamais il n'aurait pu menacer la caissière avec un revolver. Le chef de la bande s'en chargea. Celui-là même qui, à l'occasion, entourait l'épaule de Christian de son bras protecteur et lui disait bien haut:

— On te lâchera pas, mon bonhomme. Nous autres, on est du monde correct.

Pour ce simple geste de camaraderie, pour cette promesse de solidarité, Christian se sentait prêt à toutes les audaces.

27

Francis, l'expert en interprétation des œuvres de Bach, est finalement reparti, à peine quelques mois après son arrivée. Comme un feu d'artifice, il m'aura éblouie non seulement par sa capacité d'apprentissage mais surtout par le haut calibre de ses performances. Ce bonhomme-là aurait pu faire carrière comme professionnel de la musique.

Dans ce court laps de temps, il est passé à travers deux ou trois *Inventions*, le *Prélude et Fugue* en do mineur, deux allemandes et une gigue des *Suites françaises*. Tout me semblait parfait, je n'avais rien à redire à part quelques petits ajustements techniques. Il aurait eu besoin d'un professeur plus qualifié que moi.

Lors de notre dernière rencontre, il m'a offert l'interprétation d'une sarabande en guise de «cadeau de remerciement». La mélopée montait, douce et poignante, belle comme une prière. Le cœur en émoi, je me suis laissé emporter, suspendue entre ciel et terre. «Seigneur, protège cet homme-là. Ne vois-tu pas que sa musique est une prière?»

– Bonne chance, mon beau Francis! Et ne reviens plus jamais ici. Tu vaux tellement mieux que ça!

Je le presse sur mon cœur. Un autre auquel je me suis attachée et que je ne reverrai probablement plus…

– Tiens! Je te donne mon numéro de téléphone. Avant de faire une autre bêtise, appelle-moi. Je ne sais pas ce que je te dirai, je ne possède aucune expertise dans ce domaine, mais au moins je t'écouterai.

Quelques semaines plus tard, Francis me téléphonera, non pour appeler au secours, mais pour m'annoncer qu'il s'est trouvé un emploi, un appartement, un compagnon, et qu'il joue encore du Bach. Parfait! Cet appel vaut pour moi tous les salaires du monde. À la vérité, personne sur le point de commettre une bévue n'a jamais composé mon numéro. Ceux qui me téléphonent à l'occasion me donnent invariablement de bonnes nouvelles, sachant qu'elles me font chaud au cœur. Naturellement, au moment du départ, tous se promettent de poursuivre leurs études de piano, mais la vie les reprend par le chignon dès qu'ils ont mis le pied dehors. Ils ne trouvent plus le temps.

Je me rappelle Félix, cinquante-sept ans. Cet excellent élève, parmi les meilleurs bûcheurs, semblait sincèrement désolé à l'idée d'abandonner ses cours de piano à cause d'un transfert dans un « minimum », nouvelle étape de son cheminement vers la liberté.

– Écoute, mon vieux, si tu peux te procurer un clavier, là-bas, je pourrais peut-être m'y rendre une fois ou deux par mois. Après tout, soixante kilomètres, ce n'est pas si loin!

Ça n'est pas tombé dans l'oreille d'un sourd. Sa famille s'est cotisée et, au bout de quelques semaines, Madame Piano lui donnait une leçon sur le piano désaccordé de la chapelle du « minimum ».

L'été suivant, accaparée par des responsabilités familiales, j'espaçai de plus en plus mes visites là-bas, jusqu'au jour où je reçus une gentille lettre.

Bonjour, toi! J'ai fini d'apprendre Les immortelles. *Tu seras fière de moi. L'arrangement de* Pour Élise *m'embête, cependant. Le diminuendo, au bas de la deuxième page, concerne-t-il les deux mains ou seulement la main droite? Je m'ennuie de ma prof. J'espère que ta fille va mieux…*

Félix

Il avait gagné! Le lendemain, je m'organisais pour me rendre là-bas sur une base plus régulière. J'y suis retournée fidèlement aux trois semaines pendant plusieurs années, jusqu'à sa libération.

Un souvenir savoureux restera marqué dans ma mémoire: Félix commençait à recevoir des permissions pour sortir certaines fins de semaine. Un jour, à la fin de sa leçon, il s'était écrié:

— Samedi, je m'en vais aux danseuses!

Un autre détenu qui passait près de nous, l'ayant entendu, s'était exclamé, vert de jalousie:

— Maudit chanceux! Tu vas aller aux danseuses pendant que moé, je vas rester enfermé icitte!

Et Félix, tout fier, avait répondu d'une voix altière:

— Oui, mais les danseuses ont six et neuf ans. C'est le spectacle de ballet de mes deux petites-filles!

Sur ma table de chevet se trouve un écrin de velours contenant une magnifique rose sculptée par Félix… dans le bois prélevé à l'extrémité d'un manche à balai! Un véritable joyau, parmi ce que je possède de plus cher…

* * *

— Comment ça va, toi?

Christian me tend un café accompagné d'un grand sourire.

— Tu vas être contente de moi, Françoise. Cette semaine, j'ai VRAIMENT travaillé mon piano!

— Ah bon! Les autres semaines, ce n'était pas… vraiment?

— Euh…

Nous éclatons de rire.

— Mettons que j'aimerais bien recevoir un beau collant pour le montrer aux jumelles, ce soir. Elles viennent aux visites.

— Leur vieux «mononcle» aimerait-il les gâter davantage?

Spontanément, je lui donne toute ma collection de collants. Lorsqu'il me quitte, après avoir massacré sa musique comme à l'accoutumée, il presse son enveloppe de collants sur son cœur avec le sourire de celui qui vient d'hériter d'un trésor.

Étrange comme, dans le monde marginal de la prison, quelques papiers collants et certains bouts de manche à balai peuvent prendre autant de valeur que des pierres précieuses!

28

J'ai reçu hier, à l'occasion de mon anniversaire, le plus merveilleux cadeau de mon existence : ma fille aînée a emballé dans
un sac-cadeau la tige indicatrice d'un test de grossesse positif.
Dans sept mois et demi, je deviendrai grand-mère. Je ne porte
plus à terre, me voilà folle de joie.

Hélas, ce matin, un mauvais rhume vient me rabattre le
caquet. Je me sens fiévreuse et j'ai la gorge en feu. Déjà vieille
et courbaturée, la grand-mère ! Je me rends quand même à
Bonsecours. Après tout, mes gars ont dû travailler leur piano
cette semaine et ils m'attendent, je ne vais pas leur faire faux
bond pour un simple rhume ! Après la fouille traditionnelle,
je m'achemine donc à petits pas vers le socio, la tête basse et
l'esprit embrumé, en me demandant si je n'aurais pas mieux
fait de rester couchée.

Soudain, la porte s'ouvre devant moi et je fais un saut en
arrière. Une caméra de télévision est braquée sur moi. Un
attroupement bloque le corridor et des voix d'hommes se
mettent soudain à chanter : « Madame Piano, c'est à ton tour,
de te laisser parler d'amour… »

Je m'effondre. Quelle surprise ! Quelle merveilleuse et belle
surprise !

— Bonne fête, Madame Piano! Souris, là! C'est pas le temps de brailler. J'enregistre tout ça sur pellicule, moi!

Christian plastronne. L'instigateur de cette fête semble fier de lui, et je sens une bouffée de tendresse me gonfler le cœur. Si seulement j'étais moins malade...

— Y a pas de cours ce matin, Françoise. Aujourd'hui, on fête!

Un magnifique gâteau m'attend dans le studio, fabriqué à la cafétéria par les détenus eux-mêmes. On a aussi transporté la cafetière du secrétariat. Ils sont tous là: mes quatre élèves, Christian derrière la caméra, Miguel, guitare en main, Michel, le remplaçant d'Émile libéré récemment, et Billy qui succède à Francis. Quelques autres visages connus viennent aussi me saluer. Roger Larson est de la fête, bien sûr, et il parle plus haut et plus fort que les autres.

— Madame Piano, comme nos moyens sont limités, chacun de nous t'offrira un cadeau à sa manière.

Miguel se porte le premier volontaire et s'avance devant moi avec un petit air timide. Il se met à chanter la chanson sud-américaine traditionnellement exécutée sous la fenêtre par les mariachis, les matins d'anniversaire: *Las mañanitas*[17].

Je me sens émue malgré la toux sèche qui me scie la respiration. Quel bonhomme charmant, tout de même, ce Miguel! Il est question de le renvoyer éventuellement dans son pays, malgré ses protestations. « *Si yo regreso* en Colombie, Françoise, *yo estoy muerto. Los caídes* de la drogue ne rient pas[18]... »Je compatis à ses tourments mais comment ne pas approuver mon gouvernement de refuser d'assumer les coûts de plusieurs années de détention ici? Dans quels tourbillons de paradoxes m'entraîne parfois la fréquentation de ces hommes à la fois

---

17. Les petits matins.
18. Si je retourne en Colombie, je suis mort. Les caïds de la drogue ne rient pas...

répugnants pour la société et si attachants quand on se met à les connaître…

Billy prend la relève au piano. À mon grand étonnement, il attaque tant bien que mal une version simplifiée d'un *Nocturne* de Chopin.

— Ah! là, je vous ai eue, hein, Madame Piano? Un gars m'a passé sa partition et je l'ai apprise tout seul. C'est un peu difficile pour moi, mais j'ai travaillé très fort, comme vous voyez. Êtes-vous contente de votre élève?

Billy se prétend incapable de tutoyer sa prof de piano.

— Si je suis contente? Mon beau Billy, tu me donnes envie de pleurer. Tu as fait ça tout seul et en cachette! *Wow*!

Au tour de Michel, le dernier arrivé, de se produire devant moi. Comme ses connaissances en musique demeurent encore rudimentaires, il a choisi de me réciter un petit poème en créole issu du patrimoine d'Haïti, son pays d'origine. Je ne comprends pas tout mais reconnais tout de même certains mots: santé, amour, bonheur, soleil, longue vie.

Ouf! s'ils continuent de la sorte, je vais me mettre à brailler. Et pas à peu près! Ma fièvre doit certainement dépasser les quarante, et pas seulement à cause des microbes!

Christian, pour sa part, délaisse la caméra pendant quelques instants et se dirige vers le piano d'un pas leste.

— Écoute bien, Françoise, tu ne croiras pas ça!

Voilà qu'il se met à jouer son fameux *Love Me Tender* sans l'ombre d'une fausse note, pas même dans le dernier accord!

— Oh là là! Quel génie! Tu m'épates, mon vieux!

Il sait bien que je le taquine. Mais il s'empresse de renchérir:

— Ce n'est pas tout! Voilà mon cadeau principal: j'ai filmé, cette semaine, chacun de nous en train de s'exercer au piano du socio. Je vais y ajouter la fête de ce matin et te remettrai tout ça sur une cassette vidéo. Pour le reste de tes jours, tu vas devoir te souvenir de nous, ma chère...

Quelle merveilleuse idée! Mais, de toute façon, je me souviendrai de chacun de ces visages épanouis tendus vers moi pendant moins d'une heure par semaine, ces visages d'hommes dont le cœur d'enfant toujours vivant se redessine momentanément chaque mercredi sur les pages d'un cahier neuf couvert de notes de musique. L'espoir... Le visage d'hommes qui ont fauté, failli, trompé, battu, tué... Mais des hommes capables de se reprendre, de recommencer à neuf. Des visages d'hommes qui m'ont inspiré confiance et espoir, des visages encore capables de regarder quelqu'un en face, encore capables d'afficher une forme d'authenticité. Et de la fierté aussi. Ces visages illuminés qui s'en retournent dans les corridors du pénitencier, après la leçon, perdent probablement bien vite leur éclat pour reprendre la couleur cafardeuse des murs, je n'en doute pas. Mais j'ose espérer qu'ils conservent néanmoins une petite lueur intérieure, une lueur d'enthousiasme et d'appétit de vivre allumée timidement ici, auprès du piano.

Roger a-t-il deviné ma pensée? Il m'offre un autre poème à ajouter à ma collection.

– Tu devrais me le lire à voix haute, Roger. Ça me ferait tellement plaisir!

Pris au dépourvu, le père de Christian hésite un court moment. Si j'en avais su le contenu, je ne lui aurais jamais fait cette demande. Lentement, il s'approche de moi et pose une main tremblante sur mon épaule. Puis il se lance, d'un voix faible et hésitante. À la fin de chaque phrase, il s'arrête une seconde pour reprendre son souffle et lever les yeux sur moi. Comme si ce poème s'adressait à moi, comme s'il me demandait pardon à moi.

Pardon

Pour le cœur qu'on éteint
À force d'indifférence,
De silence,
D'absence…

Pour les amours avortées,
Les amants séparés,
Les enfants partagés,
Les familles éclatées…

Pour le petit qui attend
Ce qui n'arrivera jamais
Et voit s'écrouler
Ses rêves justifiés…
Pour les tueurs d'âme,
Les démolisseurs d'innocence,
Ceux qui enlèvent à leur fils
La foi dans la vie…

Pour les pères
Qui n'en furent pas,
Pour les cris de détresse
Jamais entendus…

Seigneur, je te demande pardon.

Un peu plus loin derrière, au cours de la lecture, je vois Christian pâlir et se mordre la lèvre inférieure. Il interrompt le fonctionnement de sa caméra d'une main discrète, tout en gardant son visage dissimulé derrière l'appareil. Pour une raison que j'ignore, cette prière ne sera pas enregistrée sur la cassette de mon anniversaire. Quand Roger prononce son dernier mot, on pourrait couper le silence au couteau dans la salle.

Vite, il faut faire diversion, sinon, on va tous se mettre à pleurer. Malgré mon piteux état, je m'offre pour accompagner quelques chansons au piano. Je connais leurs « tounes » préférées : *La maladie d'amour, C'est dans les chansons, Frédéric…*

Les fausses notes pleuvent. Je sais qu'elles sont immortalisées par la caméra de Christian. Moi aussi, je suis capable d'erreurs sur le clavier ! J'ai chaud, j'ai froid, j'ai le cœur chaviré d'émotion.

— Eh ! Madame Piano, qu'est-ce qui se passe ? Avez-vous oublié vos gammes ?

— Non, non. La vieille grand-mère manque de concentration, voilà tout !

Tiens ! J'ai oublié de leur annoncer que je serai bientôt grand-mère ! Pas grave. Ils s'en fichent pas mal, je pense. Je tente de me ressaisir. Après tout, quelqu'un est en train de me filmer. Ils ont raison : souris, Madame Piano. Merci, mon beau Christian, pour ce moment unique dans ma vie. Allons, ma vieille, un petit effort :

Elle court, elle court, la maladie d'amour,
Dans le cœur des enfants
De sept à soixante-dix sept ans…

29

Nouvelle errance

Malgré de nombreux ratés, Gerry manifesta un semblant de bonne volonté pendant quelques mois. Quand il disparaissait, le soir, il se rendait à sa thérapie ou à un meeting des Joueurs Anonymes, du moins, il le prétendait. Cependant, la secrétaire du psychologue appela à quelques reprises à la maison pour annoncer l'oubli du client de se présenter à son rendez-vous. Jeanine le lui reprocha gentiment, un jour, devant les enfants.

— Mon amour, il ne faut pas abandonner la thérapie. Mon bébé aura besoin d'un père parfait.

Mon bébé ? Quel bébé ? Christian mit quelques secondes à comprendre. Quoi ! Jeanine enceinte ? Sa mère enceinte !!! Dieu du ciel ! Comment réagir devant une telle nouvelle ? Subitement, tout prenait une autre dimension. S'il avait tenté de regarder Jeanine exclusivement comme la femme de Gerry, ces derniers temps, elle regagnait subitement sa place de mère. Non seulement de sa mère à lui, mais celle d'une mère en gestation, un temple renfermant le plus précieux trésor du monde, et devant lequel il avait envie de s'agenouiller. Il adorait les bébés, ces petits êtres purs, neufs et innocents. Peut-être lui rappelaient-ils sa propre condition d'autrefois ?

Un enfant… Un enfant se trouvait dans le ventre de sa mère ! Il n'en revenait pas ! Lui, Christian Larson, allait avoir un petit frère ou une autre petite sœur ! Wow ! Il s'expliquait mal l'excitation qui le gagnait. Pourquoi se réjouir de la venue d'un bébé dans cet univers de noirceur ? Comment un être sans défense trouverait-il le bonheur dans cette famille condamnée à la violence ? Il y veillerait, lui, Christian Larson. Il saurait prendre soin de cet enfant et le protéger contre les assauts du tyran. Jamais il ne laisserait la brute, malgré ses droits de père, lever la main sur lui.

Son regard sur Jeanine redevint de nouveau celui de l'homme de la maison. Il allait la protéger, elle avait dorénavant besoin de lui. Les rôles venaient de réintégrer leur vieux moule, Christian venait de se découvrir une nouvelle raison de vivre. Cette fois, il ne manquerait pas à sa mission, il se le jura. Sous le lit, il repoussa la valise rouge tout au fond, contre le mur.

Ses pensées l'empêchèrent de remarquer la colère froide, mais contenue, allumée dans l'œil de l'homme assis à la table en face de lui. À l'annonce de la nouvelle, il s'était odieusement tu.

* * *

Les idées de fuite de Christian s'évanouirent donc. Il délaissa ses amis peu recommandables et ne quitta plus le nid. Dès le début de la grossesse de Jeanine, Gerry avait repris ses habitudes de naguère. Il dépensait tout son argent au jeu et rentrait tard ou pas du tout. Les gérants de banque, les créanciers, les shylocks[19], les débiteurs de tout acabit avaient recommencé leurs appels téléphoniques

---

19. Usuriers, prêteurs sur gage.

et, trop souvent, leurs terribles menaces. Gerry battait Jeanine pour un rien, malgré son gros ventre et ses jambes enflées. Christian s'interposait du mieux qu'il pouvait, à grands coups de pied et de poing. Depuis le début de la grossesse de sa mère, il se permettait d'intervenir.

— Lâche ma mère, maudit écœurant!

Gerry finissait par lâcher prise et prenait la porte. Il se gardait bien de réinviter ses partenaires de jeu à la maison et préférait disparaître avec eux pendant plusieurs jours. Selon sa chance ou sa malchance, il revenait enragé ou les bras chargés de cadeaux.

Christian voyait grossir le ventre de sa mère avec émerveillement. Parfois, il y posait une main fébrile pour sentir bouger le bébé, fasciné par le miracle de la vie. Jamais il n'avait trouvé Jeanine aussi belle, aussi éblouissante. Ses yeux cernés, son teint blafard, sa démarche incertaine, il ne les remarquait plus guère.

Quand survint le moment de la naissance, Gerry resta introuvable. Christian appela finalement ses grands-parents paternels à la rescousse, et ce sont eux qui menèrent leur ex-belle-fille à l'hôpital. Ariane fit son entrée dans le monde un matin de pluie, accueillie par les bras d'une infirmière anonyme, comme si le sort voulait déjà la marquer. Jeanine se sentait trop épuisée pour la bercer elle-même. Le retour à la maison quelques jours plus tard fut tout aussi pathétique. Gerry avait réparti des bouquets de fleurs un peu partout, conséquence extravagante d'une soirée favorable devant une slot machine.

— Ça empeste le salon mortuaire, ici! Tu aurais mieux fait d'acheter des couches et du lait maternisé, mon amour.

— Ben, sacrament! J'ai fait ça pour toi, et t'es pas encore contente! Va au diable! Et arrange-toi toute seule avec tes petits!

Il disparut en claquant la porte et ne revint qu'au bout de trois jours. Trois jours bénis au cours desquels Christian goûta à la joie de s'occuper d'un nourrisson. Jeanine, trop faible, s'en remit à son fils après lui avoir brièvement expliqué comment changer les couches et préparer les biberons. L'adolescent se débrouillait bien. Assisté de Lison, il arrivait à donner le bain au bébé, à changer son lit, à laver ses vêtements et ses couches souillées, et à le faire boire correctement. Puis, tout content, il apportait le petit trésor bien emmailloté à sa mère, dans son lit.

Il n'en revenait pas du velouté de la peau du bébé, de la beauté et de la délicatesse de ses doigts, de ses pieds si menus, de ses oreilles en forme de coquillage. Cette bouche avide, ces yeux qui sourcillaient déjà à la lumière et au mouvement, cette main fragile qui s'emparait de son index comme pour s'y agripper... Ah! sa petite sœur, si désarmée! Il la protégerait toujours, il le lui jura une nuit, en lui donnant son biberon, seul au monde avec elle sur le grand canapé du salon, prenant Dieu à témoin. Moment incomparable de plénitude dans la maison silencieuse et sombre. Christian savoura ce nouveau bonheur, celui de se donner, de se dévouer pour un petit être sans défense.

Si seulement Gerry ne revenait plus, toute la famille coulerait le bonheur parfait. Jeanine récupérerait calmement, et le frère et la sœur ne demanderaient pas mieux que de s'occuper de la huitième merveille du monde.

Mais le casse-tout revint, en roi et seigneur, revendiquant tous ses droits sur le bébé. SON bébé. Après tout, c'était lui le paternel, les autres devaient s'enlever du chemin, y compris Jeanine. Dieu merci, la fascination fut de courte durée et l'attrait du jeu l'emporta largement sur l'intérêt pour un tube digestif déguisé en nourrisson vagissant, réclamant sa pitance à grands cris et réagissant à peine à ses guili-guili de père peu inspiré.

Néanmoins, une nuit, Gerry annonça à Jeanine son projet d'aller montrer le bébé à ses amis. Elle s'affola.

— *Es-tu fou ? Il est deux heures du matin ! Tes amis n'ont qu'à venir ici !*

— *On va bien voir qui est le patron icitte !*

Il se mit à donner des poussées à Jeanine pour la faire tomber par terre. Alarmée, elle eut juste le temps d'appeler Christian à la rescousse.

— *Prends tes sœurs et sors d'ici !*

Christian sonna à la porte d'à côté. Il tenait le bébé si serré contre lui qu'il aurait pu l'étouffer. Lison, elle, braillait à fendre l'âme.

— *Vite ! Faites quelque chose ! Il est encore en train de battre ma mère !*

La voisine appela d'abord la police, puis reconduisit les trois enfants chez leurs grands-parents.

Cette fois, sur l'insistance des policiers et surtout de Monsieur et Madame Larson, Jeanine, craignant sans doute pour la sécurité du bébé, accepta de quitter définitivement Gerry. On lui conseilla de porter plainte et d'entamer des poursuites judiciaires. Il fut décidé, par prudence, d'éloigner la famille de la rue de la Visitation. Les grands-parents s'occuperaient de lui trouver un autre logement en banlieue où l'on déménagerait en secret, sans laisser d'adresse. Une fois le litige réglé en cour, Jeanine demanderait le divorce et mettrait une croix sur l'effroyable chapitre de sa vie intitulé « Gerry ».

Jusqu'à maintenant, elle n'avait pas trouvé le courage de prendre cette initiative, autant par crainte de son mari que par mollesse. Mais, une fois de plus, ses ex-beaux-parents la soutiendraient dans sa démarche. Et puis, la perspective d'un déménagement dans un endroit nouveau et vide de tout mauvais souvenir l'aiderait à tourner la page et à recommencer une vie nouvelle avec ses enfants. Même son fils, mûri avant son temps, l'encourageait depuis toujours à rompre définitivement avec celui qu'il qualifiait de chien sale. *Pauvre Christian! Sa mère le regardait soudain comme si elle le voyait pour la première fois.*

Le «pauvre Christian» avait, en effet, poussé un soupir de soulagement en s'en retournant chez ses grands-parents avec ses sœurs et sa mère, dans l'attente du déménagement. Mais jamais il ne s'était senti aussi confus. Il ne savait plus où il en était ni ce qu'il voulait. Débarrassées du monstre, ses deux sœurs et sa mère ne se trouvaient plus en danger. Devait-il reprendre ses projets? Fuir? Partir? Lâcher l'école? Aller vivre auprès de sa gang de voyous? Ou recommencer à neuf à Boucherville, là où ils allaient habiter dorénavant? Tout lui faisait peur, il ne croyait plus en rien, ni à Dieu ni à diable. À personne. Pas même à lui-même...

Nul ne remarqua ses yeux rougis lorsqu'il se remit à rentrer tard la nuit. Quand il rentrait! Qu'il ait recommencé à chercher la consolation et l'oubli dans les joints fumés en abondance et copieusement arrosés d'alcool, le soir, au parc, n'intéressait personne. Personne, à part les jeunes dévoyés. Eux, avaient le mérite de lui manifester quelque tendresse. Rustre et maladroite, mais réelle. Du moins, il le croyait.

30

La monotonie des jours coule sans fin au sablier du temps. Les années passent, semblables, ternes, répétitives. Rien ne change en prison. La population se renouvelle mais demeure sensiblement la même. Les sentenciés y écouleront cinq ans, dix ans, vingt-cinq ans. Pour certains, la durée de presque toute une vie… Tant et tant de jours dans cet univers dénudé. Cet univers hors de l'univers. Les portes de fer, les fenêtres grillagées, les hautes palissades retiennent l'ombre dramatiquement… Comment font-ils pour survivre, les pauvres, ainsi coupés du monde? Comment ne pas devenir dingue?

Des amitiés et des amours y fleurissent pourtant. Je pense à Christian et à son Claude, dont la relation amoureuse perdure contre vents et marées. Des gestes de générosité, des miracles s'y accomplissent. On m'a raconté qu'un gars a fait circuler son paquet de cigarettes *Gitanes* dans sa *wing*, une veille de Noël…

Plusieurs font des études, obtiennent un diplôme, apprennent un métier, préparent leur retour à la liberté sans faire de bruit. L'un de mes nouveaux élèves, Alain, prépare un diplôme collégial en électronique, à l'âge de quarante-cinq ans. Comme il se trouve en fin de sentence, il a obtenu la permission de quitter le pénitencier tous les jours pour se rendre dans un collège selon un horaire serré et contrôlé.

Après quelques mois, il m'annonce entre deux gammes, tout guilleret, qu'il s'est lié d'amitié avec une femme dans l'autobus.

— Une femme un peu plus vieille que moi, mais charmante. Elle deviendra grand-mère d'ici peu. Comme elle me voit prendre l'autobus devant le pénitencier, chaque matin, elle sait d'où je viens. J'aurais bien envie d'organiser une rencontre pour mon prochain code[20]. Aurais-tu une idée, Françoise, où je pourrais l'emmener?

— Une longue marche dans un parc et un petit souper en tête-à-tête dans un bistrot des alentours me sembleraient une excellente idée.

La semaine suivante, Alain est revenu à son cours de piano avec les yeux brillants.

— Tu sais pas quoi? Je lui ai parlé de toi et elle a lu tous tes livres, sauf le dernier! Tu parles d'une coïncidence!

— Aimerais-tu lui apporter mon dernier roman dédicacé, à votre prochaine sortie? Je te l'offre!

Une émouvante histoire d'amour venait de commencer. Je me suis réjouie, non sans ressentir toutefois un pincement au cœur.

— Vous serez restreints dans vos rencontres, mon pauvre Alain. Dieu merci, il y a le téléphone!

— Non, je vais pas lui téléphoner. On exigera une enquête sur elle et je refuse de lui imposer ça. Elle devra attendre ma libération dans quelques mois.

Alain a hoché la tête. Son enthousiasme aura été de courte durée.

---

20. Libération conditionnelle et temporaire d'un ou deux jours ou de quelques heures.

— Il vous reste au moins l'autobus du matin pour vous voir, non ?

— La session se termine dans sept jours, je n'aurai plus à sortir d'ici. L'autobus, c'est fini…

— De toute manière, si tu veux rester transparent vis-à-vis des autorités et rencontrer ta belle pendant tes permissions, il lui faudra bien accepter de subir cette formalité. Il s'agit seulement de quelques questions d'usage, tu sais.

— Ouais, tu as peut-être raison, Françoise. Mais ça va traîner en longueur, comme d'habitude ! Tu n'as pas idée comme les *screws* prennent leur temps quand il s'agit de remplir des formulaires.

— En attendant, si jamais tu as des messages importants, donne-les-moi, je vais les lui transmettre.

— Tu ferais ça pour moi ?

— Pourquoi pas ? À la condition d'être invitée à vos noces !

— Dans ce cas, dis-lui que je dois me rendre au collège pour remettre un travail, mardi prochain, vers onze heures trente. On pourrait peut-être se rencontrer «par hasard» et prendre un café ensemble ? Je te reviens après la leçon avec son numéro de téléphone.

Une heure plus tard, Alain rappliquait avec, glissé discrètement dans sa poche, un billet sur lequel il avait inscrit non seulement le numéro de téléphone de la belle, mais aussi un court poème.

— Euh… je lui ai aussi écrit un petit mot. Ça te dérangerait de le lui lire ?

— Ça me fait plaisir. Je te promets de le lire sans l'écouter !

Au téléphone, le soir même, je terminerai la lecture de ce poème les larmes aux yeux, en entendant soupirer la dame à l'autre bout du fil. Alain la vouvoie encore et lui confie candidement son ennui d'elle et sa hâte de la retrouver. Il jure de prier pour elle.

Pauvres amoureux, au fond… Dans cette enceinte, le captif qui relève la tête à la recherche de l'horizon se bute à l'opacité des murs. Avec le temps, s'il veut en réchapper, il n'a pas le choix de rentrer en lui-même pour y chercher la lumière. Pas le choix de rêver et de prier. Si les âmes pouvaient mourir, c'est peut-être en prison qu'on en ramasserait les plus nombreux débris…

Pendant trois mois, je me ferai la porte-parole de ces amoureux et, témoin émue de la naissance d'un amour, je transmettrai leurs tendres échanges par courriel ou par téléphone.

Il reste que Dieu semble omniprésent en prison. Rares sont ceux qui ne m'en parlent pas. La religion devient l'ultime refuge garant du droit au recommencement pour les « montrés du doigt ». On prie beaucoup, on fréquente la chapelle, on médite, on reçoit les sacrements, on entretient le ferme propos, on chante à la chorale. De toute évidence, la foi ardente génère l'espoir et contribue à maintenir un certain équilibre.

Un jour, j'avais promis à un élève d'assister à la messe du dimanche du pénitencier pour l'entendre chanter l'*Ave Verum* de Mozart. J'ai dû remplir un formulaire. Madame Piano peut rester enfermée seule à seul avec un détenu dans une salle pendant une heure, mais pour la chapelle, son nom doit figurer sur une autre liste de bénévoles !

Hélas, un imprévu m'a empêchée d'y aller. Qu'à cela ne tienne, la semaine suivante, à la fin de sa leçon de piano, Jean-Pierre s'est levé spontanément, a sorti sa partition et l'a chantée *a capella* juste pour moi avec une magnifique voix de ténor. J'en ai eu le frisson. Au creux de mon cœur, l'évocation de ce merveilleux moment a rejoint le souvenir d'une sarabande et celui d'une rose de bois…

De toute ma carrière d'enseignante, cet homme dans la quarantaine s'est avéré le meilleur de tous mes élèves. Du talent à revendre doublé d'une ardeur au travail sans pareille. Formé musicalement par les religieuses au cours de son enfance, il a atteint un niveau de performance incomparable, sans doute lié à sa très grande sensibilité. Il faut l'entendre jouer le premier mouvement de la sonate *Clair de lune* de Beethoven pour comprendre à quel point Jean-Pierre possède une âme belle et vibrante.

À un moment donné, je lui ai prêté un exemplaire de *Mon grand*, ce récit où je raconte mes vaines tentatives pour récupérer un toxicomane. La semaine suivante, il s'est excusé de ne pas me le rapporter.

— Je l'ai pas encore terminé. J'arrive pas à absorber plus de trois pages à la fois. C'est trop *heavy*.

— Trop « *heavy* » ? Comment ça ?

— Ce livre-là est en train de me sauver, Françoise. Tu fais juste y raconter les faits sans faire la morale. Dans ma vie, je me suis pas rendu aussi loin que ton personnage, mais je m'enlignais directement sur ce chemin-là. Je vois aussi ce que j'ai pu faire endurer à ma mère…

— Eh bien, garde-le. Je te le donne.

Dieu du ciel ! Jean-Pierre, toxicomane… On m'aurait dit qu'il était un homme d'affaires frauduleux ou même un avocat véreux, j'aurais pu le croire. Mais pas un de ces pauvres types accrochés à leur poison et prêts à tout pour se le procurer. Pas lui, pas lui qui joue si merveilleusement du piano…

Maudite, maudite, maudite drogue à laquelle je ne comprends tellement rien ! Leur maîtresse impitoyable et mon ennemie jurée… Cette barbare invisible contre laquelle je fais la guérilla à mon humble manière, à coups de fleurs, de cartes, de cocos de Pâques, de bonbons et de collants désuets! À coups de partitions de musique aussi, comme d'insignifiants bateaux de papier noircis de notes lancés sur un océan de désolation. Rien de plus.

* * *

Quand Jean-Pierre me demande de l'inscrire aux examens de Noël de l'académie de musique à laquelle je suis affiliée, je n'hésite pas une seconde à entreprendre les démarches. Quel défi extraordinaire à relever pour lui! Et pour moi, donc! Dieu merci, les autorités se montrent pour une fois compréhensives et ne mettent pas de bâtons dans les roues. Le quinze décembre, donc, il passera une partie de l'examen d'interprétation en Supérieur II, la huitième année de piano.

Trois jours plus tôt, nous enregistrons sur une cassette les quatre œuvres sur lesquelles il bûche depuis des mois. Tout va pour le mieux et il s'en tire brillamment comme toujours. Bonne concentration, belles nuances, musicalité hors de l'ordinaire. Il manque un peu de vitesse et bute sur sa gamme de mi bémol mineur mélodique, mais bon, l'examinatrice ne lui demandera probablement pas celle-là! Quant à la vélocité imparfaite, l'expressivité et la profondeur compenseront: quand Jean-Pierre joue du piano, il met son âme à nu. Non seulement sa musique chante, mais elle parle! Une fois l'enregistrement terminé, il me présente une enveloppe déjà adressée.

– Puis-je te demander une faveur, Françoise? Mettrais-tu la cassette à la poste pour moi? J'ai pas le droit de faire ça, tu le sais. Mais j'aimerais tellement que ma grand-mère malade m'entende jouer du piano avant de mourir. Je ne pourrais lui faire un plus beau cadeau de Noël.

– Mais oui, évidemment! Veux-tu ajouter un message avant de partir?

– Non!

Ce «non» solide et déterminé me surprend. Je suppose que cette cassette portera secrètement une tentative de réconciliation avec une grand-mère déçue qui n'a jamais accepté de voir son petit-fils de quarante-cinq ans enfermé depuis des années dans une prison. Bien sûr, une heure après mon départ de Bonsecours, la cassette est déjà en route pour la Beauce.

Le matin de l'examen, une tempête de neige paralyse toutes les routes et les artères de la ville. Mon élève m'attend dans le vestibule vitré entre le hall d'entrée et la cour intérieure du pénitencier. Le gardien accompagnateur n'est pas encore arrivé, nous serons sûrement en retard. Je m'empresse de m'asseoir auprès de Jean-Pierre qui me fait des signes désespérés.

– Bonjour, toi! Alors, on est prêt? As-tu bien dormi?

– Non, pas vraiment. J'ai reçu une mauvaise nouvelle, tard, hier soir…

– Ah! je suis désolée. Mais ce matin, mon ami, il faut oublier tout ça.

– Je devais chanter l'*Agnus Dei* en duo à la messe de Noël du pénitencier. Hier après-midi, nous avions une répétition avec la chorale. Marc, mon partenaire, ne s'est pas présenté. À l'heure du souper, toutes les activités ont été mystérieusement suspendues et on nous a gardés enfermés dans nos cellules jusqu'à onze heures où la nouvelle a vite fait le tour des *wings*: on a trouvé Marc mort, pendu dans sa cellule.

– Ah! quelle horreur!

– Ce matin, Françoise, à l'examen, je vais jouer pour lui…

Un peu plus et je me mettrais à pleurer. La journée commence mal! Dans la voiture, le gardien et Jean-Pierre se montrent peu loquaces. J'essaye en vain de parler de tout et de rien, de m'exclamer sur les paysages féeriques, de rire plus fort que nécessaire, rien n'y fait. Une fois à destination, avec plus d'une heure de retard, je me sens dans mes petits souliers.

La directrice nous accueille avec gentillesse et nous prête un studio, tel que prévu, afin que Jean-Pierre puisse se réchauffer. Bravement, il s'installe devant l'instrument et attaque son étude : *Holiday Capers*, mouvement ultra rapide et martelé. Il bute sur les premières mesures. Une fois, deux fois, cinq fois, dix fois… Je vois bien que, trop énervé, il est devenu incapable de jouer. Dans ma tête, j'entrevois la dégringolade. C'est foutu, il n'y arrivera pas. Vers quelle déconfiture ai-je entraîné ce pauvre bonhomme ? J'entends déjà le rire sarcastique de sa psychologue, dont il m'a parlé l'autre jour.

— Elle m'a demandé si j'avais envisagé l'échec.

— Quoi ! ? ! Quand on veut gagner, on ne songe même pas à l'échec, voyons donc ! Tu vas réussir, tu dois en être convaincu et avoir confiance. Fais-lui une grimace de ma part, à ta psy !

J'ai regretté ma réponse par la suite. Qui suis-je pour contredire le travail d'une experte ? Jean-Pierre mise infiniment sur cet examen, je le sais, et il y va de son estime de soi. Mais peut-être met-il la barre trop haute ? Je ne sais pas, moi, ce qu'il lui raconte, à sa psy, chaque semaine ! S'il fallait qu'il échoue, comment réagirait-il, lui, le fragile, lui, le trop sensible ? Je ne l'ai pas montré mais, à partir de ce jour-là, je me suis sincèrement inquiétée. Pourquoi me suis-je embarquée dans cette aventure, grands dieux ?

Doucement, je pose une main tremblante sur l'épaule d'un Jean-Pierre pâle et tout en sueur, pendant qu'il s'acharne toujours sur ses quatre doubles croches.

– Jean-Pierre, Jean-Pierre, écoute-moi bien. Il faut te calmer. Ne pense qu'à la musique. Une musique que tu adores… Mets-toi à « off » du reste de l'existence et joue-moi ta sonate comme tu aimes tant l'entendre. Écoute comme elle est belle sur ce piano. Laisse-toi aller, tu es capable…

Petit à petit, les notes se mettent enfin à s'enfiler les unes à la suite des autres comme un merveilleux collier de perles, elles deviennent coulantes, chantantes, elles dessinent des arabesques dans le silence étouffant du studio. Mozart accomplit son miracle. En quelques secondes, Jean-Pierre m'emporte plus loin et plus haut que ce studio, là où la musique existe à l'état pur. Mozart, Bach, Chopin sont ici, avec lui, avec nous. Il n'y a plus d'examen, il n'y a plus de psy. Il n'y a même plus d'ami pendu à la poutre de sa cellule. Ne reste que l'émotion, profonde et humaine. L'âme… Enfin je reconnais mon élève, je sais qu'il va gagner la partie.

Il la gagne en effet, quelques instants plus tard, quand je vois l'examinatrice fermer les yeux et se laisser bercer pendant un long moment sans plus considérer les partitions. C'est ça, Jean-Pierre, emporte-la, drogue-la, elle aussi, avec ton enivrante musique !

À la fin, je ne peux m'empêcher de battre des mains tant je suis contente… et soulagée ! L'examinatrice a également repris ses esprits.

– Monsieur, vous avez fait un excellent travail. Je vous félicite et vous encourage à continuer. Un peu plus de vélocité et ce sera parfait.

Quelqu'un a-t-il remarqué que Madame Piano a des ailes en sortant de l'académie ? Elle aurait le goût de sauter au cou de Jean-Pierre. Jamais elle ne l'a vu aussi souriant et détendu. Quelle belle victoire à savourer !

De retour au pénitencier, ce dernier embrasse sa prof en lui murmurant à l'oreille :

— Françoise, tu n'as pas idée du grand changement que la musique a apporté dans ma vie. Tu as fait toute une différence… Rien ne sera jamais plus pareil.

Il ne se doute pas, le coquin, qu'il vient de me donner mon plus beau cadeau de Noël. C'est fou comme j'aurais le goût de m'agenouiller là, dans la neige, et de dire merci pour cette joie.

31

La déchéance

Jeanine ne demanda pas le divorce. Au bout de quelques semaines, anéantie d'ennui dans sa nouvelle demeure trop éloignée des grands centres, elle retira sa plainte. Pourquoi ne pas pardonner à Gerry et lui donner une dernière chance ? À la condition qu'il reprenne la thérapie, évidemment ! Après tout, la petite Ariane avait besoin de son père. Du reste, elle s'attendait à ce que, tôt ou tard, il finisse par les retrouver et par réclamer à grands cris son droit de voir son enfant. Ne valait-il pas mieux parer aux coups et prendre elle-même les devants ? Elle lui envoya donc une carte, simplement pour lui donner des nouvelles de sa fille. Quelques jours plus tard, un Gerry crâneur et plastronnant regagnait ses quartiers généraux désormais situés à Boucherville.

Si Lison s'intégra rapidement à son nouvel environnement, il n'en fut pas de même pour Christian. À partir du déménagement, il entra dans une phase aiguë de confusion. Le logement était pourtant vaste, au bord d'une rue verdoyante. Mais il avait l'impression d'avoir été parachuté dans un univers désertique et aseptisé. Il regrettait le va-et-vient de la grande ville, la proximité des voisins, les noms qu'il pouvait mettre sur la plupart des portes, les visages familiers croisés dans la rue, les recoins du quartier connus par cœur, le parc, l'école, l'église, le dépanneur, l'épicier, bref, tout ce qui avait constitué son univers sécurisant depuis sa naissance.

D'autre part, il détestait sa nouvelle école, polyvalente de deux mille cinq cents élèves. Il ne mit pas de temps à devenir une âme en peine, ombre hésitante errant dans les corridors bondés, inconsciemment à la recherche d'une quelconque demoiselle Beaumont qui aurait su l'écouter.

La rapace locale ne mit pas de temps à poser ses griffes sur lui. Martin Laramée, le seul interlocuteur qu'il trouva, redoubleur de classe et toxicomane, se fit un bonheur de l'initier aux douceurs périlleuses de la drogue dure. De la marijuana de naguère, Christian passa à l'acide, aux champignons, à la potion magique et, finalement, à la cocaïne. Une seule sniffe de poudre blanche et il se sentait instantanément libéré et tout-puissant. Par contre, il revenait abruti de ces trips, obligé d'affronter encore plus vivement sa réalité amère, invivable.

Seule la présence d'Ariane arrivait à le réconcilier avec l'existence. Christian adorait sa petite sœur. Quand il la prenait dans ses bras, il se sentait éclater de tendresse. Il avait l'impression de ne rentrer chez lui qu'à cause d'elle. D'instinct, il trouvait les gestes pour la soigner et la cajoler. Jamais il n'avait aimé de la sorte, aussi gratuitement, aussi totalement. L'enfant, en grandissant, le lui rendait bien par ses sourires et ses gazouillis. Le nom de Christian fut son premier mot. « Hishian »... Un simple câlin d'Ariane pouvait déclencher l'explosion, la percée de soleil dans l'horizon nébuleux du jeune homme.

— Moi, j'ai raté ma vie, ma petite Ariane, mais pas toi. Pas toi... j'y veillerai !

Vaille que vaille, de session en session, d'évaluations médiocres en notes chancelantes, et malgré ses nombreuses absences injustifiées, il en vint à achever sa cinquième secondaire. Sur la fin de ses seize ans, Christian recherchait davantage l'oubli dans les sensations fortes et le voyage chimique que dans le plaisir d'apprendre.

Il se promettait de continuer au collégial, un de ces jours, peut-être en design ou en génie, inspiration de ses activités d'enfance avec son mécano. Pour l'instant, il se cherchait un emploi de toute urgence afin de quitter le foyer familial décemment, et le plus rapidement possible, en dépit d'Ariane. Il n'en pouvait plus.

Il avait bien fait une demande de bourse d'études mais la présence, à la maison, d'un père de famille rapportant un salaire ne le rendait pas éligible à un prêt étudiant. Dieu sait pourtant comme Gerry se montrait avare de ses sous, sauf pour acheter des cadeaux stupides afin de se faire pardonner ses esclandres. Jamais il n'aurait songé à encourager le jeune homme dans la poursuite de ses études. Ces deux-là, d'ailleurs, ne s'adressaient plus la parole et feignaient de s'ignorer. Dieu merci, Gerry se gardait de malmener le bébé, retenu par les menaces de procédures brandies sous son nez par Jeanine dans les moments de danger.

Si la mère s'était réjouie de voir son fils terminer son secondaire, elle se doutait, cependant, que quelque chose ne tournait pas rond. Il lui paraissait de plus en plus désorganisé.

À la vérité, la gang *de Martin représentait en quelque sorte une seconde famille pour Christian. Une famille aux règles de fer. Mais, au moins, s'il se conformait à ses lois implacables, on ne le trahissait pas. Une famille dont les membres se soutenaient mutuellement, prêts à n'importe quelle audace par solidarité. Du moins le prétendaient-ils. Une famille où l'on jouait dur, parfois, à coups de couteaux et même d'armes à feu, mais où l'on se targuait de jouer franc et net. Une famille où Christian allait chercher une illusion de respect. Une famille qui manifestait sa compréhension par des claques amicales dans le dos et se nourrissait exclusivement de poudre et de billets de banque. Un panier de pommes pourries…*

Christian se sentait pourtant mal à l'aise parmi ces violents dont la sincérité tenait à la force des menaces. Leur unique fierté s'entretenait de mépris et d'arrogance. Mais dans quel autre milieu aurait-il pu trouver un peu de soutien moral? Son désespoir n'avait d'égal que sa solitude. Les premiers temps, il avait candidement cru aux liens affectifs établis avec certains membres. Mais il s'aperçut vite qu'à part Martin, les « vrais chums » ne se vouaient qu'une vague et mensongère loyauté de surface. On ne jouait pas si franc jeu, à bien y songer…

Martin, cependant, éprouvait pour Christian un véritable sentiment fraternel, presque de la vénération. Le petit gars de la rue, qui était passé d'un foyer d'accueil à l'autre pour finalement aboutir sur le trottoir, n'avait connu de la vie que l'abandon, la réclusion et la prostitution. Christian l'estimait et le prenait en pitié: Martin avait connu pire que lui. Certains soirs, l'orphelin se laissait aller à brailler sa misère sur l'épaule fragile de son ami. Troublé, Christian cherchait avec ferveur, au fond de lui-même, une étincelle de joie de vivre à offrir au pauvre bougre. Mais même ces pensées positives aiguisaient la conscience aiguë de sa propre déchéance.

Aujourd'hui, par exemple, il n'arrivait pas à chasser de son esprit les événements de la semaine précédente. Ce matin-là, il avait cherché partout dans la maison son chandail Benetton acheté à même ses maigres économies. Le fait de revêtir un vêtement à la mode lui procurait le sentiment d'être comme les autres. Les lendemains de bataille, quand Jeanine ne s'en sortait pas trop mal et qu'il réussissait à se rendre à l'école, Christian Larson portait fièrement sa carapace signée Benetton.

Mais, ce jour-là, la disparition du chandail tenait du mystère. Peut-être l'avait-il oublié chez sa grand-mère, le samedi précédent? Pourtant, il ne se rappelait pas l'avoir porté. Il s'achemina finalement vers l'école la tête basse, puis il oublia l'incident.

De retour à la maison, en fin d'après-midi, il retrouva avec stupeur Lison attablée devant ses livres, vêtue du fameux chandail en coton ouaté. Quoi! Elle avait osé l'emprunter sans lui demander la permission? Et elle l'avait porté toute la journée? L'effrontée, la maudite! Christian vit rouge. Il se mit à la frapper dans la figure avec acharnement.

— Non, arrête, je t'en supplie, arrête!

Il s'arrêta net. Cette voix, ce cri, ces supplications… Sa sœur avait crié à la manière de Jeanine quand Gerry l'agressait. Avec la même intonation de chien battu qui implore la pitié. En état de choc, Christian se mit à trembler, secoué de spasmes incontrôlables. « Qu'est-ce que je fais là, mon Dieu, qu'est-ce que je fais là? Suis-je en train de devenir un nouveau Gerry? Non, non, j'aimerais mieux mourir! » Cela sautait aux yeux, la violence avait commencé à le contaminer malgré lui, et elle grugeait sournoisement son seuil de tolérance. Lui, le doux, le pacifique, venait de taper sur sa sœur. Impulsivement, comme une bête féroce, sans même prendre conscience de ses agissements. Pour une stupide histoire de chandail. Jamais, de sa vie, Christian ne s'était senti aussi ignoble. Aussi bas que Gerry Désourdy.

Il tomba bêtement à genoux devant la jeune fille et se mit à sangloter, le front contre le plancher. Il lui semblait qu'il aurait pu pleurer ainsi pendant des heures et des heures sans jamais s'arrêter. Désemparée, Lison restait immobile. La joue lui brûlait. Mais, plus encore, la vue de son grand frère réduit, par terre, à un amas informe, la bouleversait.

— *Christian, arrête de brailler comme ça! C'est pas grave, tu m'as pas fait si mal. Je le prendrai plus, ton chandail. Tiens!*

Elle s'empressa d'enlever le tricot et de le lui lancer par la tête. Mais il ne réagit pas. Alors, elle avança vers lui une main hésitante et se mit timidement à lui caresser la nuque. Depuis combien de temps le frère et la sœur ne s'étaient-ils pas touchés? Dix ans, au moins! Et tout autant, ne s'étaient-ils pas parlé sérieusement, chacun vivant le drame familial dans l'ignorance de l'autre. Et voilà que de simples gestes de la main, gifles d'une part et caresses de l'autre, suffisaient à démanteler les cloisons et à rapprocher tout à coup ces êtres abîmés par le destin.

Christian releva la tête et offrit à sa sœur un visage bouffi, gonflé de larmes.

— *Lison, est-ce que je suis devenu comme Gerry?*

— *Mais non, voyons! Quelques claques ne font pas de toi un batteur de femme. Allons donc! Ni un joueur, ni un menteur, ni un buveur. D'ailleurs, je les méritais!*

— *Je déteste tellement cet homme, tu peux pas savoir!*

Il se remit à sangloter de plus belle.

— *Moi aussi, je le hais. Ce qu'il fait à maman est épouvantable. Mais elle le laisse faire, tant pis pour elle! Moi, je sors, je m'amuse, j'ai des amies, je vais à l'école. J'arrive à oublier.*

— *Toi, tu as papa.*

— *Tu aurais pu l'avoir, toi aussi, espèce d'entêté! Nathalie est pas si pire...*

— *C'était à lui de faire les premiers pas, pas à moi. Maintenant, il est trop tard, je ne le considère plus comme mon père. Sait-il au moins ce qui se passe ici?*

— *Oui, j'en ai parlé souvent. À moins que Gerry se mette à nous battre, toi ou moi, il ne fera rien, il me l'a dit cent fois. Les problèmes de maman ne le regardent plus.*

— *Aujourd'hui, c'est moi qui t'ai battue. Oh! Lison, vas-tu me pardonner? J'ai honte de moi. Honte... et peur! Me voilà devenu violent et agressif, comprends-tu? Et je ne veux pas ça. Oh! je ne le veux tellement pas!*

Cette fois, Lison n'hésita pas et prit son frère dans ses bras. Quand les mots ne suffisent plus, certains gestes, par leur spontanéité, parlent par eux-mêmes. La jeune fille n'étreignait pas sur son cœur un grand frère mais un petit enfant désemparé et rendu à la limite de sa détresse. À la suite de cet incident, Christian comprit que le temps était venu de prendre une décision. Mais le petit enfant saurait-il prendre une décision d'homme?

Quelque temps plus tard, un soir en rentrant, il trouva sa mère étendue par terre encore une fois. Elle tenait Ariane serrée contre elle. L'enfant hurlait. Pendant un instant, il crut qu'elle avait reçu des coups, elle aussi, et il sentit la rage s'emparer de lui. Sa mère, il s'en fichait. Mais la petite, ça... non! Jeanine comprit ses craintes et s'empressa de le rassurer

— *Gerry lui a pas touché, il voulait juste partir avec elle.*

Christian serra les poings. Si seulement il s'était trouvé à la maison... Il ne devait plus partir, n'avait-il pas promis à sa demi-sœur chérie de toujours veiller sur elle? Cette maudite drogue lui faisait perdre la tête, il devait lâcher ça au plus vite. Il prit le bébé et le pressa sur son cœur avec l'impression d'étreindre ce qu'il possédait de plus précieux au monde.

— *Pour toi, ma belle Ariane, je vais changer de vie. Je vais rompre avec mes amis et leurs maudites cochonneries, et je vais revenir à la maison pour toi, je te le jure! Pour te protéger. Pour t'aimer. C'est décidé! Dorénavant, ton grand frère va s'occuper de toi.*

L'enfant de deux ans comprit-elle quelque chose au discours de son grand frère? Elle se mit à baragouiner doucement.

– Hishian…

Veiller sur un bébé, quelle tâche, tout de même! L'espace d'un instant, Christian envia Lison partie, ce soir-là, passer le week-end chez son père.

Son père à elle, pas le sien. Plus le sien.

32

D'où m'est venue l'idée de transporter mon oiseau Cui-cui en prison, ce faiseur de musique à sa manière ? Je ne sais trop. Chaque fois que je rentre chez moi, des sifflements et des cris perçants me déchirent les oreilles. Le cher perroquet, invariablement jovial, s'occupe de m'accueillir. Et quel accueil ! À jeter une armée par terre !

– Allôôô, mon p'tit bébé d'amour ! Allôôô, mon p'tit bébé d'amour !

– La ferme, Cui-cui !

Pauvre Cui-cui ! Comme il ne sait pas dire autre chose, il répète son boniment en sol majeur et en fortissimo, un million de fois par jour. Jusqu'à ce que je perde patience et jette rageusement une couverture sur sa cage. Ma fille, ayant perdu tout intérêt pour l'amoureux qui le lui a offert, a relégué l'oiseau aux oubliettes, dans un coin obscur de la salle de lavage. Mais, même mis à l'écart, le chéri s'obstine à torturer mon système nerveux, surtout aux premières lueurs du jour. Toute la famille en a marre, moi la première.

J'ai donc accueilli comme une illumination cette idée géniale de l'offrir aux détenus de Bonsecours. Enfermer Cui-cui en prison serait le libérer ! Là, on s'occuperait de lui et le dorloterait.

Il se pourrait même qu'on le laisse voler en liberté au fond de quelque *wing*, qui sait? Par ailleurs, ses cris pourraient semer une note joyeuse dans la grisaille. Tous vont se croire des bébés d'amour!

J'en ai d'abord parlé avec Christian. Évidemment, il s'est montré très emballé.

— Pourquoi ne pas l'installer au club Vie?

— Au club Vie?

— Oui, au «salon des perpètes». Seuls les condamnés à vie y ont droit.

— Ah! voilà une bonne idée!

La semaine suivante, le pénitencier au complet attendait la venue de Cui-cui. Mis au courant, Monsieur Barrière a considéré la chose d'un autre œil et m'a semoncée poliment mais froidement.

— Vous auriez dû consulter les autorités avant de lancer cette idée, madame. Maintenant, il est trop tard pour reculer, ils attendent l'oiseau comme un cadeau du ciel. On va vouloir l'adopter comme mascotte dans chaque secteur du pénitencier.

— Parfait! Enfin un peu de diversion et d'agrément! En quoi un oiseau pourrait-il nuire à votre clientèle, monsieur le directeur? Ils ne vont tout de même pas l'entraîner à transporter de la drogue!

— Là n'est pas la question, madame. Il faut éviter les rivalités et les jalousies entre les détenus. Ou la rébellion, si je refuse sa venue. Et à qui appartiendra l'oiseau, y avez-vous seulement songé? Qui s'en occupera?

— Je ne m'inquiète pas pour ça. Vous allez trouver cinq cents volontaires!

— Justement!

Il accepta finalement l'idée de Christian de l'installer dans le «salon des perpètes», le seul endroit de la prison, m'a-t-on dit, où l'on peut s'asseoir «dans le mou».

— Personne ne pourra protester sur le choix de ce lieu, monsieur. Et si on désire laisser l'oiseau voler librement, il aura tout le gymnase adjacent pour prendre ses ébats.

— Bon.

— Merci de votre collaboration, monsieur le directeur.

* * *

Ainsi, Cui-cui fait aujourd'hui son entrée officielle en prison, condamné, à perpétuité, à maintenir le moral des détenus. Christian semble tout excité par la présence de l'oiseau dont j'ai déposé la cage sur le piano.

— Il est magnifique! Merci, Françoise!

— Oh! je n'ai pas grand mérite. À vrai dire, je m'en débarrasse. Tu as bien averti Jean-Charles de tenir ses chats éloignés?

Jean-Charles, condamné à vie, est le gardien attitré des trois chats qui circulent en toute liberté entre les murs de l'enceinte. Les matous les mieux traités de la province! Opérés, vaccinés, bichonnés, brossés, caressés, dorlotés, outrageusement bien nourris, ils affichent le physique de l'emploi: ventre à terre et regard hautain de ceux qui observent l'humanité du haut de leur grandeur.

L'autre jour, en arrivant au pénitencier, j'ai aperçu Jean-Charles assis dans le vestibule, une cage contenant un chat sur les genoux.

— Salut, qu'est-ce que tu fais là?

— J'attends la bénévole.

— La bénévole?

– Oui, la femme qui doit venir chercher Gros-gris et le conduire chez le vétérinaire. Il a la patte enflée. Une infection, je crois.

Ah bon. À chacun son bénévolat… Ainsi, une dame s'occupera de transporter le chat de la prison, et la « petite caisse » des prisonniers payera le coût de la consultation. Je jette un regard condescendant au chat.

– Toi, le matou, tu as besoin de laisser mon Cui-cui tranquille !

– Ne vous inquiétez pas pour ça, Madame Piano, je vais m'en occuper personnellement.

Dans le studio de musique, mon ami Christian paraît rayonnant, ce matin. Comme à l'accoutumée, il apporte mon café et un muffin en prime. Il tient fièrement à la main le formulaire de demande officielle de révision de son dossier. Il espère obtenir du ministère de la Justice qu'on le rende admissible à une libération conditionnelle.

– Il faut s'y prendre très à l'avance, car ici, on n'est pas pressé. C'est long avant de faire bouger les choses. Les *screws*…

– Voilà enfin une lumière au bout du tunnel, mon beau Christian !

– Il était temps ! J'en ai assez de faire du parking, moi !

– Du parking ?

– Ça veut dire « faire du temps ». Une fois que le récupérable est récupéré et relativement prêt à fonctionner dans la société, il ne retrouve pas nécessairement sa liberté sur-le-champ. Il doit attendre patiemment la fin de sa sentence, comme les voitures prêtes à partir attendent dans un parking ! Hélas, écouler un nombre phénoménal de mois et d'années dans un parking ne redonne pourtant pas la vie aux victimes… Maintenant, j'ai achevé mes quinze ans, je peux faire ma demande.

On mettra sans doute des mois et des mois avant d'y répondre… De toute façon, libéré ou non, je demeurerai la propriété de la Justice jusqu'à la fin de mes jours. C'est ce qu'on appelle une condamnation à vie.

— Toi, mon Christian, si tu représentes un risque pour la société, moi, je suis la reine d'Angleterre !

Christian éclate de rire, de ce rire frais et généreux, presque puéril, que j'aime tant.

— C'est à mon avocate de convaincre le jury !

— Si jamais elle veut faire témoigner la reine d'Angleterre, tu me fais signe, hein ?

— Je ne crois pas que ça s'avère nécessaire, mais je te remercie quand même.

Je me mets à la place du jury. Comment peut-on savoir si un détenu se trouve vraiment réhabilité ? Les conditions de vie en prison diffèrent tellement de la réalité ! Ne garde-t-on pas les prisonniers en dehors de la vraie vie ?

— Imagine, Françoise, une bande de criminels empilés les uns sur les autres comme dans une boîte à sardines, sans contact avec l'extérieur, sans activité sexuelle, sans chaleur humaine… La pression peut devenir énorme. D'où la nécessité d'accorder des sorties accompagnées de gardiens, des libérations conditionnelles, des fins de semaine dans la roulotte ou des séjours dans des maisons de transition. Déjà là, si un gars se comporte comme il faut, c'est de bon augure pour le jury.

Perdu dans ses pensées, Christian ne devine sûrement pas mon envie de le prendre dans mes bras, comme s'il était mon petit garçon. La pomme saine perdue dans le panier des avariées…

— Tu sais, certains bandits n'évolueront jamais, et une éternité ne suffirait pas à les remettre dans le droit chemin.

D'autres mettent des années à se transformer, certains, quelques mois seulement. D'autres, encore, n'ont même pas besoin de thérapie. Ils ont commis une erreur de parcours, la regrettent et ne recommenceront plus.

— Et toi, maintenant, tu te sens prêt?

— Penses-tu vraiment que je pourrais répéter les mêmes folies? Jamais dans cent ans! Dans mille ans! Ça... j'en suis certain! Mon cheminement, je l'ai accompli. Je comprends maintenant pourquoi j'ai perdu le contrôle... Les thérapies m'ont appris à connaître mes limites et à maîtriser mes pulsions. À éviter surtout de mettre ensemble les ingrédients propices à l'explosion...

L'explosion... Quelle explosion? De quoi parle Christian? J'ignore toujours la nature de son crime. Un meurtre, oui, mais quoi encore? Panique? Impulsion? Passion? Guerre de clans? Il avait parlé de préméditation, l'autre jour... Les interrogations remontent à la surface. Si je veux écrire sa vie, il me faudra bien, un jour, connaître les comment et les pourquoi... Je me racle la gorge.

— Et si des circonstances semblables se reproduisaient?

— J'ai tant médité là-dessus, Françoise, tu ne peux pas t'imaginer! Des années... Et je ne passe pas un jour sans demander pardon à la personne que j'ai assassinée. Des circonstances semblables? Non, ça ne m'inquiète plus. On pourrait me relâcher dans la nature sans danger, à présent, j'en ai la certitude. Au début, j'avais une peur bleue de moi-même. Le trou, tu te rappelles? Tout ça est passé. Mais il reste un poids, là, au creux de ma poitrine. Un cri étouffé qui m'empêche de revenir au monde...

— Je sais.

— Allôôô, mon p'tit bébé d'amour!

– Eh! Cui-cui vient de le dire, tu vas revenir au monde comme un petit bébé d'amour!

La tension vient de baisser d'un cran. Tu parles! Non seulement cet oiseau est un bavard mal élevé, mais il possède le pouvoir magique de détendre l'atmosphère! Je me félicite de l'avoir amené ici.

– Bravo, Cui-cui, tu feras un excellent bénévole!

– Parlant de bénévolat, j'ai entrepris une cabale pour devenir président du comité de détenus en attendant mon départ. Si je gagne mes élections, je garderai quand même la charge de l'émission quotidienne de télévision.

– Les prisonniers élisent un président? J'ignorais ça!

– Le président sert de porte-parole, et souvent de tampon, auprès des autorités. Il organise les fêtes communautaires et autres activités sociales ou sportives. De plus, il doit superviser divers comités pour le maintien du moral et de la bonne entente. Souvent, on lui demande d'intervenir pour régler des dissensions entre les prisonniers.

Je n'ai aucun doute sur la compétence de Christian. S'il remporte la victoire, il s'y consacrera corps et âme. Je crains cependant de voir les cours de piano «prendre le bord». Mais, de toute manière, il ne travaille plus sa musique depuis belle lurette. En deux ans et demi, il a à peine appris quelques petites pièces jouées sans âme, comme si la musique glissait sur lui sans l'atteindre. Même si les leçons de piano continuent de virer à des séances de bavardage, je lui ouvre allègrement la porte chaque mercredi matin.

À la fin de la matinée, nous installons la cage de Cui-cui dans le «salon des perpètes» situé dans un coin du gymnase. «Salon» me paraît un bien grand mot pour désigner ce recoin exigu rempli de vieux fauteuils cabossés et de tables branlantes.

On a déjà prévu un perchoir tout près de la porte et déposé deux sacs de graines dans un coin. Cui-cui sera bien traité. Passablement énervé par le déménagement, l'oiseau ne cesse de lancer des cris aigus.

— Allôôô, mon p'tit bébé d'amour!

L'homme chauve en train de regarder la télé, bien calé au fond d'un sofa, se lève aussitôt et tend son bras tatoué à Cui-cui, qui s'y perche de bon gré.

— Tabarnak! il a de la voix, cet oiseau-là! À soir, mon ti-pit, tu vas regarder la partie de hockey avec moé, là, sur mon épaule, stie!

Je quitte les lieux en retenant un sourire. J'ai idée que d'ici quelque temps, Cui-cui va enrichir son vocabulaire!

Au fait, on a dû rattraper Sylvain, le grand évadé de l'heure, car j'ai aperçu son nom, ce matin, au bas de la liste d'attente pour les cours de piano.

33

— Coucou, c'est moi !

Roger entrouvre la porte en tenant à bout de bras deux cafés brûlants qu'il vient de chiper au secrétariat. Espadrilles blanches, pantalon et vieux coupe-vent « vert prison », encore porté par les anciens, ce vert terreux dépourvu d'éclat qu'on a songé à éliminer des règles vestimentaires durant quelques années, mais qu'une réglementation récente rendra de nouveau obligatoire. Son sourire pourrait remonter le moral à un croque-mort. Si Roger Larson portait toujours un capuchon, comme ce matin, on lui donnerait quinze ans de moins. A-t-il deviné ma pensée ? Il s'empresse d'enlever son survêtement et de le lancer sur la chaise, exhibant avec insolence un crâne complètement chauve sur lequel la lumière des plafonniers vient s'éclater joyeusement.

— Ce matin, Christian ne pourra pas se présenter à temps pour sa leçon de piano, alors je suis venu à sa place pour jaser avec toi. Madame Piano, vous avez l'insigne honneur de vous adresser à l'honoré père du vénérable président des détenus.

— Il a été élu !

— Eh oui ! Et par une forte majorité, à part ça !

– Ah! je suis heureuse pour lui… et pour toi, puisque tu sembles si content de ton fils. Félicitations, «poupa»!

S'il avait porté des bretelles, je pourrais facilement l'imaginer, les pouces retroussés à l'extrême, lissant les élastiques tendus à la mesure de sa fierté. Mais il se contente de dresser la tête, à la manière superbe d'un coq. L'orgueil d'un père…

– Et il fera un excellent président, en plus! Au fond, il s'agit d'une très bonne nouvelle. Ça va lui permettre de sortir de lui-même en attendant de passer devant le jury. Mon fils passe une période difficile, je pense. Tu sais, Françoise, il est temps que surviennent des éléments positifs dans sa vie. Ces derniers temps, il n'y a plus moyen de lui parler. Il s'encabane et fait sa petite affaire sans se mêler à personne, à commencer par moi. On ne le voit même plus jogger entre les bâtiments. Il ne joue plus de piano non plus, tu as dû t'en apercevoir. Même ses émissions de télé laissent à désirer. Il m'inquiète, je t'avoue. Cette nomination va l'obliger à sortir de sa tanière.

– Et Claude, son amoureux?

– Libéré depuis trois semaines, le chéri! Christian doit s'en ennuyer, je suppose. Franchement, j'en sais rien! Il me dit pas grand-chose, mon fils… J'ai beau le talonner, lui poser des questions, lui offrir mon écoute de père et d'ami, il reste de glace.

– Il faut respecter ça, Roger. Tu te tiens là, disponible, voilà l'important! S'il a besoin de toi, il saura où te trouver.

– Hum… pas certain!

– Dommage… Votre détention l'un à côté de l'autre pourrait s'avérer réconfortante, non?

Roger ne répond pas et expire profondément. Le coq se dégonfle… Un silence gênant s'installe entre nous. Nous lapons notre café à petites gorgées, et le bruit de la succion prend des proportions démesurées dans le vide de la pièce. Machinalement, sans m'en rendre compte, ma main glisse sur le clavier. Un doigt timide se risque sur un *si* bémol, puis un *la*, puis un *la* bémol, et un *sol*... À la période baroque, ce chromatisme[21] évoquait la tristesse.

– Et toi, Roger ? Parle-moi de toi. Comment ça va dans ta vie ? Yolande est-elle toujours dans le décor ?

– Oui, oui, tout va super bien ! Je passerai justement le week-end prochain avec elle dans la roulotte. Pour la bouffe, elle va apporter le nécessaire et j'occuperai la fonction de chef. Je vais lui fricoter la sauce à spaghetti de sa vie. J'ai très hâte !

Roger en rit déjà de plaisir. Au fond, il me fait pitié. Quand le bonheur se résume à une sauce à spaghetti fabriquée dans une roulotte installée à l'intérieur des murs d'un pénitencier...

– Et la poésie ?

– Justement, je t'ai apporté un autre poème. J'espère qu'il va te plaire.

– Tes poèmes me bouleversent toujours, Roger. L'an prochain, tu devrais participer au concours artistique interpénitenciers, à ton tour. On pourrait même mettre l'un d'eux en musique.

– Moi, tu sais, les concours...

– Tes poèmes sont tellement impressionnants ! Déchirants, devrais-je dire ! Derrière les mots, je devine une douleur cachée, enfouie là, tout au fond. Je la reçois comme une confidence, un secret précieux. Mais je ne comprends pas tout, je t'avoue. J'en connais si peu sur toi !

Une fois de plus, Roger baisse le chef. Le coq s'est métamorphosé en un tout petit oiseau chétif, affaissé. Quel drame pèse sur cet homme ? Je le respecte trop pour le bombarder

---

21. Chromatisme : en musique, succession ascendante ou descendante de demi-tons.

avec d'autres questions plus insistantes. Il me dira bien ce qu'il voudra et quand il le voudra. Si jamais il le veut!

Et je me retiens pour ne pas prendre l'oiseau dans mes bras. Je me le permets avec les jeunes qui ouvrent les écluses devant mon piano. Mais Roger et moi accusons à peu près le même âge, et je préfère garder une distance respectable. Qui sait comment il pourrait interpréter un banal élan du cœur? Où donc se trouve mon copain folâtre des bons jours?

Des coups frappés à la porte viennent briser la tension devenue insoutenable. Ouf! Bienvenue au visiteur! Christian passe la tête dans l'embrasure de la porte. Une mine réjouie, à peine cabotine. Le fils du coq.

— Bonjour, monsieur le président. Toutes mes félicitations! Dis donc, jeune homme, tu n'y vas pas de main morte. Bachelier en théologie, artiste invité de la télévision, premier prix en créativité pour le vidéo-clip, réalisateur d'émissions, grand virtuose du piano, et maintenant, président! *Wow*!

Christian sourit de toutes ses dents et me gratifie de son accolade habituelle. À peine s'il jette un regard à son père. J'en déduis qu'ils ont dû déjeuner ensemble, ce matin.

— Ouais... Le président virtuose a une mauvaise nouvelle pour sa prof. À partir d'aujourd'hui, il devra abandonner ses cours de piano, faute de temps. Je suis navré, Françoise.

La prof accuse le choc en tentant de masquer sa déception. Au fond, je m'y attendais. Que Christian ait persisté pendant presque trois ans à se présenter ici fidèlement chaque semaine relève du miracle. Je proteste bien un peu, pour la forme.

— Mais je vais m'ennuyer de toi, moi! Et puis j'adore les présidents! Toute ma vie j'ai rêvé de fréquenter un président! Pour une fois que ça m'arrive, il se défile! C'est injuste à la fin!

Christian se lève aussitôt d'un bond, claque ses deux pieds l'un contre l'autre à la manière militaire et s'incline dans un salut solennel, main droite sur le cœur.

– Chère Madame Piano, je vous fais la promesse formelle de vous rendre visite quelques minutes chaque semaine, parole de président! J'apporterai votre café et, si vous vous montrez gentille, un muffin aux bleuets. Que monsieur mon père nous serve de témoin officiel.

Je me sens à demi rassurée. Va-t-il réellement revenir me voir de temps à autre? Se doute-t-il de ma déception? Comment ai-je pu m'attacher à lui à ce point? Son absence va créer un vide. Nous nous rencontrons depuis si longtemps. Confidences, réflexions, rigolades, rudiments de musique, tout cela alimentait nos rendez-vous hebdomadaires. Oh! je ne parlais pas souvent de moi, à peine si j'ai évoqué l'essentiel, la naissance d'un deuxième petit-fils ou la publication d'un nouveau roman. Cela semblait suffire à nourrir son intérêt pour la vieille prof qui lui apportait un peu de vent frais de l'extérieur. Et parfois des marguerites.

Madame Piano n'a pas de réalité en dehors de ces murs. Elle existe pour l'instant même, là, en chair et en os, à huit heures du matin, le mercredi. À Bonsecours, elle possède un présent hypertrophié mais reste une femme sans passé. Et sans avenir. La récompense réside simplement dans le plaisir d'allumer des sourires sur des visages fermés. Quand je vois défiler, l'un après l'autre, mes élèves tout contents, j'ai déjà reçu ma récompense. Leur assiduité, leur intérêt, leur acharnement... Bien sûr, plusieurs abandonnent après une leçon ou deux, incapables de fournir des efforts, s'étant imaginé devenir pianistes en quelques heures.

La reconnaissance des autres s'exprime aussi en mille et un petits riens : le café fidèlement préparé, les petits mots écrits sur un bout de papier, un poème, une tasse fabriquée dans l'atelier de poterie, un dessin, un tableau à l'huile, la cassette d'une chanson, la boisson gazeuse glacée offerte spontanément « parce que tu dois avoir chaud, Madame Piano » et payée à même le compte personnel à la cantine... Félix m'a remis, l'autre jour, la recette du gâteau au fromage qu'il avait confectionné pour mon anniversaire dans le condo[22] qu'il habite au « minimum ». « Le plus difficile a été de trouver la bougie ! » m'a-t-il confié en riant.

Je sais aussi que le franc-parler demande un effort à ceux-là qu'on a trompés et bafoués durant toute leur existence. Je reçois donc leur confiance inconditionnelle comme un cadeau, moi, l'étrangère, l'inconnue surgie tout à coup dans leur vie.

Avec Christian, tout s'est présenté différemment : je me suis attachée à lui. Quels mots pourraient exprimer mon affection ? Je désire tellement son bonheur ! Peut-être le perçoit-il à travers nos courtes rencontres ? Que suis-je pour lui ? Aura-t-il encore besoin de ma sollicitude, une fois libéré de l'obligation de se présenter ici assidûment ? Quand je serai devenue la copine occasionnelle de quelques minutes, entre deux portes de corridor ? Pire, quand il sera parti en transition ?

À la transparence de son regard plongé dans le mien, je sais que Christian a la ferme intention de tenir sa promesse de venir me saluer chaque semaine. Tant pis pour les longues discussions. Tant pis aussi pour l'histoire de sa vie que j'avais commencé à écrire à partir des bribes de son enfance, cueillies ici et là. Aussi bien renoncer à ce projet, puisque les confidences

---

22. Petit appartement à l'intérieur du pénitencier où l'on réapprend à vaquer aux travaux ménagers et à subvenir aux besoins quotidiens.

ne viendront plus. Encore chanceuse si je reçois un bec de temps à autre!

À regret, je regarde mes deux amis s'éloigner après la bise traditionnelle. Tel père, tel fils… unis par leurs erreurs passées et leur cadre actuel de vie, certes, mais aussi par la profondeur de leur souffrance inexprimée. Allez, mes Larson chéris, repartez vers votre univers brumeux pour y défendre chaque jour, sinon votre joie de vivre, du moins votre droit à l'espoir.

À moi, il restera le vide causé par votre absence, un silence soudain trop aigu dans cette salle trop vaste. En attendant l'arrivée de mon prochain élève, je mets de l'ordre dans le gros sac contenant les partitions de musique accumulées durant toutes ces années. Besoin de me rassurer? Les copies des grands compositeurs sont là, dans les cartables. Étonnamment, la plupart des détenus préfèrent la musique classique aux chansons populaires. Quoique le *Yesterday* des Beatles… ils ont tous voulu le jouer! Et j'entends encore Frédéric interpréter merveilleusement *Un peu de pluie sur ma vitre* d'André Gagnon pendant que la pluie mêlée de grésil fouettait la fenêtre du studio. Frédéric qu'on a mis dans le trou, un bon matin, et qui n'est jamais revenu… Que dire de la *Berceuse* de Brahms que Félix avait apprise par cœur en l'honneur de sa petite-fille de trois ans qu'il n'avait pas encore vue… Et *Pour Élise* et l'*Ode à la joie*, les ai-je entendu piocher sur le vieux piano de Bonsecours! Cher Beethoven! Comment aurait-il pu se douter que sa musique transporterait la joie, un jour, jusqu'au fond d'une prison du vingt et unième siècle!

Sur le banc, je retrouve la grande enveloppe contenant les morceaux d'âme qu'un homme m'a confiés. Le poème de Roger…

D'où me vient donc ce cafard ?

Entre l'ombre et la lumière

Entre l'ombre et la lumière,
Je passe dans ta vie,
Mon doux ami,
Un jour,
Dix ans,
Vingt-cinq ans…

Quand je regarde ces barreaux,
Je me demande si je t'apporte
Un peu quelque chose…
Peut-être un peu de soleil ?
Un petit rayon de lumière
Dans la pénombre de ta cellule ?

Une lueur d'espoir,
Une chaude présence
Qui te donne le goût
De regarder dehors
Le lierre qui grimpe
Et la vie qui palpite.

L'envie de te tourner
Vers quelque part,
Un coin de ciel bleu,
Pour t'apercevoir enfin
Que l'envie folle de vivre
Est plus grande que tout.

Si je ne t'ai donné
Que cela, mon fils,
Je ne serai pas venu
Pour rien dans ta vie,
Un bon matin,
Entre l'ombre et la lumière.

Roger Larson

Moi non plus, Christian, si je ne t'ai donné que cela, je ne serai pas venue pour rien dans ta vie, entre l'ombre et la lumière…

34

Un temps d'espoir

Christian regardait avec écœurement les oranges s'éparpiller comme des boules de billard aux quatre coins de la pièce. Il s'en fallait de peu pour qu'il détache son tablier et s'enfuie sur-le-champ hors de ce lieu maudit où il exerçait, depuis trois jours, la fonction de « technicien en fruits et légumes ». Titre on ne peut plus pompeux, car il s'agissait platement d'empiler les caisses livrées par les camions et d'étaler les produits de la ferme sur les comptoirs en disposant bien à la vue les plus mûrs et les plus appétissants. Maladroitement, Christian avait déposé une boîte d'oranges en équilibre précaire sur un panier. Quelqu'un, en passant, l'avait heurtée et tout s'était renversé.

— Mais qu'est-ce que tu as à la place du cerveau ? Un fromage ?

Le patron fulminait. Avec sa grosse tête chauve, son regard outré et ses énormes mains velues prêtes à frapper tout ce qui bougeait, il rappelait à Christian le Gerry des mauvais jours. Le garçon n'ouvrit pas la bouche et se contenta de hocher la tête, bien décidé à remettre sa démission le soir même. Il n'allait tout de même pas passer sa vie dans cette boutique puante, pris comme dans un étau entre cet Arabe et des quartiers de bananes! Non, il trouverait mieux demain ou un autre jour. Ou jamais.

Depuis quelque temps, il se demandait sérieusement s'il valait la peine de continuer à se débattre pour mener un semblant de vie décente. Ou même pour vivre, tout simplement. Durant ses downs succédant à ses trips de drogue, il lui venait des idées obsédantes d'en finir une fois pour toutes. Il chassait tant bien que mal ces pulsions suicidaires, mais elles revenaient en bloc, impératives et fascinantes, au moindre échec, à la plus petite difficulté. Et, bien sûr, après une montée de violence au sein de sa famille. Ah!... ne plus exister pour ne plus avoir à supporter cela!

Il se cramponnait désespérément à son amour pour ses sœurs, à la petite Ariane surtout, à son besoin d'un grand frère ange gardien. Et à sa foi en Dieu, en son espérance d'une vie meilleure quelque part, dans un ailleurs qu'il n'arrivait plus à définir. Mais il sentait parfois les forces de l'amour lui déserter le cœur. Il se demandait même s'il trouverait le courage de se suicider. «Pas plus que celui de tuer Gerry... Je suis le plus lâche des lâches.»

Alors, il sombrait de plus en plus dans les abysses de la drogue malgré ses bonnes résolutions et les promesses silencieuses sans cesse répétées à l'enfant. Une piqûre dans la veine et, l'espace de quelques heures, il redevenait le petit Christian de quatre ans, apte au bonheur. Il ne se leurrait pas cependant: la béatitude chimique s'avérait un périlleux mensonge. Il s'y enfonçait tout de même volontiers et éprouvait chaque fois une impression de soulagement momentané, comme l'injection engourdit la dent qui élance. Mais le dentiste soigne l'abcès tandis que la drogue, elle, l'infectait davantage. Et ravageait son âme.

Tôt ou tard, cette libération chimérique tournerait mal. Il se sentait de plus en plus dépendant de la cocaïne. Même sniffer ne suffisait plus, il lui fallait dorénavant la seringue. Le simple amateur de sensations fortes du début était devenu un aliéné aux besoins grandissants, insidieusement comblés par sa gang. On lui imposait maintenant d'exécuter certains actes criminels afin de payer ses trips : cambriolages, vols de sacs à main et vente de drogue.

Un matin, il se retrouva dans la cour d'une école primaire en train d'offrir du pot à des enfants de sixième année. Le regard franc et naïf d'un jeune garçon le foudroya. Tant de pureté… Il s'effondra, terrassé par un fulgurant éclair de conscience. « Mais qu'est-ce que je fais ici, moi, à vendre du poison à des innocents ? Je suis en train de devenir fou ! Est-ce bien ton but, Christian Larson, de transformer des enfants en loques humaines pour nourrir ton oubli ? L'oubli d'être devenu toi-même une épave ? L'oubli, l'oubli… Il n'y a que la mort pour procurer le véritable oubli ! Ramasse ta lâcheté et déguerpis d'ici, maudit salaud ! »

Accroupi derrière un monticule de neige, il avait commencé à vomir. « Je ne vaux pas mieux que cette bouillie dégueulasse jaillie de mes entrailles… » Courageusement, il s'était relevé et avait jeté la drogue au fond d'une poubelle. « Je dois me ressaisir. Tout ça n'a plus de sens. »

Mais à quoi s'agripper ? À quelle bouée de sauvetage, à quelle main ? Il ne connaissait personne. Encore faudrait-il que le sauveur le ramène à bon port. Un lieu où règnent l'harmonie et le respect… Il n'y croyait plus. Emporté dans la tourmente, il s'était mis à prier comme un désespéré. « Mon Dieu, je sais plus où j'en suis. Pour une fois, je te prie pour moi, pour moi tout seul… Au secours, j'ai peur ! »

Ce matin-là, il avait déniché un travail à la fruiterie Chez Mohamed, le premier emploi de sa vie. Agenouillé sous le comptoir, il rapaillait ses oranges, l'œil humide. Soudain, il vit d'autres mains ramasser les fruits avec lui, des mains blanches et potelées, gracieuses comme celles d'un enfant. Il releva la tête et se heurta au sourire le plus séduisant de la terre.

— Bonjour! Est-ce que je peux t'aider?

— Mais... oui, certainement!

Interloqué, Christian n'arrivait pas à en dire plus long, trop impressionné par la beauté et la gentillesse de la jeune fille accroupie devant lui. Une véritable apparition! Une chevelure de jais, longue et ondulée, un teint basané, de grands yeux noirs, ardents comme des braises. Et la bouche... ah! la bouche! Christian ne pouvait détacher son regard de ces lèvres roses et charnues dont le contour bien dessiné s'ouvrait sur des dents parfaites. Une bouche de rêve!

— Tu t'appelles comment?

— Euh... Christian.

— Moi, c'est Sarah. Et celui qui vient de te traiter de fromage, c'est mon père!

La jeune fille se mit à rigoler. Christian se demanda ce qu'elle trouvait drôle, mais il se laissa gagner par son hilarité. Ainsi, cet hurluberlu avait pour progéniture cette déesse, cette fée, cet ange, cette fille divinement adorable? Pas croyable! Il se dérida de plus belle. Les oranges nettoyées une à une retournèrent dans la boîte en un tour de main.

— Je travaillerai ici comme caissière pendant tout l'été, jusqu'à la reprise des classes en septembre prochain. Et toi?

— Oh! moi, l'école... Je suis employé ici à long terme. À vrai dire, je prends une année sabbatique.

* * *

Christian n'aurait jamais cru pouvoir aimer quelqu'un aussi viscéralement qu'il aimait sa petite sœur Ariane. Pourtant, depuis quelques semaines, Sarah remplissait toutes ses pensées, ses désirs, ses projets. Il croyait autrefois éprouver un vague penchant pour les hommes, mais il avait vite chassé cette impression *de son esprit, trop préoccupé par ses autres problèmes. Il aurait bien le temps, plus tard, de considérer son orientation sexuelle.*

Et voilà qu'il se surprenait à nourrir un tendre sentiment pour Sarah. Aussi fort, aussi intense que pour l'enfant, mais différent. Cet amour le prenait au dépourvu et monopolisait toutes ses énergies. Il aimait Sarah d'égal à égale, sans se sentir responsable d'elle. La jeune fille le lui rendait bien, à la fois sa compagne de travail, sa copine, sa confidente, sa complice, sa meilleure amie et, très bientôt, il le sentait, sa douce maîtresse. Pour elle, il accepterait n'importe quoi, même de se convertir à la religion musulmane si elle en manifestait le désir!

Tout prenait maintenant une dimension nouvelle. Pour la première fois de sa vie, ses problèmes familiaux se trouvaient relégués au second plan. Il lui racontait tout, lui confiait tout. Ou presque tout...

— Je me demande comment je faisais pour exister avant de te connaître.

Pour elle, il renonça à la drogue et à ses amis louches, à part Martin qu'il voyait encore de temps à autre par simple amitié. Enfin, il vivait une histoire belle et concrète, sans faille et sans compromis. Et sans illusion. Il avait une blonde! Il était devenu quelqu'un pour quelqu'un. Sa bouée de sauvetage, il l'avait trouvée. La tempête pouvait survenir, il y survivrait!

Bien sûr, il n'avait pas quitté son emploi à la fruiterie après l'incident des oranges, trop content de profiter quotidiennement des œillades lancées par la jeune fille d'un bout à l'autre de la boutique. Tous les deux, cependant, tenaient leurs amours secrets, car l'Arabe gardait non seulement l'œil mais aussi une main de fer sur sa fille. Pas question pour elle de fréquenter les garçons avant l'âge de se marier. Surtout pas un garçon comme Christian Larson, commis de basse classe. Un jeune sans avenir, sans fortune, sans même un diplôme valable en poche.

Divorcé depuis quelques années, l'homme disposait de larges moyens financiers. Après la séparation, la mère était retournée vivre en France auprès d'un nouvel époux. Sarah et ses deux frères étaient restés au Québec sous la garde de leur père.

Le jour où le macho surprit les deux amoureux en train de se bécoter derrière une armoire, dans la réserve du magasin, il entra dans une grande fureur.

— Quoi ! ma fille se laisse tripoter par ce gars-là ? On verra bien qui aura le dernier mot !

Le soir même, il remit à Sarah une enveloppe contenant un billet d'avion pour Paris.

— Tiens ! Tu pars dans deux jours. Tout est arrangé, ta mère t'attend. Tu passeras le reste de l'été chez elle. Ton retour est prévu pour la veille de la rentrée scolaire.

Sarah savait qu'il serait inutile de protester, son père resterait inflexible. Elle se jeta sur son lit en braillant, se demandant comment annoncer la catastrophe à Christian. Soudain, une idée diabolique jaillit dans son esprit avec la clarté d'un lever de soleil. Elle ne broncha pas et attendit patiemment le sommeil profond de son père et de ses frères. Puis, sur la pointe des pieds, elle sortit en douce de la maison.

* * *

« Les passagers d'Air Canada à destination de Paris sont priés de se présenter immédiatement à la porte B-52. »

Christian avait poussé l'audace jusqu'à accompagner Sarah à l'aéroport, avec l'Arabe et les deux petits frères. Il l'embrassa ostensiblement sur la bouche devant le père furibond et prit un réel plaisir à narguer celui qui deviendrait, dans quelques minutes, son ex-patron. Les larmes aux yeux, Sarah fit ses adieux *à son amoureux et son dernier regard fut pour lui. À peine effleura-t-elle les joues de son père et des garçons avant de franchir la barrière. Une fois sa blonde disparue, Christian salua tout le monde d'un rapide signe de tête.*

— Au revoir, monsieur. Je ne crois pas rentrer au travail demain, ni après-demain, ni jamais!

Il pivota sur lui-même et franchit la sortie, la tête haute.

* * *

Une semaine plus tard, Christian se retrouva de nouveau à l'aéroport, à l'arrivée des passagers des vols internationaux. Il accueillit Sarah à bras ouverts et l'étreignit longuement. Cette fois, l'Arabe et le reste de la famille brillaient par leur absence.

— Mon amour, je te souhaite un beau séjour chez nous, à Boucherville.

— Christian, je me sens si heureuse! Nous aurons cinq longues semaines à nous deux! Si mon père savait ça, il me tuerait!

— Il ne saura absolument rien, Sarah. Et il viendra te chercher ici, à l'aéroport, à la fin d'août, comme prévu. Nous nous présenterons ici quelques heures avant lui, voilà tout! Il n'y verra que du feu. De toute manière, envoyons au diable nos deux sans-cœur de pères et disons plutôt merci à nos mères!

— Tu as raison! La mienne a sûrement l'esprit plus ouvert que son ex-mari. Je ne sais pas comment elle a fait pour vivre auprès de ce tyran pendant des années. Participer à notre combine lui a certainement procuré une occasion rêvée de se venger!

— Il faudra aussi remercier Jeanine pour avoir accepté de t'héberger chez nous. Ma mère me surprend. Pour une fois, elle a réussi à prendre une décision!

« Et pour une fois, moi aussi, j'ai pris une décision ! » songea-t-il. À la vérité, il avait un peu hésité avant d'endosser l'idée d'amener Sarah chez lui. Depuis l'incident de la visite d'Hugo, venu lui porter des livres, quelques années auparavant, il n'avait invité personne à la maison. La venue de Sarah comportait certains risques, il le savait. S'il fallait que Gerry sorte de ses gonds devant elle... Ou, pire, à cause d'elle !

Mais dans un sursaut d'amour-propre, il avait décidé de relever le défi et de s'affirmer. Pour prouver à tous, et surtout à lui-même, qu'il n'avait rien d'un froussard. Pour une fois ! Alors, il avait usé de toutes ses énergies pour se convaincre lui-même et, ensuite, pour convaincre Jeanine de se décider à convaincre Gerry...

L'espace d'un moment, l'ombre de Jeanine persista dans l'esprit de Christian. Le visage tuméfié lui souriait. Et ce pauvre sourire évoquait toute la tendresse du monde.

35

Les beaux jours

*Si Jeanine accueillit chaleureusement sa « belle-fille d'un été »,
Gerry resta de marbre et se contenta d'examiner Sarah froidement
de la tête aux pieds. Il prétendait qu'on l'avait à peine consulté sur
la venue de la jeune fille et plutôt manipulé. L'intruse représentait
une nouvelle bouche à nourrir. Il n'allait tout de même pas se
mettre à faire vivre « toutes » les blondes de Christian. Jeanine
avait insisté.*

*— Mais c'est la première ! Et la seule ! Elle restera chez nous
quelques semaines seulement et payera même une pension. Sois
donc un peu conciliant, Gerry ! Profite plutôt de l'occasion pour te
rapprocher de Christian.*

*Le mot « pension » rendit le beau-père bon prince. Mais il le
fut à sa manière, hargneuse et maussade, et prit le parti d'ignorer
complètement la jeune fille. Cette attitude mettait Christian en
rogne. Sarah se montrait pourtant attentive et avenante envers
chacun. Lison, béate d'admiration, partageait sa chambre avec
sa nouvelle « grande sœur ». Elle se mit à imiter ses manières et
ses gestes et adopta même son petit accent marocain. D'un élan
gracieux de la main, elle apprit à repousser ses cheveux vers l'arrière*

en penchant légèrement la tête, ce qui eut l'heur de métamorphoser la fruste adolescente en une jeune fille charmante. Sacs à main, petits foulards, eau de Cologne, boucles d'oreille remplissaient maintenant son univers.

Christian les entendait babiller toutes les deux dans la chambre d'à côté, et cela éveillait en lui un certain sentiment de jalousie. Il aurait voulu garder Sarah pour lui tout seul, partir avec elle à l'autre bout du monde, loin de l'atmosphère suffocante de sa famille. Il lui avait presque tout raconté de sa vie, l'abandon par son père, la venue de Gerry, l'influence néfaste de ses mauvais amis, son propre désintéressement pour l'école, son penchant pour la drogue.

— T'inquiète pas, la coke me dit plus rien depuis que je te connais.

Il s'était toutefois gardé de parler des batailles entre Gerry et sa mère. Heureusement, depuis l'arrivée de Sarah, les affres d'autrefois lui paraissaient de moindre importance.

En ce début d'été chaud et humide, malgré quelque vague inquiétude, Christian coula des jours paisibles. Il se sentait libre, il se sentait aimé. Il n'avait plus besoin de cocaïne, le bonheur se trouvait là, à portée de la main.

En dépit de l'indifférence de Gerry, Sarah semblait bien s'adapter à son foyer d'adoption. À l'instar de Lison, il lui arrivait de circuler dans la maison en petite tenue, simplement enveloppée dans un drap de bain ou nue dans sa chemise de nuit. Christian avait remarqué qu'à ces moments-là, Gerry la reluquait du coin de l'œil. Tôt ou tard, il allongerait la main, Christian n'en doutait pas un instant. Il n'osait recommander la prudence à la jeune fille, de crainte de l'effaroucher. Sans doute qu'apeurée, elle voudrait se sauver. Où irait-elle ? Mine de rien, il montait la garde et ne la quittait pas d'une semelle, maudissant une fois de plus la présence du tortionnaire.

S'il fallait qu'un de ces jours, Gerry pique une de ses crises... Comment réagirait Sarah ? S'enfuirait-elle à toutes jambes hors de portée du sadique ? Disparaîtrait-elle à tout jamais de son existence ? Les moments les plus risqués pour déclencher une flambée survenaient en général les jeudis et vendredis soirs. Le chèque de paye brûlait les doigts du joueur compulsif et le rendait à la fois fou et furieux. Fou de jouer, de parier, de gagner, un fou réglant sa vie sur un coup de dés ou une combinaison de cartes... Le « furieux » venait plus tard quand, dépouillé de ses avoirs et assommé de désespoir, il éprouvait le besoin pathologique de prendre sa revanche sur la pauvre loque humaine qu'était devenue sa femme.

Après une dizaine d'années de ce régime barbare, Jeanine ne semblait plus que l'ombre d'elle-même. Gerry pouvait bien la rouer de coups encore et encore, pour elle, la douleur était devenue un concept dont elle réussissait à se dissocier à volonté. Pendant qu'il la frappait, elle se réfugiait dans un « ailleurs » n'appartenant qu'à elle-même, derrière un voile dissimulé au plus profond de son être, un lieu d'inconscience où elle ne sentait plus rien et ne souffrait plus. Ce vide l'effrayait, car elle arrivait de plus en plus difficilement à s'en extirper. Elle craignait secrètement de basculer, un jour, dans la véritable folie. Ces moments d'absence exaspéraient Gerry et le rendaient encore plus féroce. Il multipliait les coups dans l'espoir de provoquer une réaction qui tardait à venir. Il devenait hors de lui, comme une bête assoiffée de douleur visible, tangible, exprimée, hurlée, crachée. Une bête avide de sang. Un fou furieux...

— Crie, gueule, fais quelque chose, maudite folle !

Christian assistait à ces scènes en serrant ses deux sœurs tremblantes contre lui. Depuis l'accouchement de sa mère, il *n'intervenait plus. Dire qu'il se croyait autrefois l'homme de la maison... Quelle farce ! À dix-sept ans, il n'avait plus l'excuse de la stature insuffisante pour ne pas se jeter à pieds joints sur l'agresseur et l'achever à coups de couteau. Mais sa nature de garçon doux et pacifique prenait infailliblement le dessus. Il se refusait à jouer le manège répugnant de Gerry. Tout de même... Il s'agissait de sa mère, et il la savait en danger. Un jour ou l'autre, un coup de trop finirait par la tuer.*

Il n'avait jamais oublié l'incident du parc Lafontaine, encore fasciné par l'apaisement ressenti en frappant les fenêtres avec le piquet. Cogner à ce point sur Gerry lui procurerait-il une telle satisfaction ? Le tuer pour s'en débarrasser... Quelle jouissance ! Il n'en doutait pas un instant. Qu'attendait-il pour entrer dans le jeu avant qu'il ne soit trop tard ? Un jour, il faudrait bien réagir. Il savait cependant que Gerry ne toucherait pas aux petites, il ne l'avait jamais fait. Pour le joueur, Lison avait l'importance d'un meuble et passait inaperçue la plupart du temps. Quant à Ariane, s'il lui avait manifesté quelque intérêt au début, il la considérait maintenant comme une entité négligeable. Simplement une autre bouche à nourrir.

Au fond, Christian sentait qu'il ne deviendrait jamais un batailleur, encore moins un tueur. Il n'allait certainement pas commencer des rondes d'affrontements avec Gerry pour défendre une mère qui tolérait la situation avec une indifférence scandaleuse. Après tout, elle n'avait qu'à quitter ce débile si elle ne voulait plus se faire battre ! Elle l'avait épousé en toute connaissance de cause, ce con, elle devait en assumer les conséquences !

À force d'y repenser, à force de ressasser ces idées depuis l'âge de comprendre, Christian réalisait que le jour du mariage de Gerry et de Jeanine, un lien essentiel s'était rompu : il avait perdu son respect pour sa mère. N'avait subsisté que la compassion. Et un reste d'affection filiale et instinctive qu'il savait éternelle. Il aimerait toujours sa mère, d'une certaine manière, mais non sans maudire sa soumission inexplicable et, par-dessus tout, son inconscience à laisser gâcher le bonheur de ses enfants. Christian se demandait si elle pensait à eux, parfois. Jamais il ne lui pardonnerait ce « oui, je le veux »... Par contre, son consentement à héberger Sarah l'avait quelque peu réhabilitée dans son estime.

Dès le début de l'été, la décision d'amener Sarah camper au mont Saint-Hilaire toutes les fins de semaine avait semblé à Christian un bon moyen de passer de longs moments seul avec sa blonde, loin des déchaînements de Gerry. Ils partaient donc en amoureux, le jeudi soir, pour installer près d'un ruisseau le vieil équipement de camping déniché par Martin chez un copain. La tente sentait le moisi, les deux sacs de couchage jumelés pour n'en former qu'un seul étaient décousus à plusieurs endroits, un unique rond du poêle à propane fonctionnait encore, mais qu'importe!

— J'espère que t'as pas volé cet équipement, Martin.

— Voyons! Tant qu'à voler, franchement, j'aurais choisi mieux!

Martin venait parfois les rejoindre, entre deux trips *de drogue. L'amitié entre lui et Christian demeurait le seul feu encore allumé dans l'univers ombrageux du drogué. Une entente tacite s'était établie entre les deux amis: Christian évitait de lui faire la morale et, de son côté, Martin s'abstenait de consommer en présence de son copain, respectant son désir manifeste de sobriété.*

La première nuit de Christian et de Sarah ensemble s'avéra troublante pour le jeune homme. Depuis l'expérience sexuelle de son enfance avec le joueur de cartes, il avait fait taire toute pulsion érotique et repoussé fantasmes et attirances, comme si le sexe avait existé en une dimension hors de lui et ne le concernait pas. Et voilà que, tout à coup, une amoureuse se retrouvait là, à côté de lui, toute chaude, douce et sensuelle. Il se sentait gauche et dérouté. Affolé, même.

En réalité, l'amoureuse se serait attendue à plus d'empressement de la part de son bien-aimé, depuis le temps qu'ils cultivaient leur désir à force de caresses et de baisers donnés en catimini. Ce soir-là, ils auraient dû se jeter l'un sur l'autre dès les premiers moments d'intimité. Mais ils restaient là, mal à l'aise, à ne pas savoir quoi dire ni quoi faire.

Afin de repousser de quelques minutes le moment fatidique, Christian décida d'aller se rafraîchir aux douches du camping. Elle en profita pour se déshabiller et se glisser, nue, dans le sac de couchage. À son retour, Christian se sentit pris au dépourvu. Il avait plutôt imaginé qu'ils enlèveraient progressivement leurs vêtements comme il l'avait vu faire à maintes reprises au cinéma. Mais voilà que Sarah se montrait déjà prête, étendue là, livrée, impatiente.

— Viens, mon amour.

Gêné d'exhiber son sexe sous le regard perçant de sa blonde, il se glissa rapidement dans le sac de couchage. Le premier contact des deux corps le fit frémir. Cette chaleur, cette douceur… Il retrouva avec délices la sensation jamais oubliée d'un corps vibrant contre le sien. L'image de l'abuseur d'autrefois l'effleura. Il avait apprécié ses caresses et sourdement souhaité les retrouver, malgré ses efforts pour oublier.

Les mains habiles de Sarah frôlaient voluptueusement sa poitrine, son ventre, ses hanches. Étrangement, il se trouvait sans initiative et préférait la laisser faire. Porter les mains sur les seins de la jeune fille le répugnait même un peu, lui rappelant avec trop de précision le geste indigne de son père avec la jeune Nathalie, sur la plage, à l'époque où il croyait encore à la fidélité, à la grandeur et à la pureté de l'amour. Alors que « les papas et les mamans s'aimaient *aussi fort, aussi grand, aussi beau que les oiseaux, les abeilles et les petits chats ».*

Sarah vint chercher sa bouche et la fouilla de sa langue avec insistance. Il s'y plia de bonne grâce. Lentement, il sentit monter une pointe de désir, une pointe acérée, aiguë, presque violente. Alors il se mit à embrasser Sarah dans tous les replis de son corps, un peu surpris de ne pas trouver, au bas de son ventre, un sexe bandé comme l'était celui du joueur de naguère. Mais peu importe, le pubis soulevé, offert, se montrait invitant. Sarah le guida elle-même et l'amena, dans un mouvement effréné, jusqu'à l'éclatement.

Repue, elle s'endormit presque aussitôt. Lui, n'arriva pas à fermer l'œil de la nuit, agacé par les appels obsédants des rainettes au fond des marais.

36

Le remplaçant de Christian s'appelle Matthieu, a vingt-deux ans, la tête rasée et des anneaux dans le nez et les oreilles. Je ne peux m'empêcher de lorgner ses bras complètement recouverts de tatouages : des têtes de mort, des araignées, des serpents, des pattes de monstres ornées de griffes. S'agit-il là des symboles de l'univers qui l'habite, ces horribles stigmates de la terreur et de la violence ? Quel problème d'enfance l'a donc conduit jusqu'ici, ce garçon dont le sourire n'a pourtant pas encore perdu sa candeur juvénile ? Famille dysfonctionnelle ? Inceste ? Drogue ? *Gang* de rue ? A-t-il commis une attaque à main armée ? Un crime passionnel ?

— Enfin, mon tour est venu, Madame Piano ! Depuis le temps que je rêve d'apprendre la musique… Vous allez voir, si je m'y mets, ça va aller vite ! Sauf que…

— Sauf que ?

— Sauf que je ne suis pas certain de pouvoir revenir une deuxième fois. Claudette, ma prof de français, vient tout juste de faire une « montée de lait ». Elle ne voulait pas me laisser quitter la classe pour venir ici.

— Voyons donc ! On a dû oublier de te donner ton laissez-passer !

— Non, non, j'avais ma passe. Selon elle, les choses doivent changer, elle va se plaindre à la direction au sujet de vos cours. Elle l'a dit devant toute la classe.

Oh là là ! Je sens l'orage à l'horizon, mais je me garde bien de transmettre mes appréhensions à mon interlocuteur.

— Dis donc, si on commençait ?

Matthieu a raison. Il me semble brillant, comprend vite et se concentre bien. En quelques minutes, il a déjà saisi le lien entre les signes inscrits sur la portée et le nom des touches du piano. Il sera un bon élève...

Au moment de terminer la leçon, le gardien Benoît me convoque à la porte du studio.

— Excusez-moi, j'ai un message pour vous : la professeure de secondaire II aimerait vous rencontrer avant votre départ. Elle veut vous informer de la lettre de plainte qu'elle a l'intention d'écrire à la direction au sujet de vos cours.

— Quelle plainte ?

— Vous verrez ! Cette femme est une diablesse, elle cherche continuellement le trouble. Madame peut déranger tout le monde mais n'accepte pas d'être dérangée, elle !

— Ah bon. Je ne vois pas en quoi je l'indispose, sa classe se trouve dans un autre pavillon du pénitencier ! Et je ne la connais même pas !

Je me sens dépitée. Je n'ai pas envie qu'on me mette à la porte, moi ! J'ai toujours essayé de me conformer aux règlements. Quoique... l'espace d'une seconde, quelques messages d'amour téléphoniques et un chandail brodé de petits chats viennent troubler mon examen de conscience.

Pendant les leçons suivantes, je me montre passablement distraite. Je cherche la faille, l'erreur grave que j'aurais pu commettre. J'appréhende d'affronter cette femme à la réputation de chialeuse. Je me questionne sur l'étendue de son pouvoir. Auprès des autorités, sa voix d'employée rémunérée inscrite au réseau scolaire possède sûrement plus de portée que la mienne, simple bénévole qui entre ici sur la pointe des pieds pour semer humblement ses petites fleurs d'espoir.

Je me présente tout de même à son bureau, prête à sortir mes griffes pour me défendre de ne je ne sais quoi. La femme, autour de la cinquantaine, se montre arrogante dès le premier instant. Une diablesse, en effet! Visage de bois, regard d'acier, lèvres pincées, elle m'observe de haut. Elle pourrait au moins me sourire et me tendre la main, non? Je ne lui ai rien fait personnellement, moi, à cette femme!

— Assoyez-vous.

— Que se passe-t-il, madame?

— Il se passe que vos cours de musique perturbent mes cours de français! Il y a bien assez de Michel qui quitte ma classe depuis six mois pour aller jouer du piano avec vous, voilà que ce matin, Matthieu se lève à dix heures moins cinq pile, lui aussi, pour la même raison! Ça va faire! Imaginez-vous à quel point ça me dérange? Surtout au milieu d'un cours incitatif de français comme le mien où chacun vient en avant donner aux autres sa propre explication des phrases inscrites au tableau.

— Mais… je n'ai rien à voir là-dedans, moi! Et mes cours ne durent que trois quarts d'heure!

— Ces deux gars-là, ma chère, savent à peine lire et écrire. Le jeune Matthieu est un être complètement détraqué, un voyou de la pire espèce, impoli et brutal. Michel, quant à lui, a de graves problèmes de comportement dans le pénitencier. Cet homme n'a qu'une idée en tête: déroger au règlement. Il a passé trois jours au trou, la semaine dernière, le saviez-vous?

— Non, madame, et je ne veux pas le savoir!

— N'oubliez pas qu'on est ici pour préparer ces hommes à mieux fonctionner après leur libération.

— Justement! Cessez donc de considérer le piano comme un simple loisir. Faire de la musique contribue à améliorer la discipline et l'estime de soi de mes élèves. Relever des défis positifs et, surtout, accomplir quelque chose de beau, ça compte aussi, madame, dans la vraie vie! Je dirais même que c'est primordial, encore plus important que l'accord de vos participes passés!

Le ton monte, agressif. Je la vois se dresser au-dessus du pupitre, furibonde, prête à me sauter dessus. J'essaye de me contenir, mais il s'en faudrait de peu pour que je sorte moi aussi de mes gonds. «Du calme, Françoise, tu ne gagneras rien en "pognant les nerfs". Mets donc en pratique ce que tu prêches!»

— Madame, je viens ici depuis bientôt dix ans avec l'autorisation de la direction. Si vous éprouvez des problèmes, vous n'avez qu'à les régler à l'interne. Je n'ai rien à voir avec vos embêtements, moi!

— Vous saurez, ma chère, qu'on a changé de directeur depuis «votre temps»! Si vous tenez tant à faire du bénévolat, venez donc le soir après les heures de classe au lieu de nuire aux programmes plus sérieux! Comme ça, tout le monde sera content.

— Moi, je nuis à quelqu'un? Je me présente dans ce lieu depuis des années, madame, et jamais personne n'a eu à se plaindre de moi. Je ne peux pas venir ici le soir, car j'enseigne à mes propres élèves à la maison. Ou je donne mes cours ici le matin, ou je ne viens pas du tout.

— Eh bien! Ne venez pas du tout! De toutes façons, ça ne va pas rester comme ça, croyez-moi!

Abasourdie, je quitte la pièce à la hâte, suivie du gardien qui a entendu toute notre conversation et tente gentiment de me rassurer.

— Ne vous en faites pas, Madame Piano. Je vais vous défendre si les choses tournent mal à la direction. Nous sommes nombreux à pouvoir témoigner de l'importance de vos leçons. Cette femme ne cherche qu'à semer le trouble. Ne vous en faites pas, je vous téléphonerai pour vous tenir au courant.

— Ah! merci, c'est gentil, Benoît! Au pire, parlez-en à Christian. Comme président des détenus, il aura sûrement son mot à dire.

— Entendu.

Je quitte le pen à moitié rassurée. Madame Piano sera remise en question, cette semaine… Ouf! Je n'ai pas envie de me faire virer, moi! Mille fois, je révise mentalement mon horaire. Non, décidément, je ne pourrais pas venir à Bonsecours le soir. Il me faudrait alors gruger sur mon gagne-pain et éliminer certains de mes élèves au privé, et je n'en ai pas les moyens. Ah! mon Dieu, faites que tout s'arrange!

Puis, au cours de la semaine, une idée me vient à l'esprit. La diablesse veut porter plainte? Tiens, tiens… Moi aussi, je pourrais bien porter plainte contre elle. Cette femme n'avait pas à me dire que Matthieu est un détraqué, ni que Michel s'est mal comporté la semaine dernière. Cela aurait dû demeurer confidentiel.

Durant toutes ces années de présence dans ce lieu, jamais un gardien ne s'est permis de dénigrer un détenu, sauf une fois. Une seule fois. Je ne l'oublierai jamais. Et je n'ai jamais pardonné à ce gardien. Il s'agissait de James, un homme d'un certain âge que j'aimais bien, inscrit aux cours depuis près de deux ans. Il avait du talent pour la musique et nous avions développé une belle relation d'amitié.

Un bon matin, un gardien me lance à brûle-pourpoint:

— Je ne sais pas comment vous faites pour enseigner à cet homme-là! Vous vous rappelez la tuerie d'une famille dans un chalet de Sainte-Adèle ? Eh bien ! James était impliqué là-dedans !

J'aurais voulu ne jamais connaître cette vérité. À partir de ce moment-là, malgré moi, oh ! combien malgré moi, je n'ai plus regardé James du même œil. Des images de meurtre ne cessaient de me hanter dès qu'il apparaissait dans le studio. Je voyais du sang partout. Ces mains-là avaient peut-être assassiné des enfants... J'ai mis des mois à surmonter ma répulsion instinctive, enfouie au plus profond de moi-même, à essayer de ne voir en lui que l'homme au présent, l'homme sympathique, l'homme qui jouait si bien la *Mélodie* de Rubinstein, l'homme en train de payer sa dette à la société. Mais ce genre de dette s'avérait-elle remboursable ? Voilà que je remettais tout en question !

James s'est-il rendu compte de mon nouveau malaise ? Je ne crois pas. Il est resté mon fidèle élève jusqu'au moment de son départ vers la transition. Vers la fin de sa peine, il m'a même invitée à son mariage !

Avec le recul, je peux certifier que mon plus profond dégoût, à la vérité, s'est finalement dirigé contre le gardien qui s'était fait un plaisir de déblatérer contre mon ami. Pour quelle raison a-t-il tenté de le descendre à mes yeux, je l'ignore, mais quand je croise ce *screw* à la langue de vipère dans un corridor, je me contente de le saluer froidement, sans plus.

Cette fois, une autre vipère a aussi trop parlé. Je n'ai pas à connaître les bêtises de mes élèves. Si jamais les choses tournent mal, j'écrirai une lettre de plainte à ce sujet. Si moi, de quelque manière, je nuis à quelqu'un, cette Claudette aussi cause du tort à certains détenus en démolissant leur réputation. Et en les considérant uniquement sous cette facette, je le crains.

En dépit de tout, je cultive l'optimisme, même si le gardien Benoît ne me téléphone pas comme il l'a promis. Tranquillement, je prépare la demi-journée d'écoute dirigée prévue pour la semaine suivante. Si ça marche et qu'on ne me ferme pas la porte au nez, la chère Claudette va sûrement prendre le mors aux dents, car mes quatre élèves seront exceptionnellement convoqués pour l'avant-midi au complet! Tout est planifié depuis un mois. Heureux ou malencontreux effet du hasard? Une fois ou deux par année, j'organise une séance d'audition, question de parler de l'histoire de la musique, des principaux compositeurs et de leurs œuvres.

La semaine suivante, le mardi, je reçois enfin le coup de fil tant attendu.

— Françoise? Benoît à l'appareil. Bonne nouvelle! La direction a vertement remis la fameuse Claudette à sa place, ce matin. Tout est réglé, on vous attend demain matin.

— Je suis contente!

— Vous m'avez parlé d'une présentation, si je me rappelle bien. Je prépare les passes de quelle heure à quelle heure?

— De huit heures trente à onze heures. Euh... non! À onze heures trente!

37

Ils sont venus dix. Je connais la plupart de vue mais serais bien embêtée de dire les noms de plusieurs. J'avais suggéré à chacun de mes élèves d'inviter un ou deux copains intéressés par la musique. Je les vois tous là, mes quatre étudiants accompagnés de Christian et de son père, et les autres, immobiles sur leurs chaises disposées autour de la grande table. Tous sont suspendus à mes lèvres, jambes nonchalamment étendues, bras croisés derrière la tête. Tatous, crânes rasés ou queues de cheval, anneaux dans l'oreille ou le nez pour certains, mais la plupart affichent un «look» ordinaire. Moyenne d'âge : entre quarante et cinquante ans.

Aujourd'hui, pas de cours de piano, mais plutôt une session d'écoute dirigée. Le but : expliquer certaines généralités pour mieux apprécier la musique. Si la prière et la méditation procurent leur pain quotidien à de nombreux prisonniers, d'autres se ressourcent par l'écoute régulière de musique classique. L'idée m'est venue d'instaurer ces séances quand l'un de mes élèves m'a affirmé rêver de jouer une symphonie de Mozart au piano !

– Une symphonie se joue avec un orchestre, mon ami, et non par un seul instrument.

Le même jour, un autre étudiant s'est informé de la signification de certains termes musicaux.

– Quand on annonce à la radio un mouvement en « Mi bémol majeur », ça veut dire quoi ? Et « Allegro » ?

Pendant toute la semaine dernière, j'ai fouillé dans ma discothèque et me suis perdue, éparpillée. Il y a trop à dire, je voulais tout leur donner. Peut-être valait-il mieux leur proposer uniquement mes œuvres préférées ? Leur communiquer mes états d'âme durant l'écoute ? Non ! Ils n'ont pas besoin de mes émotions, les leurs leur suffisent amplement ! Je dois me mettre derrière la musique, au service d'elle… et d'eux ! Quoi, alors ? De temps à autre, la pensée de la prof Claudette revenait, comme un mal de tête lancinant. Peut-être étais-je en train de préparer tout cela pour rien ?

Dieu merci, tout s'est tassé. Je suis d'autant plus contente, ce matin, que Christian s'est joint au groupe malgré son abandon des cours de piano. Il a lui-même installé les haut-parleurs et démarré la cafetière. J'espère qu'ils aimeront mes biscuits apportés avec le consentement tacite de Monsieur Barrière. « Consentement » me semble un bien grand mot puisque je me suis gardée de lui en parler, forte de la décision prise en haut lieu à la suite de l'altercation avec la chère Claudette !

Les gars ont tous l'air d'attendre le lever du rideau. Je me lance et plonge d'abord dans l'histoire. La musique est née directement dans le cœur des hommes. Quand leurs émotions ont dépassé les possibilités du simple langage, quand les mots n'ont plus suffi à traduire leurs emportements, leur exubérance, leurs joies ou leurs peines, les hommes se sont mis à chanter. L'essence même de la musique découle de l'expression d'un trop-plein. Dieu a eu pitié de l'homme chassé du paradis terrestre, et il lui a donné la musique pour se consoler…

Mon auditoire m'écoute religieusement. Un juge, au moment de prononcer la sentence, ne fait sûrement pas l'objet de plus d'attention! J'avais espéré des échanges, des opinions, des questions, peut-être même des protestations. Rien. La musique règne en maître. Je les branche sur Bach. De temps à autre, je me permets d'identifier un instrument, un thème ou une modulation. À peine ébauchera-t-on un sourire quand j'expliquerai l'«Art de la fugue»! Si Mozart a déclenché quelques bâillements, le *Mazeppa* de Liszt a fait soulever les sourcils. Facilement, on en est arrivé à reconnaître les leitmotiv. Mais c'est à l'audition du *Clair de lune* de Debussy au piano qu'on a le plus réagi. Moment de grâce où j'ai vu quelques larmes furtivement essuyées.

Quand la musique s'est interrompue, personne n'a bougé, sans doute pour ne pas briser l'envoûtement. Pourquoi revenir à la réalité, surtout celle de Bonsecours? J'ai eu finalement droit à des applaudissements et à une pluie de remerciements. Et, bien sûr, aux becs incontournables!

Une fois tout ce beau monde reparti, je m'attarde quelques instants auprès de Christian.

— Alors, mon président préféré, as-tu apprécié ma petite présentation?

— Françoise, tu es un ange et je t'adore!

— Moi, un ange? Tu ne connais pas mon sale caractère!

Pour la première fois, il me presse longuement sur sa poitrine. Je me réjouis. Malgré son absence aux cours de piano, il reste fidèle à sa visite hebdomadaire.

— En tout cas, tu es ma meilleure amie.

— Christian, j'aimerais écrire ton histoire…

Je me surprends de mon audace. Comment cette phrase m'a-t-elle échappé?

— Ah oui? Hum… tu pourrais!

— Je te connais bien au présent, mais ton passé me laisse perplexe. Il me manque des détails, plusieurs raccordements. J'ai tant de questions…

Soudain, un intrus passe la tête dans l'entrebâillement de la porte.

— Coucou! C'est moi! Tiens, Madame Piano, j'avais oublié de te remettre mon poème de cette semaine.

L'œil noir jeté par Christian à son père ne m'échappe pas. Roger ressent-il l'animosité soudaine de son fils? Il déguerpit au plus vite après avoir multiplié ses remerciements pour la séance d'audition. Je sens mon ami bouillir en rangeant ses haut-parleurs dans l'armoire.

— Christian, quelle est donc cette barrière entre toi et ton père?

— Pire que ça, Françoise! Un mur de béton armé! Un mur infranchissable. Rien n'arrive à passer au travers. Pas même un cri…

— S'il te plaît, raconte-moi ta vie. Elle m'intéresse au plus haut point. J'écris des livres, tu le sais. Je déguiserais tout, romancerais de grandes parties, personne ne te reconnaîtrait.

— M'en fiche d'être reconnu! Mais pourquoi écrire mon histoire? Elle n'est ni plus belle ni pire que celle des autres détenus, je t'assure!

— C'est toi qui m'intéresses et suscites ma curiosité. Toi, Christian Larson… Ta personnalité, ta façon de voir les choses. Ta philosophie. Je te trouve formidable, je ne comprends pas ce que tu fais ici. Tu représentes un mystère à mes yeux. Ton drame m'obsède depuis le premier jour où je t'ai rencontré!

— Ah bon.

– Laisse-moi démontrer à la face du monde, par l'écriture, que derrière les barreaux, des êtres ont conservé une grande part d'intégrité...

Christian ne semble pas étonné par mon envolée.

– Entendu. Un jour, je te dirai tout. Tu pourras m'enregistrer et écrire un livre sur moi, roman ou témoignage, ou biographie, comme tu veux. Tu pourras même utiliser mon nom si ça te chante ou, au contraire, fabuler à mon sujet.

Je n'ose lui demander quand ni comment il me fera son récit. A-t-il deviné mon questionnement? Il s'empresse d'ajouter:

– Dès que j'aurai obtenu ma libération, on prendra une bière ensemble, et je te donnerai tous les détails de ma vie, du début à la fin. Euh... à bien y songer, on devra prendre plusieurs bières, alors prépare-toi!

Il se met à rire, sans trop de conviction, puis s'achemine vers la sortie. Pour l'instant, je me contente d'une bise rapidement expédiée. Le président a déjà la tête ailleurs, l'esprit emporté vers quelque autre problème plus urgent à régler à l'intérieur des murs. Je le regarde partir à regret. Il n'y a pas à dire, l'ange éprouve une grande tendresse pour ce petit garçon déguisé en homme...

En quittant le pénitencier, ce jour-là, je pousse un soupir de satisfaction. J'ai le sentiment d'avoir remporté trois victoires: la première sur Claudette, la vilaine. L'autre sur moi-même, pour avoir eu l'audace de parler à Christian de mon projet d'écriture, la troisième pour avoir obtenu sa précieuse promesse de collaborer.

38

Le nouveau pouvoir

Septembre se pointa trop rapidement avec sa rentrée scolaire et son vent frais. Un à un, les mois d'automne s'effilochèrent et emportèrent, dans leur traînée de feuilles mortes, les souvenirs des beaux jours d'été. Sarah retourna à regret chez son père. Il l'accueillit avec entrain à l'aéroport sans se douter de rien et reçut avec plaisir les nombreux cadeaux rapportés de Paris pour lui et les petits frères.

— Que te voilà rayonnante, ma fille! Ta mère va-t-elle bien?

— Oui, oui, elle te salue.

Christian l'enviait de retourner au collège. L'an prochain, ce serait l'université. Pour lui, il n'en était pas question. Gerry refusait de le faire vivre. Il n'avait donc pas le choix de se trouver un nouvel emploi et de travailler pendant quelques années avant de retourner aux études. Il avait néanmoins rempli, à tout hasard, un autre formulaire de demande de prêts et bourses, dans l'espoir qu'un miracle lui permette de s'inscrire à l'école de design. Mais il éprouvait de sérieux doutes sur la concrétisation d'un tel rêve.

Quant à Sarah, il avait émis le vague souhait d'habiter en appartement avec elle. Mais celle-ci avait répondu à ses propositions de manière évasive. En réalité, ni l'un ni l'autre n'y tenait réellement. Leurs rencontres clandestines à l'abri du regard de l'Arabe leur suffisaient.

L'embauche de Christian à l'usine de portes et fenêtres de Boucherville, à proximité de sa demeure, signa la fin du projet de quitter le foyer. Il regrettait de devoir s'ancrer encore plus profondément dans le même contexte familial à cause de cet emploi, le seul qu'il ait pu dénicher en ces durs temps de récession. « Je vais me trouver autre chose loin d'ici. Ça m'obligera à partir », s'était-il promis sans trop de conviction. Au fond, il appréhendait de briser ces chaînes d'amour empoisonné qui le retenaient encore à sa mère et à ses sœurs, surtout Ariane. Une rupture trop brutale ne risquerait-elle pas de le précipiter dans l'errance ?

Au terme de cet été de rêve, en l'absence de son amoureuse, Christian se remit à s'enfoncer dans la noirceur. Les fantômes d'autrefois resurgissaient. Il ne trouvait plus de motivations réelles à son existence. Pourquoi s'acharner à survivre dans ce bourbier ? Vers qui aller ? Partir avec Sarah aurait constitué un moindre mal, une chance unique de se sortir de son milieu. Mais il se demandait s'il l'aimait réellement en tant que femme ou s'il ne voyait en elle qu'une porte de sortie vers la libération. Leurs amours avaient perdu leur effervescence du début de l'été. Elles s'étiraient au fil de l'ennui, ponctuées de rares relations sexuelles qui laissaient Christian plutôt insatisfait. Comme si le plaisir devait d'abord passer par sa tête avant d'éclater dans son corps, comme si seuls les fantasmes arrivaient à maintenir son érection. Fantasmes meublés de corps masculins… Sa liaison avec la jeune fille ne durerait pas éternellement, il s'en doutait, mais il ne trouvait pas le courage de rompre. Il avait besoin d'elle, de sa jeunesse et de sa fraîcheur, de sa sérénité, surtout.

Il ne pouvait pas s'appuyer sur Jeanine qu'il se surprenait parfois à mépriser, ni sur Lison qu'il enviait honteusement, ce monument que les pires événements n'arrivaient pas à remuer. Quant à Roger, malgré le vide creusé à la petite cuillère par des années d'absence, Christian aurait préféré le voir carrément mort. Il ne lui prendrait plus alors des envies de crier «papa!» certaines nuits de solitude insupportable. Même à dix-huit ans, même à l'âge dit adulte.

Il ne lui restait plus qu'Ariane, merveilleuse de candeur. L'enfant se contentait d'être là, de vivre intensément, miraculeusement l'instant présent. Et cette seule présence réconciliait Christian avec la vie. Ce sourire angélique et ce minois accueillant, lorsqu'il rentrait, suffisaient à lui procurer une raison de vivre.

Hélas! à long terme, la violence finirait certainement par la détruire, elle aussi. Petit à petit. Insidieusement. Et cela, Christian ne le voulait pas, ne le permettrait pas. Mais comment la protéger, il l'ignorait totalement. Il n'arrivait même pas à se sauver lui-même! Il se doutait bien, pourtant, que de laisser aller les choses approfondissait le marécage dans lequel ils se trouvaient tous enlisés. Tôt ou tard, il devrait faire un homme de lui et prendre une décision. Mais laquelle? Fuir et tenter de se bâtir une vie ailleurs? Kidnapper sa petite sœur et disparaître avec elle dans un lieu lointain et inconnu de tous? Évidemment, on le rattraperait et l'accuserait d'enlèvement. Et comment se charger d'une bambine quand on est sans travail et sans argent? Christian Larson était passé maître dans l'art de tourner en rond.

Ses amours de l'été le rassuraient toutefois: un cœur battait toujours dans sa poitrine, bien vivant et capable de vibrer. Capable d'aimer, certes, mais tout autant capable de haïr.

* * *

À l'automne succéda la saison froide, interminable. Christian baignait dans une sorte de torpeur et ne songeait même plus à retrouver ses amis vendeurs de drogue. Il flottait dans le néant comme une épave à la dérive du temps.

Un jour, vers la fin de l'hiver, Gerry pénétra en trombe dans la cuisine avec ses yeux brillants des jours de grands paris.

— Dépêche-toi, Jeanine, habille la petite, on part pour Saratoga Springs.

— Saratoga Springs?

— Oui, Saratoga, aux États-Unis. C'est l'ouverture de la saison des courses de chevaux. On y va toute la gang, *mes amis et moi. Et on emmène les femmes et les enfants.*

— Non, j'y vais pas.

— Aye! tu viens! Pis, dépêche!

— Non, Gerry, je veux pas y aller.

Gerry gifla Jeanine et se mit à la secouer au bout de ses bras.

— O.K., ma maudite, reste là, si tu veux. Mais j'amène la petite.

Il attrapa l'enfant, fourra dans un sac d'épicerie quelques vêtements pris au hasard et s'engouffra dans la voiture avant que Jeanine, encore abasourdie par la raclée, n'ait le temps de réagir. De sa chambre, Christian entendit claquer la porte.

On resta sans nouvelles du père et de l'enfant pendant plusieurs jours. Jeanine pensa devenir folle. Où dormait sa puce? Se trouvait-elle bien au chaud, bien soignée? Mangeait-elle suffisamment? Gerry ne pouvait tout de même pas la garder avec lui toute la journée aux champs de course. Qui étaient les autres mères? Se chargeaient-elles de sa fille? Jeanine ne connaissait aucune d'elles. Elle regrettait de s'être entêtée à ne pas partir avec eux. Comment aurait-elle pu se douter que Gerry lui tiendrait tête et s'encombrerait de l'enfant pendant tout ce temps?

Elle craignait, au-delà de tout, qu'il ne perde patience et ne frappe la petite si elle se montrait indisciplinée. Il ne l'avait jamais touchée, mais avec lui, on n'était sûr de rien. Un soir de défaite où il aurait tout perdu, avec quelques verres dans le nez, il pourrait bien piquer une crise. Le jeu rendait cet homme détraqué, aucun doute là-dessus. Pourrait-il aller jusqu'à miser son enfant? Rien ne semblait impossible. Les journaux étaient remplis de ce genre d'horreurs, ces histoires d'enfants volés, pris en otage, vendus, échangés, et pourquoi pas, lancés dans une gageure! Cette idée saugrenue la rendit hystérique. Elle voulait appeler la police, téléphoner à un avocat, aviser la radio, la télévision, les journaux, l'ambassade, n'importe qui.

Christian, lui, demeurait silencieux mais serrait les poings à s'en rompre quasiment les jointures, obsédé par l'image du joueur de cartes qui l'avait jadis harcelé sexuellement. Si jamais l'un des compères de Gerry avait touché à sa sœur, il le tuerait sans hésitation. Tout de même, il ne croyait pas vraiment que le chien sale irait jusqu'à jouer l'enfant aux enchères. Mais la battre, oh! que si! Comme Jeanine, il tournait en rond autour du téléphone, convaincu de se faire répondre, au quartier général de la police, qu'on ne trouvait rien d'alarmant au voyage de quelques jours d'un père seul en compagnie de sa fille, même si sa femme avait refusé de l'accompagner. Une courte enquête prouverait que l'homme n'avait jamais abusé de la petite. D'ailleurs, au moment de partir, il n'avait proféré aucune menace et rien ne laissait croire à un rapt. Il suffisait d'attendre encore un peu et tout rentrerait probablement dans l'ordre.

Effectivement, le père et la fille revinrent au bercail au bout de la cinquième journée, sains et saufs. Gerry ne fournit aucune explication et se comporta comme si rien ne s'était passé. Le corps de la petite ne portait aucune marque. Son langage, encore rudimentaire, ne lui permettait pas de raconter ses aventures en détail.

— Z'ai zoué avec Terry, puis z'ai fait dodo avec papa. On a manzé chez McDo boucou de fois.

Christian en voulut davantage à Gerry pour cette fugue que pour tous les coups assenés à sa mère en dix années. Et il ne se pardonnait pas de l'avoir laissé partir avec Ariane sans broncher. Comme pissou, on ne faisait pas mieux!

Incapable de supporter cette piètre opinion de lui-même, il décida de faire un geste concret. Le soir même, il se rendit dans une boîte téléphonique, au coin de la rue, pour appeler son ami Martin.

— J'aurais un service à te demander. Pourrais-tu me trouver un fusil?

— Quoi?!? Mais qu'est-ce que tu veux faire avec ça? Christian, tu m'inquiètes. Tu vas bien, j'espère? Dis, tu vas pas te…

— Non, non, t'inquiète pas, je ne vais pas me tirer une balle dans la tête, si c'est à ça que tu penses.

— T'as pas envie de tuer quelqu'un, coudon?

— Es-tu fou? Je suis pas aussi maboul que ça, voyons! Non, je veux juste effrayer mon charmant beau-père et l'empêcher de recommencer ses folies. Il m'écœure depuis trop longtemps, ça doit arrêter. Je veux le voir chier dans ses culottes. Un simple fusil me donnera enfin le pouvoir de lui faire peur pour de bon.

* * *

Christian avait menti à Martin. Il ne se sentait pas du tout convaincu de pouvoir résister à l'idée de tourner l'arme contre lui-même et d'en finir une fois pour toutes. Il rangea soigneusement le vieux fusil tronqué dans sa valise rouge et la repoussa le plus loin possible sous le lit. L'occasion de s'en servir se présenterait bien d'elle-même.

Puis il essaya de l'oublier.

39

Minuit, chrétiens, c'est l'heure solennelle... Jamais le piano de Bonsecours n'a autant résonné. Autour de moi, assumant le rôle d'accompagnatrice, une dizaine d'hommes chantent d'une voix pénétrante. De belles voix d'hommes, pleines, chaudes, rondes et graves. Des voix attendries. On se croirait dans un monastère.

Sur le dessus de l'instrument, j'ai installé un minuscule sapin artificiel dont les lumières rivalisent avec les rayons du soleil versés à profusion en ce petit matin frisquet. Noël, en taule, se célèbre une semaine ou deux à l'avance, sinon davantage. J'avais prévenu mes élèves et quelques autres détenus : « C'est mercredi prochain, ma dernière présence avant les Fêtes. Venez vers neuf heures, on va fêter ! »

Ils sont venus, tout contents. L'un a apporté sa flûte, l'autre sa guitare, la plupart se contentent de chanter. Notre petite chorale improvisée s'en tire assez bien et attise la curiosité des passants du corridor qui s'attardent à la porte du studio.

— Eh ! venez ! Venez chanter cinq minutes avec nous !

Je ne les connais pas tous, mais qu'importe ! Ils entrent, hésitants. Pourquoi pas un petit écart dans l'horaire de leurs activités matinales ? Qui, ici, n'adore pas déroger aux règlements au moindre prétexte? Ce matin, il ne s'agit pas d'un prétexte, je le vois sur les visages discrètement émus. En peu de temps, le studio se remplit. Ils sont une vingtaine à se joindre à nous. Même le *récréologue* pousse une tête dans l'entrebâillement de la porte. Tous des hommes… La seule femme parmi eux, la tête penchée au-dessus du piano, a une boule dans la gorge et le cœur en train de fondre. S'en doutent-ils? Voient-ils mes mains trembler sur le clavier? Les accords d'accompagnement des chants de Noël me déroutent malgré leur simplicité. J'arrive mal à me concentrer, j'hésite, je cafouille. Et puis après? Ils ne le remarquent même pas, j'en suis sûre.

Derrière mon dos, je devine les regards tournés vers un ailleurs qui leur échappe. Et qui m'échappe, à moi aussi. *Sainte nuit, ô nuit de paix…* La mélopée monte, envoûtante, et semble s'infiltrer jusque dans les replis impénétrables des cœurs. Les voix se font chevrotantes, infiniment douces. Qui parmi eux a connu une véritable sainte nuit et peut chérir dans sa mémoire le souvenir d'une nuit de Noël heureuse, enveloppée d'amour, où *tout repose en paix*? C'est connu, la plupart des criminels ont vécu une enfance massacrée. Quelles images évoquent donc ces belles paroles chantées, ce matin, avec une telle intonation? Avec un tel cœur? Parmi eux se trouvent des fils, des pères de famille, des amoureux, des amants, des amis. Le vingt-cinq décembre, ils ne verront ni leurs parents, ni leur blonde, ni leur femme, ni leurs enfants. Ce jour-là, on ne reçoit pas de visites en prison à cause du congé des gardiens. Pour d'autres, la fête de Noël ne fait qu'aiguiser la douleur déjà vive de se sentir tout seul au monde. Il faut dire qu'ils sont nombreux, ceux qui ne reçoivent jamais de visiteurs. Rares sont les détenus qui s'en fichent, même s'ils feignent l'indifférence.

Bien sûr, Christian et Roger figurent sur la liste de mes invités officiels de la matinée. Tantôt, quand notre chorale improvisée se sera dispersée, j'entamerai, avec eux et mes quatre élèves, la bûche en pâte d'amande et chocolat que j'ai apportée. L'un des gars se chargera du café. Puis ils ouvriront mes cadeaux disposés autour du petit sapin. À mon étonnement, quelques paquets énigmatiques s'y sont ajoutés. J'ai hâte de les voir découvrir ma trouvaille : des tasses à café ornées de notes de musique. Oh ! rien de très personnel, à vrai dire, mais ces six petits présents m'ont coûté les yeux de la tête. Pour les amateurs invétérés de café qu'ils se révèlent tous être, ces tasses demeureront un souvenir tangible de quelques moments agréables vécus autour d'un piano de prison. Puis, je leur distribuerai mon conte de Noël écrit chaque année pour mes élèves et mes amis, c'est une tradition. Au bas de chaque copie, j'ai rédigé à la main des vœux personnalisés pour chacun.

Mes cadeaux leur plaisent. On m'embrasse, on s'exclame, on se pâme et on sourit. L'effet escompté s'est produit, merci, mon Dieu ! Puis vient mon tour de déballer les paquets mystérieux. Je suis comblée. Billy m'a fabriqué une magnifique tasse en céramique aux teintes d'orange et d'or. Nous nous esclaffons. Tu parles ! Quelle coïncidence d'avoir eu la même idée, lui, limité aux seules possibilités du petit atelier de poterie du socio, moi, fixant mon choix parmi les millions d'objets offerts dans les magasins. Je m'en trouve ravie. Michel, lui, a peint sur une toile rectangulaire un oiseau blanc qui prend son envol hors de sa cage. Il a même peint à la main le papier d'emballage ! Des heures et des heures de travail… Je suis très touchée.

— Cet oiseau-là, Michel, me fait penser à toi. Tu vas retrouver ta liberté bientôt, n'est-ce pas ?

— Moi, cet oiseau blanc ? Mais voyons, Françoise, tu ne m'as jamais regardé comme il faut !

Michel se met à rire de toutes ses dents éclatantes. De tous les Haïtiens qui habitent la province, il est certainement le plus noir !

Roger et Matthieu m'offrent des poèmes recopiés sur de jolies cartes de Noël peintes à la main. Le grand Luc, un nouveau depuis quelques mois, se montre impatient de m'offrir son cadeau. Il m'ordonne de m'asseoir et de fermer les yeux. Non seulement je ferme les yeux mais je retiens ma respiration. Que va-t-il se passer ? Autour de moi, personne ne bouge ni ne dit mot. Quelques secondes encore et bientôt, les accents de la guitare remplissent l'espace et m'emportent sur une musique envoûtante. *Jeux interdits* de Yepes, admirablement interprété. Je me sens émue. C'est beau à pleurer. La douce paix, la voilà… Je la sens m'envelopper, m'envahir tout entière, palpable et pénétrante. Mes compagnons partagent-ils le sortilège ? Oui, je crois… Leur immobilité qui prolonge le silence, une fois l'interprétation terminée, me paraît plus éloquente que les applaudissements les plus zélés. Moment de grâce, moment d'éternité. Un ange vient de passer dans le studio.

– Je l'ai appris expressément pour toi, Françoise.

Tant de sensibilité, tant de raffinement sous la carapace de ce gros ours mal léché. Une allure de gourou, chevelure embroussaillée, barbe rousse hirsute, tatouages multiples. Luc… le prétendu sauvage, le dur de dur qu'un simple air de musique peut faire brailler ! D'où lui vient cette tendresse avec laquelle il touche sa guitare ? Comment ce grand diable réussit-il à nous prendre par la main et à nous mener jusqu'à l'intérieur de nous-mêmes ? À chavirer nos âmes à ce point ?

Un jour, il y a quelques mois, il ne s'était présenté que dix minutes avant la fin du temps alloué pour sa leçon. J'avais cru à sa défection définitive, ce matin-là, ce qui ne m'aurait pas surprise. Mais non, tout à coup, il était entré en trombe dans le studio en tenant son cartable à bout de bras. Il s'était aussitôt installé au piano et s'était mis à jouer non sans m'avoir dardée du regard pendant un long moment, avec un air de défi. Je me sentais dans mes petits souliers.

— Écoute ça, Madame Piano!

Il s'était tiré d'affaire à merveille avec un arrangement de *Pour Élise* sur lequel il avait certainement bûché toute la semaine. Je m'étais empressée de pousser des cris d'admiration et d'apposer dans son cahier le plus gros et le plus beau de mes collants. Il m'avait gratifiée de son plus doux sourire et il était reparti sur-le-champ en criant bien haut:

— Je le méritais, celui-là!

En réalité, ces derniers temps, je ne lui donne plus véritablement de cours de piano quand il vient. Il a pourtant réussi à apprendre tant bien que mal, sur le clavier, quelques compositions de Beethoven trop difficiles pour lui. Il n'en est venu à bout qu'à force de détermination et d'acharnement. Puis un jour, il a renoncé. «J'en ai assez! Mon instrument, c'est la guitare, pas le piano!» Alors, nous avons commencé à répéter des duos classiques pour piano et guitare. J'ai fouillé dans le répertoire et déniché quelques bons cahiers. Cela m'oblige à m'exercer durant la semaine et j'y prends infiniment de plaisir. Lui aussi adore cela, je crois, puisqu'il se présente avec assiduité, ses pièces bien préparées et minutieusement travaillées sur sa guitare classique. Nous les choisissons et les travaillons ensemble, et nous en avons même enregistré quelques-unes sur une cassette. Souvent, il me répète, mi-figue, mi-raisin:

— Françoise, tu es la seule personne au monde de qui j'accepte de recevoir des ordres, estie!

Mais il ne manque jamais d'ajouter:

— En musique, naturellement!

En cette fête de Noël, *Jeux interdits* mérite finalement un tonnerre d'applaudissements. Le grand Luc va se rasseoir, rougissant malgré lui.

Christian, quant à lui, s'est présenté à notre petite réunion les mains vides. Il s'en excuse, l'air piteux.

— Je suis désolé, Françoise, je n'ai rien à t'offrir.

— Mais voyons! Ça n'a pas d'importance! Ta présence me suffit. Je te vois si peu depuis ton élection. Monsieur, perché sur son piédestal de président, oublierait-il parfois ses vieilles amies?

— Ris pas de moi, Françoise!

— Je ne ris pas de toi, au contraire! M'ennuie de mon petit Christian, moi… Je suis en manque, moi qui adore les présidents!

Son sourire soudainement lumineux me vaut tous les cadeaux de Noël. Pourtant, à son arrivée, j'ai cru déceler une pointe d'amertume au fond de son œil. Je le trouve taciturne malgré ses efforts évidents pour participer à la fête. Je me rappelle les appréhensions de Roger à son sujet, l'autre jour, et cela m'inquiète un peu. Au moment du départ, je le presse sur mon cœur comme chacun des autres pour lui souhaiter un Noël sinon joyeux, du moins heureux. Je sens ses bras me serrer plus fort et plus longtemps qu'à l'accoutumée. Cela suffit pour confirmer mes doutes. Le désarroi habite mon jeune ami. Je le sens, cette étreinte ressemble à un appel au secours.

— Christian, reste un peu, veux-tu? Tu ne prendrais pas un deuxième café avec moi? On n'a pas jasé depuis une éternité!

— On n'a pas le temps, midi va sonner et je dois retourner dans ma cellule pour le décompte.

— Ça va bien dans ta vie, dis?

— Bof… oui, ça va pas mal.

– Toujours en amour ?

– Je sais plus ! Et puis…

– Et puis, quoi ?

Christian mord à l'hameçon et décide en fin de compte de s'installer quelques instants à califourchon sur une chaise. Il me raconte une anecdote, survenue la semaine précédente, qui a failli tourner au vinaigre. Il s'en est fallu de peu, semble-t-il, pour qu'il se retrouve au trou et perde sa fonction de président.

– Dieu merci, personne n'a été témoin de la scène. Mais je ne suis pas fier de moi, Françoise. Pas du tout ! Un germe de violence m'habite encore, et ça me désespère. Ça m'effraye, surtout…

– Tu m'intrigues. Que s'est-il passé ?

– Un bonhomme pas très brillant, un fanfaron et provocateur émérite qu'on dit souffrir de schizophrénie, ne cessait de me harceler depuis son arrivée ici, il y a un an. Dès qu'il se trouvait sur mon passage, il s'amusait à rabaisser ma casquette sur mes yeux et à me donner des bourrades dans les épaules et les bras avec ses gros doigts sales. Même s'il prétendait agir « juste pour rire », je l'ai toujours prié poliment de cesser son manège. Mais l'imbécile me tenait tête. À la longue, il en est venu à me taper royalement sur les nerfs. Il y a quelques jours, j'ai perdu le contrôle et lui ai assené un puissant coup de poing sur le nez. Le bonhomme est tombé par terre et il a commencé à saigner du nez…

– Ouille… Et ça s'est terminé comment ?

– J'ai aidé le gars à se relever. Heureusement, aucun gardien ne se trouvait sur les lieux à ce moment-là. Il n'a pas porté plainte, je pense qu'il a compris le message. Mais les choses auraient pu tourner mal, crois-moi !

— N'importe qui aurait perdu patience dans une telle situation. Certaines personnes ne comprennent pas d'autre langage que celui des poings. Tu le sais mieux que moi!

— Non! J'ai frappé un malade mental qui n'est pas en possession de tous ses moyens. On ne règle pas ce genre de problème de cette façon. Quand je pense que ce débile est revenu faire amende honorable encore une fois, hier… pour la dixième fois! Je recommence à en avoir assez…

Le timbre annonçant la fin de la matinée se fait entendre. Il faut partir, je dois fermer boutique. Je dépose un rapide baiser sur la joue de mon ami, frustrée de ne pas disposer de plus de temps pour continuer notre conversation.

— Écoute, Christian, voici mon numéro de téléphone à la maison. Appelle-moi durant les vacances de Noël. On prendra le temps de jaser. En attendant… Joyeux Noël!

— C'est promis. Et Joyeux Noël à toi aussi, Françoise!

Son air affligé et son pas traînant ne me rassurent guère.

40

Christian ne m'appelle qu'au bout de dix jours, le matin de Noël, vers onze heures. Je l'entends s'excuser encore pour ne pas m'avoir offert «au moins une carte de Noël», lors de ma dernière visite à Bonsecours. Je le laisse parler, il semble en veine de placotage. Naturellement, il ignore que j'attends trente personnes pour le dîner et que, dans quelques minutes, les invités commenceront à appuyer sur la sonnette. Qu'importe! J'ai voulu donner une place à cet homme-là dans ma vie, ce matin, il a la priorité.

— Tu sais, Françoise, le jour de Noël est la journée de l'année la plus difficile à vivre en prison. On réduit le personnel au minimum, et rien ne se passe. La plupart des détenus font la gueule, certains pleurent ou se lamentent au fond de leur cellule. Tous se sentent retranchés de la vraie vie. Rien de jojo, je te jure!

— Mais toi, tu n'es pas seul. Claude doit se trouver à tes côtés, je suppose? On m'a dit qu'il est revenu à Bonsecours.

— Justement, je n'ai rien à foutre d'un voleur! Ce gars-là n'a pas de cœur au ventre, il a récidivé après seulement quelques jours de liberté, et ça me fait chier. Il m'avait promis de changer de vie. Il devait se dénicher un emploi et préparer ma venue, si jamais j'arrive à sortir de ce gouffre… Je suis tellement déçu de lui, Françoise, tu ne peux pas imaginer. Ces beaux rêves qu'on avait élaborés ensemble…

— Je te comprends! Si seulement tu évoluais dans un autre milieu, tu pourrais trouver quelqu'un d'autre, quelqu'un de ta trempe et de plus convenable. Quelqu'un à ta mesure.

— Mais je l'aime encore. Du moins, je le crois.

— Quoi te répondre, Christian? Chaque année écoulée te fait avancer. Le compte à rebours va bon train. Tu vas probablement quitter Bonsecours au cours de la nouvelle année. Tu peux au moins te réconforter avec ça. Oh! la liberté ne garantit pas le bonheur, tu le sais certainement mieux que moi, mais la vie courante offre tout de même un antidote aux peines d'amour. Mieux vaut brailler sur un banc de parc que les mains agrippées aux barreaux d'une fenêtre de cellule!

— Oui, on peut se changer les idées, dehors…

— Au moins, pour ce jour de Noël, tu as la chance d'avoir ton père avec toi.

— La chance? T'es pas sérieuse! Ce vieil emmerdeur me lâche pas d'une semelle, comme si j'étais encore un bébé, et tu appelles ça une chance? S'il voulait prendre soin de moi, il aurait été mieux avisé de le faire quand j'étais enfant et adolescent! À ce moment-là, j'avais besoin de mon père. Pas maintenant! À présent, il m'énerve avec sa sollicitude et ses soins intensifs. Qu'il me fiche la paix! S'il s'imagine se racheter par une présence quotidienne de casse-pied, il peut aller se faire foutre, le paternel. J'ai pas besoin d'une teigne pareille dans ma vie! La paix, Françoise, la paix… Je désire seulement ça!

Jamais je n'ai entendu Christian s'exprimer de la sorte. Le garçon pondéré laisse voir ce matin un être frustré, enragé, excessif. Comme si les vannes venaient de se rompre pour laisser jaillir la rage accumulée au fil des rancœurs anciennes. Des rancœurs jamais exprimées ni réglées, comme de vieilles blessures non guéries. Vas-y, mon Christian, vide-toi de ce trop-plein de souffrance, tu te sentiras mieux par la suite. Même si rien n'est résolu pour autant...

Pourtant, à l'autre bout du fil, je reste sans voix. Le geste d'écouter suffit-il à consoler? Se contenter de dire «je te comprends» et rien de plus... Pourquoi le silence serait-il plus éloquent que les mots qu'on a envie d'entendre?

Le bruit de mes filles et de mon mari s'affairant dans la cuisine parvient jusqu'à moi. Notre festin de Noël sera somptueux. Et le père Noël apparaîtra dans quelques minutes sous les regards impressionnés de mes petits-enfants. Il distribuera à chacun des gâteries choisies avec générosité. Ma maison m'apparaît soudain remplie d'amour et j'en prends une conscience aiguë, en ce moment même, le récepteur collé sur l'oreille.

– Christian, tu demandes la paix... Elle ne viendra de nulle part ailleurs que de toi-même. Parfois, on doit la réinventer, la re-dessiner, la paix. Souvent même, elle exige un pardon... Et un pardon, ça coûte cher! Des fois, ça gruge l'orgueil et ça ronge la fierté. J'ignore ce que tu as à pardonner à ton père. Mais je te souhaite d'arriver, en ce jour de Noël, à ne plus lui en vouloir. Là seulement, tu te sentiras mieux. Fais-toi ce cadeau-là pour une fois.

– Ça n'a rien à voir avec l'orgueil, Françoise, mais plutôt avec la rancune. Ah! ça, la rancune... Une vraie crotte sur le cœur! J'essaye depuis longtemps, j'essaye très fort de lui pardonner, je te le jure. Ce cri muet... comme un caillou incrusté là, au fond de ma gorge, et qui ne veut pas sortir de moi. Je n'arrive pas à l'extirper, tu comprends?

— Si je comprends ? Écoute-moi bien, je vais te confier une chose qui va te surprendre. Quelque temps après t'avoir entendu me parler de ton cri, j'ai crié pour toi de toutes mes forces au-dessus de la mer, un matin de bourrasque où je me trouvais sur la terrasse d'un chalet en Gaspésie. Étrangement, j'avais le sentiment de t'aider en faisant ça. Peut-être mon amitié pour toi a-t-elle germé à ce moment précis, qui sait ? Tu m'avais parlé de ce cri qui t'étouffait. Alors, ta grande amie a crié pour toi, ce jour-là, Christian...

— Tu as fait ça pour moi ? J'en reviens pas ! Et tu l'as jamais dit !

— J'ai gardé ce moment secret, mais j'y songe souvent. Mon cri avait l'intonation d'une prière, je crois. Un cri dans l'espace, dans l'immensité. Un cri vers Dieu... Mais, tu sais, je voudrais tant le transformer et le prolonger d'une autre manière, ce fameux cri !

Je n'ose aller au bout de ma pensée et lui reparler de mon désir d'écrire sa vie. Pas aujourd'hui. Aujourd'hui, c'est Noël, fête de l'espoir. C'est pourtant au moment de ce cri sur la falaise que l'idée d'écrire sa vie a surgi.

J'entends sonner à ma porte, les invités commencent à arriver. À l'autre bout du fil, Christian exhale des petits soupirs étouffés dans mon oreille. Il ne réalise pas qu'on me réclame de tous côtés.

— Tu me donnes envie de pleurer, Françoise. Je... je suis tout ému. Merci d'avoir fait ce geste pour moi. Il confirme ton amitié... *Wow* ! Je possède une véritable amie ! Tout à coup, je me sens riche.

— Comme si tu l'apprenais à l'instant même ! Eh ! bien, pleure, mon beau Christian, si ça peut te libérer un peu. Cet après-midi, quand je jouerai du piano entourée de ma famille, je chanterai pour toi. Pour que tu trouves enfin la paix.

– Françoise, tu viens de me donner un merveilleux cadeau de Noël. Tu ne m'en veux pas, dis, d'avoir rien à t'offrir ?

– Rappelle-moi en fin de soirée, si tu veux. Pour... pour me rassurer. Mes invités seront repartis, on aura plus de temps pour jaser. Ça suffira comme présent pour la mère Noël. Ho ! Ho ! Ho !

Et je me mets à imiter le rire gaillard du bonhomme Noël d'une voix quelque peu chevrotante. Un rire qui sonne faux...

Certains, parmi les miens, remarquent-ils les larmes qui embrument mon regard, quelques heures plus tard, lorsque nous entamons tous en chœur, autour du piano : *Peuple debout, chante ta délivrance...* ?

Dehors, il neige doucement, et les mésanges batifolent joyeusement autour de la mangeoire. Dans la cheminée, le feu crépite. Je regarde le soir tomber tout doucement sur ma maison devenue soudainement silencieuse. Petit enfant de la crèche, donne la paix à mon ami. Ah ! pouvoir encore crier...

À ma grande déception, Christian Larson ne me rappellera pas, ce soir-là.

41

L'invraisemblance

*Pendant quelques mois, Christian n'ouvrit pas la valise rouge.
Pas une seule fois. Mais il n'arriva pas à oublier l'existence de
l'arme. La présence, sous le lit, de la vieille vingt-deux rouillée le
fascinait et le hantait en même temps. Avec ce fusil à portée de la
main, il se sentait omnipotent : il disposait dorénavant d'un plein
pouvoir sur la vie et sur la mort de son ennemi. À la longue, ce
pouvoir devint une obsession.*

*Le premier coup dur survint au début de l'été suivant. Sarah lui
annonça sans ménagement qu'elle le quittait définitivement après
un an de fréquentations.*

*— Je retourne en France et, cette fois, j'y resterai vraiment tout
l'été. Pas question de tricher ! Au retour, à l'automne, je pars pour
Ottawa où l'université vient de m'accepter en droit. Tiens, regarde,
j'ai reçu ma réponse, ce matin.*

*Christian ne daigna même pas jeter un regard sur le formulaire.
De toute manière, cela ne changerait rien à sa situation. Encore
une fois, on l'abandonnait, on l'évinçait du décor. En outre, le
destin s'amusait à l'écarter de son propre chemin. Aujourd'hui
même, il avait reçu par la poste deux enveloppes de malheur.*

Il envia Sarah. À chacun son courrier! L'un des envois stipulait, une fois de plus, qu'il n'était pas admissible au programme de prêts et bourses pour lequel il avait fait une deuxième demande quelques mois auparavant. Pire, l'autre enveloppe contenait un avis de mise à pied de son employeur pour une période indéterminée, le contrat actuellement en cours devant échoir dans quelques semaines. «À moins d'un revirement de situation, nous avons le regret de…» Regret, mon œil! pensa Christian. Encore un autre qui se débarrasse de moi!

N'existait-il donc pas une place pour lui quelque part dans cet univers de merde? Depuis ses amours avec Sarah, il n'avait ni retouché à la drogue ni revu les amis de Martin. Sa relation avec la jeune fille aurait au moins eu l'effet bénéfique de l'amener à vivre une vie rangée. Il se montrait pourtant ponctuel au travail et fidèle en amour. Mais soudain, sans crier gare, on lui retirait tout. Plus de blonde, plus de boulot, plus de projet d'études, plus d'argent, plus d'amis, plus rien. Le vide absolu, effrayant. Le trou.

Il ne lui restait pas cinquante-six solutions. Le dernier geste de l'homme de la maison serait un geste d'homme courageux: un, deux, trois, bang sur la tempe! Et tout serait fini, enfin! On ne parlerait plus de lui qu'au passé. Sa mère et Lison se lamenteraient bien un peu, Gerry, pas du tout. La petite Ariane se rendrait compte de son absence durant quelques jours, puis l'oublierait. Le spectre de Christian Larson tomberait rapidement dans la noirceur des mémoires, il n'en doutait pas une seconde. Si Dieu existait réellement, peut-être lui l'amènerait-il dans un lieu où ni le rejet ni la violence n'existaient? Au fond, il n'avait demandé que cela à la vie: un havre de paix et d'harmonie. Ce lieu ne semblait pas exister pour lui sur cette planète. Sans doute la mort l'y conduirait-elle enfin.

Il sortit le fusil de la valise, y introduisit deux cartouches, et le glissa furtivement dans son sac à dos qu'il laissa traîner négligemment sur la chaise, au pied de son lit. Personne ne le trouverait puisque personne ne s'intéressait à lui.

* * *

Les nouvelles de fin de soirée à la télévision s'achevaient sur une note positive. Le gouvernement promettait des subventions aux petites et moyennes entreprises afin de parer au chômage grandissant.

— On va probablement te rappeler au travail, mon gars.

Jeanine et Gerry se montrèrent pleins d'optimisme. Mais Christian ne répondit pas, tirant sur sa cigarette d'un air impassible. Cette bonne nouvelle ne le concernait plus. Il avait fini de se battre.

Quelqu'un se mit à frapper avec insistance à la porte de la cuisine. Qui ça pouvait-il être à cette heure tardive? Christian se leva d'un bond pour aller voir. À travers la vitre, il identifia aussitôt le regard oblique, les traits fins déjà ridés, la bouche bien dessinée. Cette bouche qui savait si bien ébaucher un sourire enjôleur. Un sourire jamais oublié... Roger!

— Coucou, c'est moi!

— Papa? Qu'est-ce que tu fais ici? Lison dort chez une copine, ce soir. Aviez-vous rendez-vous?

— Non, non, je veux juste parler à ta mère une minute.

— Entre.

Cette fois, le sourire paraissait plutôt factice. Christian trouva son père plus chétif, plus frêle que dans ses souvenirs. Enfant, il le voyait comme un colosse, mais, en ce moment, il lui semblait affaissé, écrasé par un poids invisible. L'homme chercha de l'œil la vieille chaise berceuse et s'y laissa tomber lourdement. Jeanine se montra surprise mais contente de le voir. Elle lui offrit une bière.

— Ça va te retaper. Tu m'as l'air d'en avoir besoin! Attends, j'appelle Gerry.

Christian préféra s'esquiver. Cette arrivée à l'improviste le prenait au dépourvu. Les problèmes de Roger, il s'en fichait et s'en contrefichait, il ne voulait même pas en entendre parler. Son père était bien la dernière personne qu'il avait envie de rencontrer, ce soir-là. Il s'en alla faire une longue promenade, mains dans les poches, les poings blancs de rage. Ah... en finir une fois pour toutes!

À son retour, deux heures plus tard, il trouva Roger endormi dans sa chambre, à plat ventre sur son lit non défait. Jeanine, frissonnant dans sa robe de chambre, avait attendu le retour de son fils.

— Viens, j'ai à te parler.

— Qu'est-ce qu'il fait là, lui, dans mon lit?

— Ton père éprouve de graves difficultés en ce moment. Nathalie vient de le mettre dehors, car elle s'est entichée d'un autre type. Comme Roger se trouve en chômage depuis plus d'un an et qu'elle assumait seule le loyer et l'épicerie, elle n'a pas hésité longtemps à lui désigner la porte. Il n'a pas de place où aller, cette nuit, et il a pensé frapper ici. On ne peut pas le laisser dans la rue, il est tout de même ton père et celui de Lison. Nous en avons discuté, Gerry et moi, et nous sommes d'accord: Roger restera ici le temps de se trouver un travail et un logement décent.

— Quoi!!! Il va rester ici? Mon père va rester ici? Êtes-vous devenus fous?

— Pour une courte période de dépannage seulement. Quelques jours... ou quelques semaines tout au plus. Nous avons pensé que tu accepterais de lui prêter ta chambre. Le beau temps est revenu, tu pourrais camper dans la cour. Après tout, il s'agit d'une situation temporaire.

Christian n'en revenait pas. Les deux maris dans le même lieu, en même temps ! L'incroyable, l'impensable, le bout du bout ! Dans quelle maison de débiles vivait-il donc ? Dire qu'il avait espéré le retour de son père pendant tant d'années ! Voilà qu'il se pointait sans prévenir et entraînait toute la famille dans une situation complètement absurde. Inimaginable ! Et il ne revenait pas pour retrouver sa femme et ses enfants, non ! Il revenait pour mendier ! Et on le mettait à la porte, lui, Christian, à cause de cette aberration. Hors de son lit, hors de sa chambre, hors de sa maison ! Dans la cour, le fils de la famille ! Fais place au roi Roger !

— Et Gerry, il accepte ça ?

— Oui, pourvu que Roger paye une pension avec son chèque de l'aide sociale.

Ainsi, Gerry se trouvait prêt à n'importe quelle bassesse pour l'amour d'une piastre de plus. Le plus gratteux d'entre les grippe-sous du pays ! songea Christian. Un rat ! Il le détesta plus que jamais. À vrai dire, il voyait un seul avantage à cet arrangement bizarre : Gerry n'oserait pas battre Jeanine tant et aussi longtemps que Roger resterait dans le décor. Cela procurerait à sa mère une période de trêve, car son estomac faisait encore des siennes. Et lui, Christian, pourrait réduire sa surveillance. L'adolescent prétendait se ficher de sa mère ou du moins tentait-il de s'en convaincre mais, en réalité, il scrutait à la loupe tous les états d'âme du joueur afin d'y déceler les signes avant-coureurs du danger.

D'un autre côté, l'arrivée de Roger l'emmerdait. Sa présence ravivait une colère viscérale, enfouie en lui comme un feu sournois couvant sous les braises. Un feu prêt à dévorer celui qui l'avait jadis abandonné. Pourtant, quelques semaines auparavant, Christian l'avait une fois de plus appelé au secours dans le tréfonds de son cœur. Mais l'homme devant lui ne ressemblait en rien à l'être fort, au sauveur qu'il suppliait silencieusement de venir. Le type larmoyant surgi ce soir lui tendait la main, certes, mais pour quémander et non pour soutenir. Cet homme ne lui était plus rien.

Rien d'autre qu'un vulgaire étranger venu lui voler son plumard. Christian Larson n'avait vraiment plus de père.

Le garçon sentit encore une fois son univers basculer. Il venait d'atteindre la limite du supportable. Il s'en fut au fond du jardin monter sa tente et installer son sac de couchage encore imprégné des odeurs de Sarah. Puis, il s'empara de son sac à dos alourdi par le fusil et le glissa à ses pieds. L'arme… Surtout, ne pas se séparer d'elle. À trois heures du matin, il réveilla Martin au téléphone.

— Martin? Écoute, j'arrive pas à dormir, je suis sur la corde raide. Aurais-tu du crack ou quelque chose du genre? Quelque chose de fort. J'en ai un urgent besoin.

Au fond du jardin, un criquet chantait toute la désolation du monde.

42

Le faux espoir

Contrairement aux prévisions, Roger et Gerry firent bon ménage. Depuis plus d'un mois, l'ex-père – c'est ainsi que Christian le considérait – avait transporté ses pénates à Boucherville. Jeanine paraissait presque heureuse entre les deux hommes qu'elle dorlotait à outrance, prévenant leurs moindres désirs. Ils auraient dû se détester, s'entre-déchirer, comme tous les mâles face à une femelle unique. Mais eux semblaient avoir établi un terrain d'entente où chacun trouvait son compte. Gerry avait conservé, bien sûr, tous ses pouvoirs de dictateur et de tyran, et demeurait le chef incontesté et incontestable, l'époux disposant de tous les droits, au lit comme dans les autres sphères de la maison. Roger, plus réservé et discret, gardait ses distances. Il avait adopté l'attitude du serviteur humble et effacé, tributaire du grand maître. Il se montrait toujours prêt à rendre service, à se transformer en bricoleur ou en rénovateur, ce qui faisait bien l'affaire de Gerry. Curieusement, il manifestait peu de zèle à se chercher du travail.

À quelques reprises, il avait tenté un rapprochement avec Christian. Le jeune homme fuyait à tout coup, comme si chacune de ces initiatives contribuait à l'éloigner davantage de l'intrus qu'il ne connaissait plus et ne voulait plus connaître.

— Eh Christian! Viens donc au bar avec moi, je t'offre une bière!

— Ah! non, j'ai pas soif. Je suis fatigué.

— Viens au moins fumer une cigarette sur le balcon en arrière.

— Tu vois bien que je regarde la télé!

— Christian, je voudrais te parler. Je pense que toi et moi, on a des choses à se dire.

— Ça m'intéresse plus.

— Je regrette mes erreurs du passé, je voudrais que tu comprennes. J'aurais dû... Tu...

— Bien là, il est trop tard! Fiche-moi la paix!

Si Roger s'imaginait qu'il allait réveiller le passé et rouvrir des plaies à peine cicatrisées, il se mettait le doigt dans l'œil jusqu'au fond du crâne! Christian n'avait que faire de sa sollicitude et de sa considération calculées. Qu'il lui fiche la paix, c'est tout ce qu'il demandait. Et qu'il retourne donc à ses pitounes à gros seins, ce vieux vicieux qui ne méritait même pas le titre de père! Il leur avait donné la priorité pendant dix ans, qu'il s'en retourne donc avec elles! Christian éprouvait suffisamment de difficulté à se maintenir la tête hors de l'eau sans s'encombrer d'un ex-père rongé par le remords.

Plus Roger insistait, plus Christian haïssait cet homme qu'il tenait pour responsable de sa misère. Détester un absent s'était toutefois avéré plus facile que de supporter concrètement un être réel et trop présent dont les défauts et les tics le mettaient hors de lui. Il ne pouvait souffrir ses éclats de rire intempestifs ni ses regards insistants de bougre repentant. Et cette façon qu'il avait de mettre sa main lourde de protecteur sur l'épaule du jeune homme, cette main trompeuse qui n'avait jamais su le protéger... « Ne me touche *pas, tu n'as pas le droit, tu n'as plus aucun droit sur moi. Je ne veux même pas que tu me regardes. Va-t'en, vieux sans-cœur ! »* Mais Christian se taisait et ravalait ses récriminations, de plus en plus convaincu que seule sa propre mort le libérerait enfin de cette insoutenable rancœur.

Et pourtant, certains jours, en observant Roger et Jeanine ensemble dans la cuisine, il se prenait à rêver que ses parents redeviennent amoureux et jettent carrément Gerry à la porte. Mais, en réalité, les anciens conjoints restaient éloignés l'un de l'autre, incapables d'établir entre eux un terrain propice à la confidence, du moins en présence de Christian et, il va sans dire, de Gerry.

Pourquoi, d'ailleurs, aspirer à rebâtir un passé qui avait échoué et s'ingénier à rabouter des matériaux pourris ? Il ne restait plus rien de la Jeanine d'autrefois, la jolie amoureuse qui croyait candidement au bonheur et aux joies familiales. Ses enfants avaient grandi, et elle s'était transformée en une marionnette fragile qu'un être bestial manipulait à volonté. Quant à Roger, l'être fougueux et ardent qui construisait des avions avec le mécano de son petit garçon n'existait plus. Non, à bien y songer, on ne réédifie rien de bon avec des débris et sur des ruines. Le simple pardon ne suffisait pas.

Christian imaginait assez bien la réaction de Gerry se faisant évincer par l'ex-conjoint. Pour sûr, il les tuerait tous ! Mieux valait éliminer cette perspective et laisser le destin accomplir lui-même son œuvre. Tôt ou tard, Roger finirait bien par repartir.

Le plus tôt serait le mieux. Sinon, c'est lui, Christian Larson, qui disparaîtrait.

43

L'aboutissement

Ce soir-là, il avait été entendu qu'une partie de billard aurait lieu au Pool Room de Sorel entre Gerry, Roger, Christian et son ami Martin. « Une sortie entre hommes », avaient-ils annoncé à Jeanine, tout heureuse de voir « ses » hommes si bien s'entendre.

— Il n'y aura pas de gageure, j'espère ? Méfiez-vous, Gerry est un expert là-dedans !

Elle se mit à rire, mais personne ne se donna la peine de répondre. Gerry lui jeta un œil torve qui n'annonçait rien de bon.

— Eh ! toi, la femme, de quoi tu te mêles ?

Roger prétexta quelques courses pour disparaître aussitôt.

— Les gars, partez sans moi, j'irai vous rejoindre là-bas, je dois aller chercher mes pneus au garage.

Gerry profita du départ de Roger pour saisir Jeanine par les cheveux et lui frapper la tête sur l'armoire.

— Toi, ma maudite, mêle-toi de ce qui te regarde. T'as pas d'affaire à parler avec ton ex de mes gageures ! Compris ?

— Compris, Gerry, compris !

Lorsqu'ils quittèrent la maison, Jeanine gémissait de douleur, la tête appuyée sur la table de la cuisine, pendant que la petite Ariane hurlait à ses côtés. Christian leur jeta un coup d'œil. Puis il lança négligemment son sac à dos dans la voiture de Gerry et se glissa sur le siège arrière. Martin s'installa en avant, du côté du passager.

— C'est ce soir qu'on lave notre linge sale.

Christian se demanda longtemps s'il avait prononcé cette phrase à voix haute ou s'il ne l'avait que pensée intérieurement.

* * *

La tombée du jour allumait un incendie dans le ciel. La voiture de Gerry roulait bon train le long du fleuve lorsque la voix de Christian brisa le silence.

— Eh! dites donc, les gars, si on fumait un petit joint en attendant que Roger nous rejoigne? On pourrait s'arrêter sur ce terrain vague, là-bas, au bord de l'eau. À cette heure-ci, y a personne.

— Bonne idée! Je pense même qu'il y a de la bière dans le coffre de la voiture.

Christian n'avait pas d'idée préconçue en proposant cet arrêt, sinon de mettre les choses au clair et d'aviser le monstre que s'il ne cessait pas d'agresser Jeanine, c'est lui-même, Christian Larson, qui s'en occuperait. Il lui montrerait l'arme qu'il possédait pour lui prouver le sérieux de ses avertissements. Le déferlement de violence dont il venait d'être témoin dans la cuisine lui donnait le courage de franchir le pas. La goutte de trop… Il ignorait jusqu'où il pourrait aller avec ses menaces, mais peu importe, il n'en pouvait plus. Au fond, cette conversation avec Gerry représentait une dernière chance bien plus pour lui-même que pour sa mère.

« Ce sera lui ou moi. S'il bronche pas à la vue de mon fusil, s'il jure pas fermement de laisser ma mère tranquille, je me tire une balle dans la tête devant lui. C'en sera fini pour moi de cette merde. J'ai plus rien à perdre, de toute façon. »

— *Martin, laisse-nous seuls, veux-tu? Gerry et moi, on a affaire à se parler. Va faire un tour, tu reviendras dans une demi-heure.*

Martin ne se fit pas prier et s'achemina lentement vers le sentier longeant un petit boisé tout en caressant du bout des doigts le sac de plastique qui se trouvait au fond de sa poche. Les deux autres restèrent assis dans l'auto pour fumer leur joint, une bière à la main. Du siège arrière, Christian voyait de biais le profil de Gerry. Il détestait cette face bouffie, ces lèvres dégoûtantes, ce crâne violacé… Un méprisable de la pire espèce! Il réprima une envie de lui cracher dessus.

— *Aïe! toi, le gros! Quand est-ce que tu vas arrêter de battre ma mère?*

— *Ça, mon ti-cul, ça te regarde pas.*

— *Ma mère, c'est ma mère, et ça me regarde, O.K.?*

— *Ta mère, je peux lui en faire baver tant que je veux, elle se tannera jamais. C'est une grosse épaisse comme toi, tu t'en es jamais aperçu?*

— *Maudit salaud!*

— *Épaisse, pis aussi lâche que son fils!*

— *Laisse-la tranquille, vieux chien sale!*

— *Si elle est assez folle pour se laisser faire, tant pis pour elle! C'est pas mon problème!*

— *Regarde, Gerry, j'ai un fusil. Si tu lui fiches pas la paix, à ma mère, la prochaine fois, je… je vais te tuer.*

— *Peuh! Penses-tu me faire peur avec ça? T'es bien trop couillon pour tirer! Ça fait dix ans que je te regarde aller, espèce de dégonflé, même pas capable de lever le petit doigt pour défendre ta mère!*

— *Ah non?*

— *Aïe! toé, le jeune, arrête de m'écœurer avec ton gun parce que c'est toi qui vas y goûter! Toé, pis les petites. Pis Ariane aussi… Je gage que tu sais même pas te servir d'un fusil.*

— Tu gages? Le jeu, hein, Gerry? Toujours le jeu! Ben, tu joueras pas longtemps avec moi! Dommage, cette fois-ci, t'aurais pas dû gager…

L'évocation d'Ariane avait déchaîné Christian. Son cœur battait à tout rompre. « Pas Ariane. Ce crisse-là touchera pas à Ariane. Il lui touchera jamais!» La tête en feu, il perdit le contrôle.

— Tu viens de perdre ta dernière gageure, Gerry Désourdy!

Comme au ralenti, il enclencha le fusil, le pointa en direction de Gerry et tira à bout portant dans sa nuque, comme si le déroulement avait été réglé à l'avance, appris et répété mille fois.

La détonation ramena Christian sur terre. On aurait dit qu'il revenait d'une longue période d'absence, suspendu entre le réel et l'irréel, mû comme un automate dans une mécanique démentielle. Le sang giclé sur le tableau de bord et sur les vitres lui confirma la réalité. Il avait tué Gerry de sang-froid, il n'arrivait pas à le croire. Il sortit de l'auto.

La vue de l'homme immobile, la tête appuyée sur le volant, le saisit à la gorge. Et s'il n'était pas mort? Si tout ça n'était pas encore fini? « Si Gerry est pas mort, s'il revient à lui, il va tous nous avoir, l'un après l'autre. » Il reprit l'arme et, à travers la fenêtre ouverte de la voiture, l'appliqua directement sur la tempe de la victime.

— Cette fois, mon écœurant, c'est moi qui gagne. Tu battras plus jamais ma mère.

Il appuya sur la gâchette et la cervelle de Gerry Désourdy vola aux quatre coins de la voiture. Le soulagement que Christian ressentit, à ce moment-là, n'avait jamais eu son égal dans sa courte existence. Nul orgasme, nulle victoire, nulle libération, nul voyage chimique, nul miracle n'auraient pu rivaliser avec l'immensité, la profondeur de la paix qui l'envahit l'espace de quelques secondes. Toute l'abomination de sa vie venait de prendre fin à cet instant précis. Liquidées, les terreurs de son enfance, désamorcée, la haine dévastatrice qui tue les cœurs d'enfants. Terminés, les blessures honteuses, le sang qui coule, les cris de douleur, les larmes qui jaillissent... Soudain, tous les problèmes de l'univers se trouvaient réglés. Dix ans de misère venaient d'être pulvérisés en même temps que le cerveau du monstre. Non, rien au monde n'égalerait jamais cet apaisement. La jouissance totale... Il faillit tomber à genoux pour en remercier Dieu.

Le soleil disparut derrière l'horizon, barbouillant le ciel et le fleuve confondus dans la couleur du sang. Une corneille traversa l'espace en lançant des cris rauques.

Christian ne vit pas qu'une voiture venait de pénétrer en douce sur le terrain.

44

Aujourd'hui, Bernard, mon premier élève de la matinée, ne viendra pas à son cours pour une raison qu'on ne me donne pas. Dommage, j'aurais voulu le voir une dernière fois. Demain, il part en transition, après quatre années d'incarcération pour avoir fauché, au volant de sa voiture, la vie d'une mère de famille. Il était ivre mort et conduisait sans permis. Je l'entends encore me répéter : « Je suis pas un bandit, moi, mais je m'en veux tellement ! » en tentant de relever la tête malgré les remords qui le rongeaient.

À cinquante-cinq ans, il en paraît dix de plus. Tout seul au monde avec son visage fripé et son passé. Rien devant lui. Sans amour, sans emploi, sans un rond, sans nid, sans racines à part le souvenir d'un cauchemar et la peur folle de retomber dans l'alcoolisme. À jeun, cet homme ne ferait pas mal à une mouche. Promptement, je griffonne au dos d'une partition un petit mot d'encouragement suivi de mon numéro de téléphone : « Si jamais tu sens le besoin de parler à quelqu'un… »

J'en profite pour faire un saut dans le studio de Christian afin de lui demander de remettre le message à Bernard. Je bénis le ciel pour ce court laps de temps qui nous est alloué afin de piquer une jasette.

— Alors, Christian, parle-moi de ta sortie à Boucherville, vendredi dernier. J'ai pensé à toi. Tiens! je t'ai apporté du café. Pas envie que tu m'oublies, moi! Monsieur le président se trouve fort occupé et néglige un peu ses bonnes amies, on dirait!

Depuis des mois, Christian attendait avec impatience cette première journée en libération conditionnelle. Pourtant, il s'agissait seulement de passer quelques heures chez sa mère, accompagné, bien sûr, d'un *screw,* ou plutôt d'une *screw,* afin d'y rencontrer les siens. À part la remise des médailles pour le vidéo-clip, c'était sa première véritable sortie à l'extérieur depuis près de quinze ans. Un événement pour en rêver des siècles à l'avance!

Mais après? Que reste-t-il après? Les souvenirs portent-il suffisamment d'émotions positives pour combler le vide terrible qui s'ensuit? L'empreinte d'un baiser, la pression d'une main, l'odeur d'un parfum inconnu, un regard complice... et le temps de s'apercevoir que la terre a continué de tourner sans soi, que les trames entre les humains se sont tissées hors de notre présence. Pas si facile d'endosser le statut d'intrus parmi les siens, surtout quand on sait que le prochain parachutage au sein de la famille n'aura pas lieu avant plusieurs mois.

Malgré tout, à voir la mine réjouie de Christian, aujourd'hui, je devine que l'effet vacuum n'a pas eu lieu. Il m'apparaît transfiguré. Mais ce rayonnement ne masque-t-il pas quelque détresse?

— Ça s'est passé à merveille! Même de monter et de descendre la côte au bout de ma rue m'a excité, croirais-tu ça? Tout se trouve sur le plat ici, à Bonsecours. Durant toutes ces années, j'ai monté l'escalier à peine quelques fois pour aller visiter Claude dans sa cellule au deuxième étage. Ça m'a fait tout drôle.

— Et la *screw*, elle a bien fait ça?

— Assez bien. Elle s'est montrée discrète et a gardé une distance polie et respectueuse. Je ne suis pas du genre à m'évader, tu comprends.

— Et la famille? Les as-tu tous vus?

— Oui, oui, ils sont tous venus chez ma mère, Lison et son mari, les jumelles, et aussi Ariane et son *chum*.

— Ariane? Qui est Ariane? Il me semble t'avoir déjà entendu prononcer ce nom-là, à un moment donné.

— Ariane est ma petite sœur. Ou plutôt ma demi-sœur, la fille de ma mère et de son deuxième mari, Gerry, celui que j'ai tué. Celui dont j'ai débarrassé ma mère et le reste de l'humanité. Un sauvage de la pire espèce…

— Tu as tué ton beau-père… Je l'avais deviné, même si tu ne me l'as jamais affirmé clairement. Mais j'ignore la raison de ton geste. Lorsque tu parlais de ta famille, tu ne prononçais jamais le nom du deuxième mari de ta mère, comme s'il n'avait pas existé pour toi. Ta demi-sœur non plus, d'ailleurs. Parle-moi d'Ariane.

Un large sourire illumine le visage de Christian. Manifestement, il l'adore.

— Ariane aura bientôt dix-huit ans. Elle est inscrite en sciences humaines au collège. Elle vient souvent me visiter avec ma mère et Lison. Une fille douce et sereine… Le destin ne l'a pourtant pas ménagée. Mais l'absence d'un père ne semble pas l'avoir marquée. Et elle ne m'en a jamais voulu pour ça.

— Je ne comprends pas.

— En assassinant Gerry, j'ai rendu Ariane orpheline de père. À trois ans, elle était trop jeune pour le détester et réaliser quel infâme individu était son géniteur. Dans son esprit, il demeure un père absent, disparu prématurément, sans plus. Je me suis longtemps senti coupable de cette situation. Mais je n'ai jamais abandonné ma petite sœur. Dès qu'elle s'est trouvée en âge d'écrire, j'ai commencé à correspondre avec elle. Nous nous écrivons encore toutes les semaines depuis une dizaine d'années. Elle sait que, quelque part, un grand frère l'aime.

Assis sur sa table de travail, dans un fouillis inextricable de cassettes, haut-parleurs, micros et caméras de toutes les dimensions, Christian cesse tout à coup de parler et baisse les yeux, perdu dans ses pensées. L'ombre d'Ariane se fait légère, fascinante. Je n'ose bouger et je sursaute lorsque Christian s'écrie, à brûle-pourpoint :

— Tu ne sais pas la grande nouvelle ? Lison attend un autre bébé pour le printemps ! Elle avait gardé ça secret pour l'annoncer à tout le monde au moment de ma visite. Tu parles si on a fêté ! Là, je me suis réellement senti partie intégrante de la famille. Enfin, je me trouvais là, avec eux, pour célébrer la bonne nouvelle. Tu n'as pas idée comme ça m'a fait du bien.

— Félicitations, mononcle ! Et la grand-mère, comment va-t-elle ?

— Oh ! Jeanine…

Christian redevient songeur et ne cesse de balancer ses jambes dans le vide. Je le vois tourner et retourner dans ses mains le petit carnet qui lui fait office d'agenda.

— Ma mère… hum ! Tout ne semble pas marcher comme sur des roulettes pour elle, j'en ai bien peur. Cette façon de se ramasser en petit paquet dans le coin du divan ne m'apparaît pas de bon augure. Ça me rappelle trop de souvenirs… On aurait dit qu'elle avait encore peur. Cet air de chien battu, je l'avais presque oublié ! Elle affiche une meilleure mine quand elle vient au parloir, sans doute à cause de la présence de Roger. J'avais cru la libérer de Gerry, mais elle me semble maintenant accablée de solitude. Là, je constate les conséquences concrètes de mon crime. Mon geste semble l'avoir plongée dans une misère pire que celle d'autrefois. Je lui ai enlevé son mari, un homme qu'elle aimait malgré tout, même si je n'ai jamais pu comprendre ça. Pas une seule fois, pendant toutes ces années où je le maudissais, je n'ai envisagé les choses sous cet angle. Ça m'apparaissait impossible qu'on puisse s'attacher à cette crapule, ce... cette charogne, et je me félicitais d'en avoir délivré ma mère. Mais qui sait... Gerry aurait pu s'adoucir en vieillissant. Je ne lui ai pas donné cette chance.

— Il est trop tard pour y songer, mon grand...

— Je pense que je vais commencer à assister aux réunions de Justice réparatrice.

— Justice réparatrice ?

— Il s'agit de rencontres entre des détenus et des victimes de crime.

— Quoi ? Des victimes acceptent de rencontrer leur assaillant !?! Il existe des gens dont la bonté va jusque-là ?

— Non, non ! Ça se passe un peu comme chez les Alcooliques Anonymes : des détenus repentants viennent confesser leur folie et exprimer leurs regrets, et des victimes parlent de leurs souffrances et de celles de leur entourage. Il y a ensuite une période de discussion.

— Étrange...

— C'est très positif, il paraît. Le programme est axé sur le tort causé aux victimes. Ceux qui ont subi un préjudice se libèrent de leurs frustrations et, de l'autre côté, les criminels réalisent que leurs méfaits n'atteignent pas qu'une seule personne mais l'époux, l'épouse, les parents, les amis, l'entourage... Toute la collectivité, quoi! Au fond, ça aide à tirer un trait sur le passé et à ne plus recommencer.

— Christian, tu ne vas tout de même pas te culpabiliser pour les malheurs de ta mère après tout ce temps, hein? Elle est veuve depuis bientôt quinze ans! Pendant toutes ces années, elle a mené sa barque comme elle l'entendait. Des milliers d'événements sont survenus qui n'avaient absolument rien à voir avec toi, voyons! Ne réveille pas les morts, pour l'amour du ciel!

— Tu as raison. Ces pensées-là me piègent. Je vais te faire un aveu, Françoise: si personne ne m'avait affublé du titre stupide de «l'homme de la maison» durant mon enfance, si personne ne m'avait déclaré responsable de ma mère et de ma sœur au moment de la fuite de Roger, je n'en serais probablement pas rendu là, aujourd'hui. Tous croyaient naïvement me consoler, mais moi, je l'ai profondément acceptée, cette charge! As-tu une idée des sentiments de culpabilité qui m'ont étouffé pendant toutes ces années? Moi, le moins que rien, je ne savais pas défendre et protéger ma mère... La preuve, cette culpabilité m'a poursuivi jusqu'ici, comme tu peux le constater.

— Oublie tout ça, Christian. Ta mère n'a plus besoin de toi.

— Tout de même, elle devrait refaire sa vie, sortir, se trouver un autre homme, je ne sais pas, moi! J'ai quitté la maison décontenancé, vendredi dernier, je t'avoue. Jeanine sera-t-elle jamais heureuse? Quand donc va-t-elle cesser de se recroqueviller au fond de son divan comme un oiseau blessé?

— Certaines personnes ne possèdent pas la recette du bonheur et ne la trouveront jamais, quoi que l'on fasse, je le crains.

— Et cette manie de me regarder comme un héros! Elle m'appelle son «sauveur»! Mais au fond, elle a souffert de la perte de Gerry. Je n'ai rien d'un héros, Françoise, et je ne peux supporter de la voir me considérer de la sorte. J'ai tué le tortionnaire pour m'en débarrasser, moi, en premier. Moi, bien avant elle et mes sœurs. Moi, bien avant tout le reste! Je ne suis rien d'autre qu'un meurtrier et le pire des égoïstes. Et un pauvre type...

— Et un admirable président! Et un bachelier en théologie! Et un futur citoyen honorable! Et un gars brillant et doué par surcroît! Et mon ami... Christian Larson, cesse donc de te torturer avec le passé. Il faut tourner la page et vivre au présent. Tu as bien assez de composer avec ta vie pitoyable de prisonnier sans prendre sur tes épaules la vie des autres, surtout celle de ta mère. À quarante-neuf ans, elle est capable de prendre soin d'elle-même. Regarde en avant, seulement en avant, bon Dieu! Et pense à toi. À TOI!... Dis donc, c'est pour quand, cette fameuse audience devant jury?

— Pour bientôt, d'après ce qu'on m'a dit.

La sonnerie du téléphone vient interrompre notre causerie. Christian saute sur ses pieds. On réclame un cameraman au tournoi de hockey, de toute urgence. Non seulement il doit mettre la rondelle au jeu à titre de président, mais il doit aussi assumer le tournage audiovisuel de la partie.

— Zut! je les avais oubliés, ceux-là! Il faudra me filmer moi-même pendant la mise au jeu! Pas brillant, ça, pas brillant!

Et il éclate de rire. Je le regarde s'éloigner. Vie pitoyable? Pas tant que ça, à vrai dire. Nombre de détenus donneraient cher pour se trouver dans les souliers de Christian Larson.

Je songe à mes écrits. Je pourrai ajouter d'autres éléments à l'histoire de Christian déjà amorcée dans quelques cahiers: l'existence d'une demi-sœur et le lien profond qui le rattache à elle, la mère dépressive qui voit son fils en héros, et aussi sa piètre estime de soi quand il se tourne vers son passé. Quant à sa haine envers sa victime, je savais bien que, tôt ou tard, elle remonterait à la surface et qu'il m'en parlerait. Le récit de la vie de Christian Larson se déploie petit à petit, bribes par bribes, parfois incohérentes, parfois logiques, mais toujours empreintes d'émotion. Un jour, lorsque j'aurai fini de ramasser toutes les pièces de ce casse-tête, j'en ferai un tout. Une chose est certaine, le compte rendu sera marqué au sceau de la passion.

En quittant le pénitencier, je réalise que je n'ai plus repensé à Bernard. Un autre qui, comme la plupart, disparaîtra sans doute dans le silence…

45

Les mois filent l'un derrière l'autre, mornes et semblables, sans laisser de traces ni d'empreintes, sinon l'accumulation des jours additionnés un à un par chacun des captifs. Ainsi, un détenu m'a annoncé, dernièrement, qu'il lui reste deux mille deux cent quatre-vingt-six jours de taule, «un de moins qu'hier»!

Depuis quelque temps, par contre, le statut de pénitencier à sécurité moyenne du Centre Bonsecours s'est mué en celui d'établissement à sécurité minimale. Il s'agit donc, dorénavant, d'un lieu où les détenus écoulent le dernier stade de leur détention avant de résider soit dans les maisons de transition réparties un peu partout dans la ville, soit dans les condominiums construits sur le site même. Plusieurs quittent le pénitencier, le matin, pour aller travailler ou donner des heures de bénévolat à l'extérieur, et ne rentrent qu'en fin de journée. De nombreux cours ont été éliminés du programme : sculpture, peinture, vitrail. On a même cessé de produire des émissions de télé.

Concrètement, Bonsecours ressemble maintenant davantage à une plaque tournante, un moulin au va-et-vient étourdissant, plutôt qu'à un lieu de séjour à long terme où végéter pendant des années comme autrefois. Le «parking» s'est transformé en piste d'atterrissage dont on décolle à cœur de jour après un séjour plus ou moins long.

Cette mutation a des répercussions négatives sur mon enseignement du piano. Plus rien n'est pareil. À peine un élève commence-t-il à se débrouiller un peu avec les partitions qu'il m'annonce son départ imminent. La liste d'attente pour l'inscription aux leçons s'allonge, compte tenu du mouvement accéléré de la population carcérale, mais souvent le détenu obtient sa libération avant même d'avoir pu accéder à mes cours. Je ne cesse de recommencer *ad nauseam* les premières leçons pour débutants. J'ai l'impression de perdre mon temps. Il ne reste plus de place pour la présence fidèle, l'amitié, les confidences, la fierté d'être venu à bout d'une partition difficile et de partager la même passion pour la musique. On ne fait que passer en coup de vent dans mon studio, l'espace de quelques semaines, quand on ne lâche pas la semaine suivante, découragé par l'ampleur de l'effort à fournir.

Comme la surveillance et les règlements se trouvent passablement allégés, on ne me fouille plus à mon arrivée comme on l'a fait pendant des années. Cet excès de zèle m'a humiliée chaque fois, et je ne m'y suis jamais habituée. Je n'oublierai jamais ce Noël où l'on avait déballé les stylos à bille que je voulais offrir à mes élèves avec l'autorisation du directeur. Non seulement la gardienne avait fait fi de cette permission officielle, mais elle avait défait un à un les jolis emballages malgré mes hauts cris. Elle s'était même évertuée à démanteler chacun des stylos, à la recherche de drogue, je suppose. Je venais à Bonsecours depuis déjà cinq ans, pourquoi me soupçonner de la sorte? *Trip* de pouvoir, sans doute. J'avais compris, cette fois-là, à quel point la rage peut faire perdre la carte. J'étais furieuse. Une grosse *screw* blonde, je me le rappellerai toujours. Les prisonniers ne se plaignent pas toujours pour rien au sujet des gardiens, l'attitude abusive et arrogante de cette femme me l'a prouvé.

Un laisser-aller indéfinissable s'est désormais installé à l'intérieur de l'enceinte, non seulement au sein de la population, mais aussi chez le personnel. Autrefois, un détenu devait justifier son absence à sa leçon de piano, sinon, on le bannissait automatiquement. Ainsi en avaient décidé les autorités, sans même me consulter. À présent, si l'élève préfère rester au lit et ne pas se présenter au cours sans raison valable, personne ne lui en fera la remarque. Qu'importe si Madame Piano, elle, s'est levée tôt et déplacée pour lui. Je proteste bien un peu auprès des intervenants, mais on m'écoute avec politesse et… indifférence! «Toi, la bénévole, si tu n'es pas contente…» On ne le dit pas, mais je le sens.

Même Christian, trop préoccupé par ses tâches, vient rarement frapper à la porte du studio. À peine se permet-on un court échange lors d'une rencontre impromptue dans le corridor, le temps de me laisser admirer une photographie du nouveau neveu, brandie avec sa gloriole habituelle de «fier mononcle». Le temps, aussi, de m'annoncer que le fameux *chum* Claude est reparti, une fois de plus libéré, la tête pleine de bonnes résolutions. Roger non plus ne se montre guère, harassé de besogne auprès des nouveaux arrivants dont le nombre a doublé.

Un matin, dès mon arrivée, le gardien m'apprend que trois élèves sur quatre ne viendront pas à leur leçon. Deux ont quitté les lieux durant la semaine, transférés vers les maisons de transition, mais le personnel a négligé d'avertir les deux candidats suivants sur la liste d'attente de se présenter ici dès aujourd'hui.

— Des remplaçants ? Ça ira à la semaine prochaine, ma petite dame ! Et on ignore la raison pour laquelle votre troisième étudiant s'absente aujourd'hui, il n'a avisé personne.

Et voilà ! On ne se donnera pas la peine d'essayer de le joindre dans sa classe ou son atelier, ou ailleurs dans le centre. Et le téléphone en circuit fermé, et l'interphone dans lequel on entend appeler des détenus à cœur de jour, ça sert à quoi ? En d'autres mots : « Vous vous êtes déplacée pour rien, Madame Piano, mais on s'en fiche. » J'ai bien compris le gardien, mais je reste polie.

— Ah ! bon, je jouerai du piano en attendant que le quatrième élève arrive, dans deux heures. Deux heures… c'est long ! Ne pourriez-vous pas me l'envoyer immédiatement ? Ça me rendrait service, je pourrais rentrer chez moi plus tôt.

— Le gars est absent de sa cellule, madame. Il se trouve probablement avec son avocat, ou son psy, ou en réunion quelque part dans un pavillon, je ne sais trop.

Il ne le sait trop ! Il pourrait au moins vérifier, des fois que cet élève serait en train de jouer au tennis ! Ou aux cartes. Ou de faire son jogging autour des bâtiments ! Deux heures d'attente ici pour un seul élève, il faut le faire, hein ! Lorsque le bonhomme arrive finalement, avec dix minutes de retard, il m'annonce, penaud :

— Tu vas pas être contente de moi, j'ai pas encore travaillé ma musique, cette semaine. Je ferais mieux de laisser ma place à quelqu'un d'autre. Je suis venu te dire que j'abandonne les cours. Prends-le pas personnel, Françoise, non, non ! Mais le piano, je trouve ça trop compliqué. Et puis, Sylvie me dérange…

— Sylvie ?

— C'est la fille que j'ai rencontrée à un meeting A.A. pendant ma dernière permission. Je lui écris une longue lettre chaque soir, c'est pour ça que j'ai plus de temps pour le piano. Mais je suis inquiet, elle répond pas au téléphone depuis trois jours. Tout ça me distrait de la musique, tu comprends…

Oui, je comprends. Les efforts ne constituent pas la branche forte de ce bonhomme-là. Ni son intérêt pour la musique. Et il tombe amoureux d'une fille différente à chacune de ses sorties. Épuisant, ça!

Cette fois, c'en est assez. Sans le savoir, le gars vient de mettre un point final à mon écœurement et renforce la décision à laquelle je songe depuis plusieurs semaines. Je veux bien offrir mon temps, mais pas le gaspiller! D'autant plus que l'une de mes filles vit une grossesse difficile et aura sans doute besoin de moi. Dans un ultime effort pour sauver la situation, je m'en vais, le cœur en charpie, trouver Christian dans son studio. Il paraît surpris mais heureux de me voir.

— Salut, Christian. Je peux te parler cinq minutes?

— Évidemment! Quel bon vent t'amène?

— Bon vent, bon vent… Hum! je dirais pas ça… C'est plutôt la bourrasque qui m'ébranle! Écoute, je songe à interrompre mes cours de piano. Du moins pour un certain temps. J'ai bien réfléchi. La transformation de Bonsecours en «minimum» a tout changé pour moi. Pendant des années, je suis venue, le cœur joyeux, toutes les semaines sans manquer une seule fois. À part les vacances. Je n'ai jamais rien attendu en retour, sinon le respect et l'assurance de ne pas me déplacer pour rien. Depuis un certain temps, les mentalités ont changé, le personnel s'en fiche et la population n'est plus la même. Les nouveaux arrivés, excités par leur libération imminente, ne prennent plus le temps de développer de l'intérêt pour la musique. Ils s'inscrivent aux cours de piano pour passer le temps, mais ils effectuent rarement leurs exercices et finissent par négliger de se présenter au cours. Ce matin, je suis venue à peu près pour rien dans le je-m'en-foutisme général. Et ce n'est pas la première fois que ça arrive. J'ai pensé venir en discuter avec le président du comité des détenus.

Christian ne relève pas mon allusion à sa fonction et ne semble pas entendre mon discret appel au secours. Lui aussi a déjà l'esprit ailleurs.

— Écoute, mon vieux, je vais peut-être prendre quelques mois de repos. Je verrai alors si j'ai envie de revenir ici ou si je préfère offrir mes services ailleurs.

— Tu as raison, tu as déjà beaucoup donné. Fais une pause, Françoise, tu y as droit! Je t'ai raconté que, moi aussi, je suis sur le point de partir pour aller vivre dans les condos du pénitencier? Je voulais justement t'en parler.

Et Christian d'enchaîner sur son propre sort. Qu'attendais-je donc de lui? Ne réalise-t-il pas mon désenchantement? Mon désarroi? À bien y penser, je m'adressais autant à l'ami qu'au représentant des détenus. J'espérais, sinon des protestations, du moins des encouragements à ne pas partir. À tout le moins un amical geste de compréhension.

Elle vient finalement, cette petite phrase tant attendue, sans chaleur et sans emphase, prononcée du bout des lèvres sur un ton peu convaincant. Pas assez insistante pour me reconstruire une motivation. Pas assez sincère non plus pour témoigner d'une amitié réelle.

— Ne serait-ce que pour un seul prisonnier malheureux, Françoise, ça vaut la peine de te déplacer.

Le président vient de parler, mais si peu! Cette petite phrase, je me la répète depuis des semaines. Ne pourrait-il pas développer davantage afin que j'y trouve un appui? Quant à l'ami, lui, il reste silencieux, pour ne pas dire détaché. Nul regret, nulle protestation face à une séparation dont je semble la seule à souffrir. Je devrai pleurer ces adieux en solitaire au moment de ramasser mes affaires.

Je voudrais qu'il se montre désolé de me voir partir. Où est son empressement à vérifier mes coordonnées, à jurer de me donner des nouvelles? À me promettre un permis de visite ou un rendez-vous après sa libération, que sais-je? À tout le moins à m'écrire ou à me téléphoner? Je souhaiterais de sa part un refus de briser nos liens de cette manière précipitée et indifférente, là, tout de suite, ce matin même. Mais il ne dit rien de cela, mon ami Christian.

Je voudrais qu'il s'engage à intervenir auprès des autorités pour revendiquer la même collaboration qu'autrefois. À la limite, je voudrais qu'il convainque les gars de respecter leurs engagements en s'inscrivant à mes cours.

Il lui suffirait de me dire tout cela, mon beau Christian, seulement cela, et je trouverais sans doute le courage de persévérer encore un peu. Mais il ne le dit pas. Il ne dit rien.

Non sans une dernière hésitation, je prends alors ma décision définitive à cet instant précis, là, dans le studio de Christian Larson. Son mutisme, ce jour-là, aura signé la fin de dix années de bénévolat de Madame Piano au Centre de détention Bonsecours. Je ne le lui dirai jamais.

— Ainsi, Christian, tu partiras d'ici toi aussi? Ne m'annonce pas que tu as obtenu ta libération sans venir m'en parler!

— Mais non, voyons! Tu seras la première à l'apprendre, promis! Le procès aura lieu dans trois mois. Tu pourras venir à la cour, si tu veux. Mais on aura tout le temps d'en reparler d'ici là.

D'ici là, il a bien dit «d'ici là»! Tout à coup, je me sens un peu rassurée. Le signal des vrais adieux n'a donc pas encore sonné.

Il a l'intention de me reparler. Ouf! Un soupir de soulagement m'échappe et je réussis à me ressaisir.

– Le procès?

– Oui, il s'agit bien d'un procès. On fera une révision judiciaire de mon cas devant un jury de douze personnes. Elles devront m'autoriser, à l'unanimité, à présenter une demande de libération conditionnelle. Uniquement ça : m'accorder le droit de remplir un formulaire de demande de libération, le croirais-tu? C'est la Commission nationale des libérations conditionnelles qui décidera par la suite. Si un seul membre du jury s'oppose, il me faudra quitter le condo et revenir passer dix autres années ici.

– À l'unanimité?

– Oui, la loi sur les libérations conditionnelles est très sévère. Certains prônent l'abolition systématique du droit à la libération prématurée pour tous les meurtriers, sans exception. D'après eux, tant et aussi longtemps que la possibilité de libération avant terme existera, le châtiment perdra son sens et sa valeur. Dans certains cas, ils n'ont pas tort, je l'avoue. Évidemment, après quinze ans, on est porté à oublier et à ne plus jeter le même regard sur la gravité de son crime...

Christian déguste son café à petites gorgées, l'air absorbé. Il a passablement changé, ces derniers temps. Il ne reste rien du jouvenceau que j'ai connu ici, au début. Celui qui rêvait de devenir prêtre... Aujourd'hui, un homme mûr s'agite devant moi, un être mature regardant froidement sa situation de dépendance institutionnelle.

– Si je ne te connaissais pas, toi, Christian, et si je n'avais pas rencontré ici ces nombreux détenus véritablement réhabilités, ou du moins réhabilitables, j'abonderais peut-être dans le même sens que le gouvernement.

— La vie enlevée, Françoise, ne pourra pas être redonnée, même si l'assassin demeure ici vingt, trente ou cinquante ans. Que me servirait de rester encore à me morfondre dans ce lieu, veux-tu me le dire ? Ça ne ramènerait pas Gerry à la vie ! Et sais-tu combien coûte un prisonnier à la société ?

— Un montant faramineux par année, je suppose…

— Mon crime, je l'ai assumé, compris, regretté. Ma punition, je l'ai eue. Plus le temps passe, moins je serai capable de faire face à la vie réelle. Plus je m'institutionnalise, plus je deviendrai dépendant de la société. Plus je vieillis et plus je m'enfonce, et moins je serai capable de me débrouiller plus tard. Il faut penser à la punition, oui, mais on ne doit pas perdre de vue la réhabilitation.

— Je te comprends, mon ami. Mais je me demande si la perspective d'un châtiment sans révision et sans espoir de libération conditionnelle suffirait à empêcher quelqu'un de commettre un crime.

Christian esquisse une grimace sarcastique.

— En ce qui me concerne personnellement, la réponse est non ! Jamais je n'ai pensé une seule seconde à l'emprisonnement avant de tirer sur Gerry Désourdy ! Mais il existe aussi un autre son de cloche : pour certains détenus, la prison devient un refuge où ils se trouvent mieux traités qu'ils l'ont jamais été en société. Dehors, trop souvent, il leur reste la rue, le vide affectif, le chômage et leur dossier judiciaire sinon tatoué sur le front, du moins imprimé en toutes lettres dans leur c.v. La misère, quoi ! Se rebâtir une place au soleil fait peur, Françoise. On les a retranchés de la réalité, on les a organisés, supervisés, gérés pendant dix, quinze, vingt ans, et ils ont coupé les ponts avec leurs familles et leurs amis. Pire, ils ont perdu leur esprit d'initiative et leur capacité de prendre soin d'eux-mêmes. Trop fait de parking !

— Tu sais, les gens ordinaires voient la prison comme un endroit utile où se débarrasser des déchets de la société. Plus on les enferme longtemps, mieux ça vaut pour tout le monde ! On se sent naturellement plus solidaire de la victime que de l'agresseur. Et on oublie que les criminels sont des êtres humains souffrants, souvent récupérables. Ils ont besoin d'aide et ça, les gens l'ignorent trop souvent.

— Ne généralise pas trop, Françoise. De nombreux détenus resteront des dangers publics toute leur vie, et il vaudrait mieux les garder enfermés. Autrefois, huit jurés sur douze suffisaient pour rendre un condamné admissible à la libération conditionnelle avant la fin de sa peine. Maintenant, c'est l'unanimité. Ils n'ont pas tort...

Je vois la main de Christian trembler sur sa tasse. Mes petits problèmes personnels ont pris une taille lilliputienne.

— Écoute, mon ami, je vais appeler le directeur du socio, cet après-midi, pour lui annoncer mon départ pour quelques mois. Le temps de me reposer et de me ressourcer. Une sorte de congé sabbatique, quoi ! Le temps de prendre soin de ma fille aussi... Je te promets d'assister à ton procès. Lorsque tu en connaîtras les modalités, le lieu, la salle, l'heure, appelle-moi. C'est promis ?

— Juré.

— Et tu vas me raconter ta vie en détail, hein ? Ton histoire m'intéresse pour un roman ou un récit biographique, je te l'ai déjà dit.

— C'est le genre de promesses qu'on n'oublie pas, Françoise. Et Christian Larson tient toujours parole. Je t'appelle dès mon transfert dans un des condos du pénitencier. Peut-être même avant.

— Entendu! Tu as toujours mon adresse et mon numéro de téléphone?

— Évidemment!

Le cœur défaillant, je lui fais une bise en souhaitant secrètement que ce ne soit pas la dernière. De retour dans le studio, seule, je glisse doucement la main sur le clavier du vieux piano qui ne servira plus, les yeux rivés sur les deux cartables dans lesquels j'ai accumulé, au fil des années, des dizaines de photocopies de partitions susceptibles de stimuler l'intérêt des élèves. Les chansons des Beatles et les compositions de Frank Mills, Scott Joplin, Elton John autant que de Gilles Vigneault et de Jean Lapointe côtoient des menuets de Bach et des préludes de Chopin. Schubert et son *Ave Maria*, Beethoven et son *Clair de lune,* Mozart et ses sonatines ont séduit de nombreux interprètes maladroits. Étrangement, c'est *Let it be* de Lennon qui résonne soudain à mes oreilles. L'ont-ils joué! L'ai-je entendu! Cette fois, le message s'adresse à moi: *let it be,* laisse être… ou laisse faire! Tu verras bien la suite plus tard, ma vieille.

Que restera-t-il de tout cela? Sombrerai-je dans l'oubli? Qu'aurai-je semé dans le cœur de ceux que j'ai côtoyés auprès de ce piano? Un peu de musique et, certes, un souvenir de tendresse. Peut-être même une graine d'espoir? Je ne sais plus! Aujourd'hui, je me sens amère.

Ce midi, je quitte Bonsecours la mine basse, sans saluer personne. Le maillon extirpé de l'engrenage… J'aurais voulu revoir Roger, lui souhaiter bonne chance. Mais lui aussi brille par son absence. Un nœud me serre la poitrine. C'est fou comme j'ai envie de pleurer. Derrière le stationnement, je n'ai même pas un regard pour les innombrables marguerites du pré. Elles courbent la tête, fouettées par le vent.

Madame Piano aussi.

46

Le rachat

— Salut, les boys! Qu'est-ce que vous faites là? Je vous pensais déjà rendus au Pool Room, moi! En passant, j'ai vu la voiture stationnée ici. Où est Martin?

Subitement, l'horreur de la scène cloua Roger sur place. Christian, hébété, vomissait ses tripes, la main appuyée sur l'aile de la voiture. À l'intérieur, Gerry, immobile, le crâne ouvert, fixait à jamais de ses yeux exorbités un paysage qu'il ne voyait plus.

— Christian? Qu'est-ce qui s'est passé pour l'amour du ciel? T'as pas… C'est pas toi qui… Ah! mon Dieu!

— Maman se fera plus battre, maman se fera plus jamais battre…

— Christian! Dis-moi ce qui est arrivé.

Roger, épouvanté, se mit à secouer le jeune homme. Il ne pouvait retenir ses larmes et se mordait les lèvres, comme si cela pouvait contrer le haut-le-cœur qui le gagnait, lui aussi.

— Ça te regarde pas, Roger! Lâche-moi! Pis, va-t'en!

— Oui, ça me regarde! T'es mon fils, après tout!

— Ça, tu l'as oublié pendant trop longtemps! Maintenant, il est trop tard. Trop tard, p'pa... Je suis plus ton fils. Va-t'en! Crisse ton camp et oublie ce que tu viens de voir!

— Mais non, il est pas trop tard! Je vais t'aider. Il faut vite déguerpir d'ici. On est visibles de la route. Ramasse tes affaires et va t'asseoir dans ma voiture.

— J'ai pas d'ordre à recevoir de toi.

— Fais ce que je te dis, sacrament!

Roger trouva la force de se ressaisir. Il s'empara du porte-monnaie de Gerry et du contenu de ses poches. Il s'apprêtait à effacer toutes les empreintes digitales sur les sièges, les portes, la console, quand il songea que Christian et Martin devaient souvent monter dans cette voiture. Il était donc normal d'y trouver leurs empreintes. Du pied, il recouvrit les vomissures de Christian avec du sable. Puis, il agrippa le garçon recroquevillé sur lui-même et le poussa de force à l'intérieur de sa voiture. Anéanti, Christian lui obéissait comme un automate. La vieille Ford quitta en trombe le terrain désert.

— Comme ça, on va croire au vol. Mais, j'y pense, où se trouve Martin?

Christian se contenta de hausser les épaules. À vrai dire, cela l'arrangeait de voir son père prendre les choses en mains. Pas une seule fois, pendant toutes ces années où il avait rêvé d'assassiner Gerry, il n'avait songé aux conséquences judiciaires d'un tel acte. La prison ou la vie dans sa famille perturbée, quelle différence? Il s'en fichait éperdument. Qu'on l'accuse et le condamne ou non pour ce crime n'avait aucune espèce d'importance. En ce moment, la vie ne représentait plus rien pour lui. Il avait débarrassé sa mère et ses sœurs de leur bourreau. Que dire! Il avait débarrassé l'humanité du diable en personne! Le reste, il s'en contrefichait. Pour une fois, il s'était comporté en homme, sa mission était accomplie. L'homme de la maison avait enfin produit ses preuves.

En sortant le fusil du sac, il savait qu'il allait vivre un moment fatidique. L'heure de la libération avait sonné à cet instant précis, quelque chose allait définitivement changer. Mais, jusqu'à la dernière seconde, il avait ignoré vers quelle cible se dirigerait le canon du fusil pour renverser la situation. Pour renverser SA situation. Au fond, il voulait s'affranchir lui-même encore plus qu'il ne voulait délivrer sa mère. Il aurait tout aussi bien pu tourner l'arme contre lui-même. S'il avait assassiné mille fois Gerry dans ses fantasmes, il s'était suicidé autant de fois. Se tuer devant le suppôt de Satan aurait donné à celui-ci une bonne leçon. Et lui, Christian, se serait enfin délivré de son mal de vivre. Dieu lui aurait pardonné, il n'en doutait pas.

Mais le destin en avait décidé autrement. Au fait, était-ce bien le destin? Il avait fallu cette provocation de Gerry pour orienter le tir dans une autre direction que sa propre tête. Il avait fallu, surtout, que l'arme ne contienne pas une troisième balle, sinon…

Affalé au fond de la voiture, Christian ne bougeait pas. L'euphorie des premières minutes avait fait place à une léthargie profonde. Il se sentait tout à coup vidé, épuisé. Un peu plus et il se serait endormi là, sur le siège arrière, dans ses vêtements éclaboussés de sang. Le sang du monstre mort. La libération le plongeait dans un état second, celui des abîmes obscurs de l'indifférence. L'absence.

Ils trouvèrent Martin titubant sur la route en direction du prochain village. Visiblement, la drogue trouvée au fond de sa poche avait produit son effet: il restait amorphe, sans voix, sans réaction, inconscient de ce qui se passait autour de lui, ne réalisant même pas l'absence de Gerry.

Seul Roger manifestait du sang-froid. Sous une fausse identité, il loua une chambre dans un motel situé quelques kilomètres plus loin. Après s'être assuré que personne ne les voyait, il y fit entrer rapidement Christian et Martin. Les deux adolescents, aussi hébétés l'un que l'autre, lui obéirent au doigt et à l'œil. Il fit étendre Martin sur le lit, puis il obligea son fils à prendre une douche. Il recommanda enfin à tous les deux de dormir un peu.

— Surtout, ne bougez pas d'ici. Je reviendrai plus tard, cette nuit.

Il attendit quelques heures avant de pénétrer dans la maison de Boucherville, afin de s'assurer que Jeanine et Lison se trouvaient bel et bien endormies. Il ramassa à la hâte quelques vêtements pour Christian et deux ou trois sacs à ordures. Puis il revint finalement au motel où les deux garçons dormaient à poings fermés. Ils ne le virent pas déposer le fusil, les effets de Gerry et les vêtements souillés de Christian dans les sacs contenant du sable et de nombreux cailloux ramassés sur le bord du chemin. Puis il se rendit en douce au parc des Îles-de-Boucherville sans y rencontrer âme qui vive. Du haut d'un petit pont reliant deux îlots, il s'empressa de jeter les sacs dans l'eau, en souhaitant que le fleuve se trouvât suffisamment profond à cet endroit pour avaler à jamais le terrible secret des Larson.

Aux petites heures du matin, les trois comparses quittèrent le motel en douce et rentrèrent à la maison. Roger suggéra à Christian de réveiller Jeanine pour l'avertir que Gerry rentrerait plus tard, parce qu'il avait rencontré des amis en fin de soirée. Le garçon s'exécuta et se rendormit aussitôt d'un sommeil de plomb aux côtés de Martin, au fond de la tente dressée dans la cour. Ce dernier ne réalisa jamais qu'on l'avait transporté d'un lit de motel jusque dans un sac de couchage étalé sur le sol. Roger, quant à lui, oscilla entre le dégoût et l'étrange contentement d'avoir accompli, pour une fois, son rôle de père. Le père d'un meurtrier.

Il n'arriva pas à dormir, étendu sur le dos dans le lit de son malheureux fils, et ne cessa de broyer des pensées noires jusqu'aux premières lueurs de l'aube.

47

La capture

Le lendemain, en fin d'avant-midi, lorsque les policiers vinrent annoncer à Jeanine l'assassinat de Gerry Désourdy, trouvé mort dans sa voiture, vraisemblablement victime d'un vol, elle se mit à hurler. Christian ne comprit pas pourquoi. Il avait toujours imaginé la voir exprimer un certain soulagement à l'annonce d'une telle nouvelle, même si elle tenait à Gerry.

— Madame Désourdy, quand avez-vous vu votre mari pour la dernière fois?

— Hier soir, quand il est parti jouer au billard à Sorel avec mon fils, son copain Martin et mon ex-mari. Cette nuit, il n'est pas rentré avec eux, il a rencontré des amis, semble-t-il.

— Et ça lui arrivait souvent de rejoindre des amis au milieu de la nuit?

— Euh… oui, assez souvent. Très souvent, même!

— Qui vous a renseignée au sujet de ces amis? Monsieur Désourdy vous a-t-il téléphoné lui-même?

— Non. Christian m'en a avisée dès son retour en compagnie de son père.

— *Votre mari jouait au billard avec votre ex-mari? C'est plutôt étonnant!*

Roger fumait cigarette sur cigarette, assis sur la chaise berceuse de la cuisine. Le regard soupçonneux jeté sur lui par l'un des détectives n'échappa guère à Jeanine. À son tour, elle lança un coup d'œil interrogateur à Christian, qui restait sans réaction.

— *Monsieur Roger Larson, parlez-nous de votre soirée d'hier.*

— *On n'a pas joué au billard, finalement. On s'est contentés de boire de la bière et de fumer du pot avec Gerry, au bord de l'eau. Puis, vers une heure du matin, on a décidé de rentrer. Gerry, lui, a préféré prendre l'autre direction pour rejoindre des* chums *au restaurant. Quand on l'a quitté, il se trouvait encore dans sa voiture et semblait pas mal rond.*

— *Quels* chums*? Quel restaurant?*

— *Aucune idée. Il ne nous a pas donné de détails.*

— *Et vous, Christian Larson, avez-vous quelque chose à ajouter?*

— *Non, rien. J'ai rien d'autre à déclarer. Mon père vous a tout dit.*

Enlisé dans une profonde stupeur où tout lui paraissait insignifiant et sans importance, Christian ne désirait rien d'autre que dormir. Ah! savourer enfin cette paix, cette langueur bienfaisante dont il se sentait imprégné depuis la veille. Le monde entier aurait pu cesser de tourner ou une bombe aurait pu éclater, il n'aurait même pas réagi. Il baignait dans un univers vide de sens avec l'étrange impression que, pour le reste de ses jours, il n'éprouverait plus jamais rien, pas plus de contentement que de regret. L'évacuation totale des sentiments, la délivrance infinie de lui-même...

Les policiers ne purent tirer davantage de renseignements de Martin, à peine revenu à la réalité.

— *Moi, monsieur l'agent, je me rappelle de rien. J'étais, euh... je dormais dans la voiture, je pense...*

— *Dans quelle voiture ?*

— *Celle de Roger, je crois.*

— *Hum ! « Je pense » et « Je crois », hein ? Ça sent pas bon, cette histoire-là !*

Le plus âgé des policiers se leva d'un bloc, suivi par l'autre.

— *Bon. Madame, messieurs, je vous prierais tous de demeurer à la disposition des enquêteurs pour un interrogatoire ultérieur éventuel. Nos condoléances, madame.*

Nul ne broncha, et nul ne répondit. Les pas des deux hommes sur le linoléum martelèrent le sinistre silence qui les accompagna jusqu'à la porte.

Une fois les policiers sortis, Jeanine se leva et plongea un regard douloureux dans celui de son fils.

— *Est-ce toi, Christian, qui…*

— *Ben voyons, m'man, jamais de la vie !*

*   *   *

Les enquêteurs mirent à peine vingt-quatre heures avant d'arrêter sur l'autoroute 20, en fin de journée, Christian et Roger Larson, ainsi que Martin Laramée, tous les trois soupçonnés du meurtre de Gerry Désourdy. Il fut facile de prouver que les trois suspects avaient menti. L'autopsie avait démontré, hors de tout doute, que l'assassinat avait eu lieu, contrairement à leurs témoignages, en début de soirée, et non tard dans la nuit. On ignorait qui avait tiré, mais les motifs ne manquaient pas : drame familial, jalousie de la part de l'ex-mari, haine du côté de Christian, vol pour Martin… Roger Larson fut cependant considéré comme le principal suspect dans l'affaire.

48

Les derniers poèmes de Roger reçus par la poste me bouleversent. Au moins, lui, il ne m'a pas oubliée et m'écrit de temps en temps. Tous les textes s'adressent pathétiquement à son fils. Comment expliquer l'indifférence de Christian devant un amour paternel aussi tendre ? Connaîtrai-je jamais la clé de l'énigme ?

Christian me manque. Un mois sans nouvelles de lui… Mes cahiers contenant l'ébauche de son histoire sont relégués aux oubliettes. Dieu sait si je les ressortirai un jour… Je me sens frustrée. Peut-être devrais-je réinventer ce drame, le recréer à ma manière ?

Puis un soir, ô miracle, je reçois un appel à frais virés de Christian. Enfin !

– Allô, ma prof préférée !

– Allô, mon prisonnier préféré ! Enfin toi ! Comment ça va ?

– Bof… ça pourrait aller mieux. On vient de remettre mon procès à plus tard, encore une fois : je ne passerai pas devant un jury avant trois autres mois. Je prends ça dur. Quand ça fait quinze ans que tu attends…

– Pauvre toi ! Et la vie dans le condo, ça se passe bien ?

– M… ouais… J'apprends à vivre avec du monde pas endurable. Je ré-apprends, devrais-je dire ! Dis donc, Madame Piano, j'ai une bonne nouvelle pour toi : on vient de m'accorder une sortie sans escorte dans deux semaines. As-tu envie de m'inviter chez toi pour un café ? Comme tu es connue des autorités, on me donnerait facilement l'autorisation, semble-t-il. Et même si je ne suis pas autorisé à consommer de la bière, je pourrais commencer à te raconter ma vie entre deux morceaux de gâteau au chocolat. Tu sais, celui dont tu me rebats les oreilles depuis des années… Vendredi, le huit, ça te convient ?

– Yesssssss !

– Alors prépare tes cassettes, si tu veux m'enregistrer, j'ai l'intention de te raconter toute ma vie en détail et ça risque d'être long !

– Je t'invite pour tout l'après-midi, Christian. Et je te promets le gâteau au complet !

* * *

Christian parlera sur un ton empreint d'émotion pendant plus de deux heures, devant mon magnétophone installé sur la table du salon. L'histoire de sa misérable existence me chavire. J'éprouve aussi un serrement de cœur en songeant à Roger… Mais je me garde bien d'en glisser mot.

Plongé dans l'enfer de son passé, Christian grignote à peine l'énorme morceau de gâteau que je lui ai servi. Là-bas, les gâteaux au chocolat n'existent pas.

49

La vérité

Dans la salle sans fenêtres, l'atmosphère empestait la fumée. À trois heures du matin, Christian aurait donné n'importe quoi pour aller se coucher, même sur la banquette dure d'une cellule du Centre de Prévention où l'on garde sous les verrous les gens en attente de comparution devant un tribunal. Mais les deux enquêteurs ne semblaient pas vouloir lâcher prise. L'un d'eux, le gros joufflu à lunettes d'écaille, manifestait une impatience teintée d'agressivité qui rappelait à Christian les élans de violence de Gerry. Feu Gerry... En évoquant cette pensée, il ne pouvait s'empêcher de soupirer d'aise. Tout le reste lui paraissait de moindre importance.

Toutefois, la trêve avait été de courte durée, quelques heures à peine pour goûter enfin une paix convoitée pendant dix ans. Voilà qu'il se trouvait de nouveau exposé à la violence. On s'acharnait sur lui sans répit, on le secouait, on le rudoyait, on l'avait même frappé sur le côté du visage à plusieurs reprises. Depuis son arrestation, on n'avait cessé de le questionner sur un ton brutal, pendant des heures et des heures, sous la lumière crue de deux énormes lampes braquées sur lui. Christian aurait voulu protester haut et fort, crier, hurler, demander grâce, mais il n'en avait même plus la force.

— *Gerry est mort, et je plaide coupable. C'est moi qui l'ai tué, c'est clair, il me semble! Ça changerait quoi si on continuait l'interrogatoire demain matin? J'en peux plus…*

— *T'as rien qu'à nous dire toute la vérité, et ça va finir là!*

— *Mais je vous la crie par la tête depuis des heures, la vérité!*

— *Menteur! Pourquoi t'entêtes-tu à t'accuser à la place de ton père, veux-tu bien nous le dire?*

— *Je vous le répète : mon père a pas tiré, il a rien à voir là-dedans! Il était même pas là!*

— *Dis-nous alors où se trouvent le fusil et les papiers de Gerry Désourdy.*

— *Je… je sais pas où ils se trouvent. Encore une fois, je vous le redemande : je voudrais appeler un avocat.*

— *Nos téléphones marchent pas la nuit! Et puis, les avocats, ça dort très dur! Tu en auras un demain matin. Mais nous, on veut entendre la vérité tout de suite. Alors, on recommence. Raconte-nous ce qui s'est passé, le soir du dix septembre.*

— *Ça fait cent fois que je vous le dis!*

De plus en plus mollement, Christian répétait les faits, sans cesse interrompu par les enquêteurs qui s'acharnaient sur les détails.

— *Et l'arme? Tu allais jouer au billard avec un fusil?*

— *Je possédais cette arme depuis des années. À vrai dire, depuis ma période un peu délinquante, vers l'âge de quinze ans, quand j'habitais à Montréal et que je fréquentais des gangs de rue. Un de mes chums me l'avait procurée pour me défendre contre une éventuelle attaque d'une bande adverse. Je l'ai toujours gardée, sans jamais m'en servir, évidemment! Mais, ce soir-là, je l'ai mise dans mon sac à dos avec l'intention de faire peur à Gerry. Rien que ça : lui faire peur.*

De tout le témoignage de Christian, la seule entorse à la vérité était la provenance de l'arme, par souci d'éviter de mêler Martin à l'affaire. Il jeta un œil rapide sur les policiers. « Quels imbéciles, ils gobent mes menteries comme la pure vérité alors qu'ils sont incapables d'admettre ce qui est vrai ! »

— Alors, ce soir-là ?

— J'ai décidé de montrer le fusil chargé à Gerry pour lui faire comprendre que je pourrais très bien m'en servir. Contre lui ou contre moi.

— Tu voulais lui faire des menaces ?

— Je voulais le forcer à s'amender, rien que ça !

— Ça veut dire quoi, « m'en servir contre lui ou contre moi » ? Entretenais-tu des idées suicidaires ?

— Pour être franc, oui. Depuis un bon bout de temps.

Christian baissa la tête. De quel droit ces étrangers pénétraient-ils dans ses pensées les plus ténébreuses ? Pourquoi leur dévoiler d'obscurs désirs jamais confiés à personne ? Il se sentait mis à nu, trahi par son propre témoignage.

— As-tu jamais pensé à tuer Gerry Désourdy ?

— Oui, des millions de fois ! Mais pas ce soir-là en particulier.

Le policier tira Christian par la manche et le regarda dans les yeux, approchant de lui son visage graisseux puant le tabac et le hot-dog mal digéré. Le jeune homme vit l'haleine chaude embuer les verres de ses lunettes.

— Es-tu bien certain, mon ti-cul, que Gerry ne possédait pas sur lui quelques grammes de stupéfiants dans le but de les livrer ou de les revendre quelque part ? Ça aurait pu faire ton affaire de…

— Jamais de la vie ! Gerry ne pratiquait pas ce commerce-là. C'est le seul défaut qu'il avait pas !

Le fait que Gerry ait été tiré à bout portant par-derrière d'abord, et de l'extérieur de la voiture ensuite, déroutait les enquêteurs. Cela éliminait toute possibilité de bataille ou d'escarmouche entre la victime et le tireur.

— D'après toi, ton père et lui s'entendaient bien. Comment croire une telle aberration ? Avoue que c'est de la foutaise ! Ton père était revenu chez vous, ces derniers temps, dans le but évident de retrouver ta mère. L'éternel triangle, quoi ! Pourquoi pas éliminer le deuxième mari trop encombrant ? Rien de plus simple ! Étant donné que tu semblais le haïr, selon tes déclarations, tu t'es fait le complice de ton père pour le supprimer et feindre ensuite un vol à main armée. Voilà le fin fond de l'histoire !

— Mais non ! Vous êtes sur une fausse piste, je m'acharne à vous le répéter depuis ce matin : mon père y est pour rien, c'est moi le meurtrier ! Seulement moi ! Je suis prêt à signer mes aveux de culpabilité. Et laissez-moi aller me coucher, par pitié...

— Parle-nous de ton ami Martin.

— Martin se trouvait pas sur les lieux quand j'ai tiré. Pas plus que mon père. Je vous le jure encore une fois. Nous l'avons ramassé complètement gelé, un peu plus loin sur la route. Il avait dû sniffer une bonne quantité de cocaïne.

— Qu'il avait prise où ? Dans les poches de Gerry ?

— Non ! Je viens de vous le dire, c'est pas une histoire de drogue.

— Et toi ? Tu en consommes de temps en temps ?

— Plus maintenant. Plus depuis un an...

Sur le bord de s'effondrer, Christian éprouvait une envie aiguë de se rouler par terre en demandant grâce, prêt à signer n'importe quoi pour avoir enfin la paix. Les policiers firent une ultime tentative pour le casser.

— Sais-tu que d'autres témoins donnent une version totalement différente de ce crime ?

— Si quelqu'un vous a raconté autre chose, il ment.

— Non, c'est toi qui mens, Christian Larson !

50

Pour la première fois de ma vie, je pénètre dans un Palais de justice. Selon les informations de Christian, les audiences débutent à neuf heures du matin. Depuis sa venue chez moi, mon ami me téléphone toutes les deux ou trois semaines, à frais virés naturellement, de la boîte téléphonique à l'usage des détenus. Nous bavardons de choses et d'autres, de l'actualité comme de la température. Rapports de surface dont les confidences se trouvent en général exclues, à quelques exceptions près. Qu'il m'apparaît lointain, le temps de *Love Me Tender*...

Mais je n'ai plus à me plaindre : des confidences de sa part, j'en ai reçu des tonnes dernièrement, au moment de sa visite. Grâce à lui, mes activités d'écriture vont bon train. Enfin ! Depuis cette inoubliable rencontre dans mon salon, je noircis des pages et des pages. *Mon cri pour toi* est en train de devenir volumineux. Mais il manque encore le dénouement de cette saga, cet espace où la réalité rejoint la fiction, ce point de fusion du passé, du présent et de l'avenir, le pivot où l'histoire qui se termine en enclenche une autre. Des prémisses de la condamnation jusqu'à l'incarcération, et de l'incarcération jusqu'à la libération. L'histoire d'une vie... Et pourquoi pas le miracle de la renaissance ?

En principe, le procès de révision judiciaire devrait durer environ une semaine. Si l'on accède à la demande de Christian, il pourra envisager une libération conditionnelle dans quelques mois, après certaines autres démarches administratives. Ce matin, il s'agit du témoignage de Christian lui-même. Malgré mon horaire chargé, je tiens à y assister, je veux le réconforter par ma présence amicale.

Je ne m'attendais pas à voir déambuler une telle foule dans les corridors de ce vaste édifice. Grands dieux! Tout ce monde-là se trouve-t-il embourbé dans des batailles juridiques? La justice des hommes me paraît tellement tortueuse… J'espère ne jamais devoir venir ici pour défendre ma propre cause et remettre à un tiers, tout homme de loi fût-il, le pouvoir d'intervenir légalement dans ma vie.

Pauvre Christian! J'imagine la tension qu'il éprouve en ce moment. Rien que d'y penser, j'en ressens moi-même des palpitations. En m'assoyant au fond de la salle, je lorgne le siège qu'occupera tantôt le juge. Le trône de la sagesse… Peuh! J'arrive mal à y croire! Et, derrière lui, douze jurés, simples humains portant sur leurs épaules le sort de l'un de leurs frères, un pauvre type qui n'a pas su, dans un moment de désespoir, mater la pulsion si forte d'éliminer celui qui grugeait depuis dix ans son droit au bonheur et à la paix. Je plains ces hommes et ces femmes dont le cœur et la raison oscilleront entre d'une part le pardon et la seconde chance, d'autre part la punition et la vengeance par la prolongation d'une peine devenue inutile pour celui qui s'est réhabilité.

Nous en sommes au dernier jour d'audience. Selon les dires de Christian, hier, au téléphone, tout se déroule passablement bien. Jusqu'à aujourd'hui, ses deux avocates ont interrogé des psychologues, des agents de gestion, des animateurs, des accompagnateurs. Des témoignages pour la plupart favorables. En contrepartie, le procureur de la Couronne a longuement questionné un psychiatre pour savoir si Christian Larson, dans une situation analogue à celle de son crime, ne perdrait pas le contrôle de lui-même encore une fois. Il a tenté, de toutes les manières, de semer le doute dans l'esprit des jurés. Mais qui, de par son humble condition d'être humain, peut prévoir le comportement de son semblable? De quel droit un homme, si savant soit-il, se prétend-il un prophète apte à prédire l'avenir? Dieu merci, le médecin a plutôt disserté sur la lucidité de Christian et son évolution positive, et il s'est montré en faveur de sa libération. Le procureur n'a eu qu'à se rasseoir!

Aujourd'hui, on interrogera Christian lui-même. Les dix prochaines années de sa vie vont se jouer à ce moment-là. Toute son existence, d'ailleurs... Il lui reste si peu de jeunesse pour arriver à regarder encore la vie avec émerveillement et retrouver enfin l'équilibre. Cela doit se réaliser maintenant, s'il n'est pas trop tard. Sinon, il est foutu, la prison risque de l'habiter pour le reste de ses jours. Dix autres années de détention ne feraient que le détruire davantage.

Mon ami se trouve sur la corde raide. Il suffit qu'un seul des jurés s'affirme réfractaire à sa libération, un seul ancré dans ses préjugés ou fermé à tout espoir, un seul à l'extrême droite pour que Christian bascule dans la noirceur. Durant son interrogatoire, mon ami devra se montrer franc et honnête, tel qu'il est. Tel que je le connais. Souhaitons que les opinions des jurés, grâce à son témoignage, pencheront du côté indulgent.

Quelques personnes seulement occupent les chaises à l'avant de la salle. Paradoxalement, les drames vécus attisent moins la curiosité du peuple que les tragédies créées de toutes pièces et lancées virtuellement sur un écran de cinéma ou une scène de théâtre. Les foules préfèrent la fiction… Je crois reconnaître quelques visages familiers, deux agents de gestion de Bonsecours me saluent de la tête, de même que le psychologue rencontré maintes fois dans les corridors du socio. Deux ou trois autres inconnus semblent attendre le début de la séance. Jeanine se trouve là, plus petite, plus chétive que jamais dans son manteau de laine marron. Dès mon arrivée, elle vient me trouver et se jette dans mes bras.

— Oh! Françoise, merci d'être venue! C'est tellement dur de revivre tout ça après tant d'années. De déterrer ces affreux souvenirs… Mon malheureux Christian, comme il doit avoir froid dans le dos, en ce moment! Mon pauvre petit garçon! Il a fait de la prison pour l'amour de moi, vous savez. Pour me libérer de l'emprise de mon deuxième mari.

Je la presse avec insistance sur mon cœur. La vivacité de mon étreinte réussira-t-elle à adoucir la souffrance de cette femme? Je suis une mère, moi aussi, et je peux facilement imaginer son état de fébrilité. Moi-même, je me sens anxieuse et l'âme déchirée. Je trouve difficilement les mots pour la réconforter sinon de l'assurer de mon espoir en la véritable justice.

— Ils vont le libérer, votre Christian, il faut y croire très fort.

— Mon fils, c'est quelqu'un de bien, vous savez! Demandez à Ariane. Oh! excusez-moi, j'ai oublié de vous présenter. Voici ma fille Ariane, la demi-sœur de Christian. Et voici Martin, son ami de longue date. Il n'a jamais lâché mon fils. Il se trouvait présent lors de… du… de la fameuse nuit.

Ariane sourit timidement. Joli brin de fille près de la vingtaine, yeux bleus, cheveux blonds. Elle ne ressemble en rien à son demi-frère, sinon par le nez finement arqué. Martin demeure silencieux. Il affiche des allures d'itinérant et paraît infiniment plus âgé et abruti que Christian. Cheveux longs et sales, vieille veste de cuir élimé, jeans déchiré, visage éteint dont la maigreur et la pâleur trahissent la toxicomanie. Je leur tends timidement la main. La jeune fille plonge un regard désespéré dans le mien. Indubitablement, le sort de son frère lui tient à cœur, elle aussi. Christian Larson ne manque pas d'amour.

– J'ai beaucoup entendu parler de vous, Madame Piano. Merci d'être venue nous encourager.

Une voix ordonne à l'assistance de se lever pour accueillir l'arrivée du juge et du jury. Pendant que je regagne ma place, un vieux souvenir remonte à la surface et me serre le cœur. À l'époque, durant la prime enfance de mes enfants, il m'arrivait de les punir sévèrement quand ils le méritaient. «Va réfléchir dans ta chambre! Tu reviendras dans deux heures seulement.» Mais toujours, au bout d'une demi-heure, je retournais trouver l'enfant et le prenais par la main. «As-tu compris la gravité de ton geste? Tu t'es trompé, n'est-ce pas?» La plupart du temps, le pauvre petit me faisait signe que oui. «Alors, tu peux revenir dès maintenant, je te pardonne. Mais ne recommence pas!»

En général, ils ne recommençaient pas.

* * *

Christian, assis face au jury mais le dos tourné à l'auditoire, me paraît fatigué, l'échine légèrement courbée. Du grand adolescent mal vieilli, il ne reste plus rien. L'homme assis en avant semble prostré, usé par des années de souffrance. Un artiste, à gauche du prétoire, s'occupe à dessiner son portrait, car on interdit les caméras dans les cours de justice. L'inévitable queue de cheval a disparu et ses cheveux, plutôt longs, flottent sur ses épaules. Chemise noire, cravate, pantalon bien pressé. Tout est parfait.

Lentement et sans bruit, les jurés prennent place. Des gens ordinaires, anonymes… Je les ai peut-être croisés dans la rue. Je ne les envie pas. Je songe à mon attitude adoptée chaque matin où je me suis retrouvée, à Bonsecours, en face d'un hors-la-loi : j'ai toujours refusé de juger cet homme sur ses erreurs. Qui me dit que, si j'avais eu à vivre son passé et les misères de son enfance, si j'avais connu les mêmes lacunes, les mêmes absences, les mêmes aberrations, la même violence, si j'avais subi les mêmes frustrations, les mêmes insatisfactions, les mêmes injustices ou les mêmes influences, si, au cours de mon existence, avaient surgi un Roger et un Gerry… qui me dit que je ne serais pas tombée dans une déchéance semblable ? Peut-être me serais-je retrouvée, moi aussi, assise à la barre des accusés ? Non, Christian, eux vont se permettre de te juger, mais pas moi. Tu as maintenant payé ta dette à la société, fasse le ciel que ces hommes et ces femmes se souviennent de l'existence du pardon. Ma supplication, aujourd'hui, je la lance du plus profond de mon âme, plus loin, plus haut, plus fort que la plus belle des prières. Plus déchirante que le silence…

— Monsieur Larson, avez-vous prémédité l'assassinat de votre victime ?

— Je l'ai tué dans ma tête des centaines de fois, monsieur le Procureur.

Un long frisson me parcourt. Ma mère disait que la vérité a toujours sa place. Pour la première fois de ma vie, je mets en doute cette parole.

* * *

Le verdict tombe seulement le lendemain, en fin de matinée.

— Mesdames, messieurs, membres du jury, êtes-vous unanimes à l'effet qu'il y a lieu de réduire le délai préalable à une libération conditionnelle du requérant Christian Larson ?

– Oui, le jury autorise à l'unanimité Christian Larson à présenter une demande de libération à la Commission nationale de libération.

Christian baisse humblement la tête et reste silencieux, sans réaction. Je m'attendais à le voir sauter de joie, les bras en l'air en signe de victoire. Il préfère fermer les yeux et se recueillir devant la fin éventuelle de son supplice. Son premier geste d'homme libéré est un geste de prière. Dieu est là, il a remporté sa victoire.

Ce n'est qu'une fois dehors, éblouie par l'éclaboussure d'un rayon de soleil dans une flaque d'eau du trottoir, que je me mets à sangloter comme un bébé.

51

La fausse vérité

— *Monsieur Roger Larson, jurez-vous de dire la vérité, toute la vérité, rien que la vérité? Levez la main droite et dites: «Je le jure.»*

— *Je le jure.*

Roger, sûr de lui, gardait la tête droite. Aucune trace de nervosité dans son attitude. Chemise, cravate, gilet, cheveux lisses. Le suspect principal portait haut pour sa comparution devant le juge.

— *Monsieur Larson, que s'est-il passé, le soir du dix septembre dernier?*

— *Ce soir-là, nous devions aller jouer au billard, mon fils et son ami Martin, Gerry et moi. Je devais les rejoindre un peu plus tard, car je voulais aller chercher des pneus au garage. En passant devant le terrain abandonné, près du fleuve, j'ai remarqué la Pontiac de Gerry stationnée. Ça m'a intrigué. Je me suis approché doucement et suis sorti de ma voiture sans faire de bruit. Là, j'ai vu Christian assis sur le siège arrière, un fusil contre sa tempe. Je n'en croyais pas mes yeux, j'ai cru qu'il allait se suicider. Gerry, assis à la place du chauffeur, ne bronchait pas, l'animal! Je me suis empressé d'arracher l'arme des mains de mon fils par la fenêtre de* la portière et je me suis glissé à côté de lui. J'ai alors entendu Gerry rire à gorge déployée. Il a dit : « Tiens ! V'là le père de l'autre ! V'là le quêteux ! Le cher "ex" de ma putasse de femme. Aussi chieux que la Jeanine. Aussi lâches les uns que les autres, hein, les Larson ! »

J'ai vu rouge et j'ai pointé le fusil dans sa direction pour le faire taire. Christian m'a averti de faire attention, car l'arme était chargée. Mais Gerry continuait de me provoquer dangereusement. « Envoye, Roger, tire ! Un peu de cran, câlisse ! Montre au mari de ton ex que t'as des couilles, toi aussi ! » Le gars jouait avec le feu, il a réussi à me faire perdre la tête. L'espace d'une seconde, j'ai pensé à Jeanine battue par lui et à mes deux enfants malheureux par sa faute. Et j'ai tiré. C'est à cause de lui si Christian a failli se suicider. La lâcheté m'avait toujours empêché d'intervenir, mais cette fois-ci, je n'ai pas raté ma chance : j'ai logé une balle à bout portant dans la nuque de ce bel écœurant, malgré les cris de protestation de Christian. Le pauvre me suppliait comme un démonté de ne pas faire le fou. Puis je suis sorti de la voiture et j'ai tiré un autre coup pour m'assurer qu'il était bel et bien mort.

— Et ensuite ?

— Ensuite, j'ai dit à Christian d'aller s'asseoir dans mon Ford. Il n'en menait pas large, mon fils, surtout qu'il avait fumé pas mal de pot. J'ai alors tenté de faire croire à un vol, et j'ai ramassé tous les objets compromettants pour les jeter dans le fleuve.

— Où se trouvait Martin, à ce moment-là ?

— Je l'ignore. Je l'ai trouvé sur le chemin, marchant vers l'ouest. Il tenait à peine sur ses jambes et semblait tout ignorer du drame, trop drogué pour réaliser ce qui venait de se passer.

— Et l'arme ?

— Je l'ai lancée dans le fleuve, à un endroit que je crois profond, directement sous le pont Champlain.

— Et Christian, comment a-t-il réagi à tout ça ?

— Il se trouvait en état de choc, incapable de réagir. Mon pauvre fils… Je le voyais trembler de tous ses membres. J'ai tenté de le rassurer, lui ai conseillé d'oublier à tout jamais cette scène horrible. Tout ça ne le concernait pas, je m'occuperais de tout. Il n'aurait qu'à tout oublier, à nier, à ne rien se rappeler et ne rien dire si jamais les policiers rejetaient la thèse du vol. Il s'agissait de mon problème à moi, et à moi seul. Moi, l'unique responsable, moi, le coupable. Moi, son père…

Roger retenait difficilement ses sanglots. Derrière lui, certains membres du tribunal baissèrent la tête, d'autres se mirent à prendre longuement des notes.

— Monsieur Larson, êtes-vous au courant que d'autres témoins, dans ce crime, donnent une version complètement différente des faits?

— Ah oui? Je… je l'ignore, monsieur l'avocat.

— Monsieur Larson, je vous remercie.

* * *

Martin se présenta à la barre comme un vieil habitué des cours judiciaires. Non qu'il eût commis de grands crimes, mais ses menus méfaits et délits l'avaient souvent amené à comparaître devant un juge pour recevoir des sentences de quelques jours ou de quelques mois d'emprisonnement, ce qui, toutefois, n'avait jamais contribué à régler son problème de toxicomanie.

— Monsieur Martin Laramée, que s'est-il passé, le soir du dix septembre?

— On était censés aller jouer au billard, Christian, Gerry et moi. Roger devait nous rejoindre plus tard. On s'est arrêtés pour fumer des joints. Christian et Gerry ont commencé à discuter. Christian m'a dit de partir, alors je suis allé prendre une marche.

Puis là, euh… je… j'ai pris un petit peu de poudre que j'avais apportée avec moi, ce qui fait que je me souviens plus trop de la suite. Je me suis réveillé, le lendemain matin, couché dans la tente, derrière la maison de Christian.

— Votre ami Christian a-t-il déjà proféré, devant vous, des menaces à l'égard de son beau-père?

— Euh… n… non! Il semblait le détester, mais il m'en parlait jamais.

— Et avez-vous une idée de la provenance de l'arme?

— Non, pas la moindre idée.

— Monsieur Gerry Désourdy vous a-t-il déjà fourni ou vendu des stupéfiants?

— Ça non, en aucun temps. C'était pas vraiment son genre.

— Monsieur Laramée, je vous remercie.

* * *

Le verdict tomba, comme un couperet:

— Monsieur Christian Larson, étant reconnu coupable de meurtre au premier degré avec préméditation, avec la complicité de votre père, vous êtes condamné à vingt-cinq ans de prison ferme, sans possibilité de libération conditionnelle avant quinze ans.

Christian ne broncha pas. Dans sa tête, il se contenta de faire un rapide calcul. «Mon âge, dix-huit ans, plus quinze ans de prison. Je redeviendrai probablement libre à trente-trois ans ou, au pire, à quarante-trois ans. Pas si mal…» Il se demanda avec cynisme s'il devait s'en réjouir.

Roger Larson reçut la même sentence, pour les mêmes faits. Il ne dérogea jamais de sa fausse déclaration. Le jury en avait conclu, par conséquent, à une véritable complicité entre le père et le fils.

Lequel avait tiré? Les opinions demeurèrent controversées, mais les sentences restèrent les mêmes.

Roger accepta le verdict d'un air condescendant. Meurtrier, il l'avait été à sa manière. N'avait-il pas tué dans l'œuf la joie de vivre de ses enfants? Il souhaita que toutes ces années d'incarcération auprès de Christian le rachètent de son véritable crime, celui d'avoir privé son fils de son droit légitime à une vie familiale sereine et normale.

Martin ne reçut aucune condamnation, puisqu'il n'avait pas participé, de toute évidence, à ce crime que les journaux qualifièrent de passionnel.

52

Je tente, tant bien que mal, de le suivre à grandes enjambées sur le trottoir de la rue Sainte-Catherine.

— Grands dieux! Y a pas le feu! Tu oublies mon âge vénérable, jeune homme. D'autant plus que mon sac est lourd à porter.

— Oh! excuse-moi, je n'avais pas réalisé.

Christian s'esclaffe. Nous sommes tout à la joie de nous retrouver pour la première fois hors de la forteresse de Bonsecours. Libéré depuis trois mois et pensionnaire obligé d'une maison de transition pour un an, il ne m'a jamais paru aussi pétillant et plein d'entrain. En s'emparant de ma mallette, il me gratifie d'un rapide baiser sur le front. Cette excitation m'étonne et m'inquiète à la fois. Je crois y déceler une certaine gêne, celle du fanfaron aux prises avec une situation nouvelle.

La Commission nationale des libérations conditionnelles a mis une éternité à statuer sur le sort de Christian, à la suite de sa demande. Lorsqu'un jury se prononce favorablement au cours d'un procès de révision, la cause s'avère en général gagnée d'avance. Mais chacun doit attendre son tour. Le tour de Christian n'est venu que plusieurs mois plus tard.

– La bureaucratie est d'une lenteur mortelle. La seule institution au monde où le temps ne semble pas compter !

J'ai admiré sa patience durant l'attente de la libération. Il a respecté son mandat de président des détenus jusqu'à la fin, mais il n'envisageait plus les choses de la même manière. Au téléphone, je le sentais plus calme et plus jovial. Plus tolérant, surtout.

– Après tout, la vie s'offre à moi, Françoise ! Quelques semaines de détention de plus ou de moins ne vont pas me jeter par terre !

Cependant, les quelques semaines se sont multipliées à n'en plus finir. Au bout de sept mois, il a pu enfin prendre le chemin d'une maison de transition pour cette période d'essai où le captif, toujours sous la férule du système carcéral, peut user d'une forme de liberté relative. Il n'a pas le choix de se conformer aux règlements stricts de la maison et de répondre de ses agissements à un agent. On le met dans l'obligation de se trouver du travail et de démontrer sa capacité à se comporter en citoyen irréprochable. À ce sujet, je n'éprouve aucune inquiétude. Il saura se débrouiller.

Christian me prend par les épaules et me serre contre lui, au beau milieu du trottoir.

– Pas mal conservée, pour une dame d'un certain âge qui se promène dans les parages de l'université avec un sac d'école !

– Je ne m'inscris jamais à plus d'un cours par session.

– Dis donc, Madame Piano, si on allait prendre une bière quelque part ?

Nous nous acheminons donc, bras dessus bras dessous, vers un des bars les plus populaires du village gai. Petit éclairage tamisé, musique douce, posters de mecs à moitié nus et tous plus beaux les uns que les autres. Si mes enfants voyaient leur mère grimpée sur un haut tabouret en train de siroter une bière en compagnie d'un homosexuel tout en regardant deux gars se trémousser sur la piste de danse, ils n'en reviendraient pas! Cré Christian! Il m'en aura fait vivre, des choses! Sur la table, les trois roses jaunes qu'il m'a apportées dégagent un parfum raffiné qui se perd dans les volutes de l'alcool. Nous entrechoquons nos chopes de bière et trinquons à son nouveau bonheur.

— Et la liberté, ça se digère bien?

— Oui, oui, je suis bien entouré. Au début, je me sentais dérouté. Tout m'énervait, même traverser la rue ou marcher parmi la foule du métro. Ces détails semblent insignifiants, mais quand on les additionne, ils peuvent devenir stressants. C'est fou, je me sentais vraiment bien seulement quand je réintégrais la maison de transition, le soir. Mais petit à petit, les choses ont changé. À présent, ça m'horripile de retrouver tous les jours le même genre de population qu'en milieu carcéral, même calibre intellectuel, même classe, même vision déformée de la réalité, même haine envers le système. Et mêmes illusions! Plusieurs d'entre eux récidiveront à coup sûr, mais d'autres s'en sortiront, Dieu merci! Pour ma part, il me reste quelques mois de probation avant de pouvoir prendre enfin un appartement et posséder un petit coin bien à moi. En paix. Enfin!

— Fréquentes-tu toujours ta famille?

— Plus que jamais! Ma mère et mes sœurs ne me lâchent pas et ne cessent de m'inviter chez elles. J'aime bien aller prendre un verre chez Ariane, je m'entends bien avec son *chum*. Ça me fait drôle de savoir que ma petite sœur baise avec un gars. Un vrai coup de vieux pour moi! Elle avait pas quatre ans lors de mon arrestation. Dans mon esprit, je la considère encore comme une petite fille, comme si le temps s'était arrêté il y a quinze ans. Lison aussi, je lui rends visite souvent. Crois-le ou non, elle est enceinte d'un quatrième marmot! J'adore jouer avec ses enfants. Auprès d'eux, je me détends et me ressource, j'ai l'impression de rattraper mon enfance perdue. Je me sens redevenir le vrai Christian d'autrefois, celui qui aimait s'amuser et pouvait encore s'émerveiller.

— Et ta mère?

— J'ai de bonnes nouvelles à son sujet: elle est en amour avec un type bien. Il se comporte correctement et se montre bon envers elle. Je m'en réjouis, tu penses bien! Mais je préfère la rencontrer ailleurs qu'à Boucherville. J'ai du mal à me détendre dans la même cuisine, les mêmes affaires qu'autrefois. Tout me rappelle le monstre: la chaise berceuse, le vieux cendrier sur le coin de la table, le tableau du désert dont les dunes m'ont tant fait rêver. Rien n'a bougé depuis toutes ces années. Même les odeurs de la maison me troublent. Surtout les odeurs! L'autre jour, Jeanine m'a reçu à souper avec un macaroni au fromage. Eh bien! je me suis senti incapable d'en manger et ma mère ne comprenait pas pourquoi! Trop de souvenirs reliés à cette odeur me font encore mal… Avec le temps, tout ça va passer, je suppose. Mais je doute de devenir un jour amateur de Kraft Dinner!

— Quand je t'inviterai à manger chez moi, mon cher, j'en tiendrai compte, c'est promis! Exclusivement du gâteau…

Nous éclatons de rire. Je savoure l'instant présent. Voir mon petit Christian évoluer dans le monde libre me procure un grand plaisir. D'avoir déambulé à ses côtés dans la rue Sainte-Catherine et de me trouver là, en train de déguster autre chose que notre sempiternel café, dépasse mes rêves les plus fous. Je me souviens encore de la première fois, dans l'entrebâillement de la porte de la remise de Bonsecours qui servait de studio à l'époque. Il m'avait apporté un café fumant et s'était mis à disserter sur la liberté. Cinq ans ont passé… Quel trajet, tout de même, depuis ce temps-là!

— Comment ça va au travail?

— Je suis tombé sur les patrons les plus compréhensifs du monde. Je vais adorer ce travail dans une firme de publicité. La promotion m'a toujours fasciné. Un vrai défi pour moi! Pour l'instant, je remplis simplement la fonction d'homme à tout faire puisque j'appartiens à la boîte depuis quelques semaines seulement. Mais on me fait déjà miroiter des perspectives d'avancement, et ça me stimule énormément. Oui, de ce côté-là, ça va bien.

Un grand gars famélique, bagues aux doigts, s'approche de Christian par-derrière et le prend par les épaules, puis dépose une bise sur sa joue en me faisant un clin d'œil. Deux autres types du même genre l'accompagnent.

— Tiens, salut! Permettez-moi de vous présenter ma grande amie et professeur de piano, Françoise. Voici mon ami Emmanuel et ses deux copains.

Au lieu de me serrer la main, les trois compères m'embrassent sur la joue. Décidément, me voilà parachutée dans un autre monde!

— Tu joues du piano, toi, Christian? Petit cachottier, va! Faudra entendre ça à un moment donné.

— Certainement! Je joue *Love Me Tender* comme personne au monde, tu croiras pas ça! N'est-ce pas, Françoise?

Je me retiens d'éclater de rire. Christian devine mon amusement et me prend la main. Mais son interlocuteur semble pressé.

– Ça fonctionne toujours pour le souper dans le quartier chinois avec Roberto et les autres? Rendez-vous à sept heures, n'oublie pas, chéri. Salut, madame. Au plaisir!

Les voilà repartis en se dandinant autour des tables. Je ne connais pas vraiment le milieu gai, il m'intrigue et suscite ma curiosité. J'éprouve de la difficulté à relier Christian à ce monde-là, l'ayant connu parmi les «gros durs» de la prison.

– Si je comprends bien, un certain Roberto a remplacé Claude dans ta vie?

– Eh oui! Un gars formidable et, surtout, sérieux... Le grand amour, je crois bien.

– Et ton père, parle-moi de ton père.

– Oh! mon père se trouve toujours à Bonsecours. Il se plaint, paraît-il, parce que je ne vais pas le visiter assez souvent. La révision de son cas devrait avoir lieu très bientôt. Si ç'a réussi pour moi, ça devrait réussir pour lui aussi. Son cheminement est identique au mien: nous avons reçu la même condamnation pour le même crime et adopté le même comportement exemplaire en détention. Je ne vois pas pourquoi ça ne passerait pas aux révisions judiciaires.

– Même condamnation pour le même crime... Ça m'a intriguée pendant si longtemps, Christian. Au début, je ne m'en suis doutée qu'à la lecture de ses poèmes.

– Comment ça, ses poèmes? Je sais que mon père t'apportait parfois des écrits, mais j'ignorais leur contenu. Il ne m'a jamais rien montré. Je me rappelle, à Bonsecours, tu lui avais fait lire un poème devant tout le monde. Il écrivait ça pour toi? Tu parles! Et... il te chantait la pomme?

– Pas du tout, voyons! Ton père ne me contait pas fleurette. Il me montrait ses écrits à cause de mon intérêt pour l'écriture, rien de plus! À vrai dire, ils s'adressaient à toi, ses poèmes. Ton père écrivait pour son fils...

Christian reste sans voix et me regarde d'un air ahuri. Je n'en reviens pas de la distance inouïe existant entre ces deux hommes qui viennent de vivre côte à côte pendant quinze ans. Et qui ont partagé le même crime, jadis... Quelle est donc cette barricade de silence qui divise les êtres plus sûrement que les barbelés des prisons?

— Christian, tu devrais aller voir ton père à Bonsecours. Lui parler des vraies choses, pour une fois. Pour une vraie fois...

— Est-il venu me voir, lui, pendant ma jeunesse où je vivais l'enfer? M'a-t-il jamais parlé des vraies choses? A-t-il jamais pris dans ses bras son petit garçon perdu? Il s'est imaginé se racheter à mes yeux, et surtout à ses propres yeux, en s'accusant lui-même de mon crime. Et en venant s'installer à côté de moi en taule pour me tenir la main et me taper sur les nerfs, quelle blague! Quand quelqu'un est en train de se noyer, l'idée n'est pas de se jeter à l'eau pour se noyer avec lui, surtout si on ne sait pas nager! On lui lance une bouée ou une branche pour le sauver. Mon père a voulu aider un noyé en se mettant lui-même dans la même situation! Il n'a rien arrangé. Rien, absolument rien. Au contraire! Peut-être vas-tu me trouver méchant, Françoise, en entendant ce que je dis là...

— Euh...oui, peut-être un peu! Rendu à ce stade-ci, ça s'appelle de la rancune, je crois.

— Je n'ai pas eu besoin de mon père ces derniers quinze ans. Absolument pas! J'avais besoin de lui AVANT la prison. S'il avait bien rempli son rôle, je n'en serais pas venu là... Savais-tu, Françoise, que les autorités judiciaires le considèrent toujours et encore comme le véritable assassin de Gerry? Ils n'ont jamais voulu admettre la vérité. Il faut dire que les circonstances jouaient contre lui, sans contredit. Je vois encore les articles de journaux : *Crime passionnel. Pour réintégrer le domicile conjugal, un homme assassine le mari de son ex-femme.* Tout l'accusait, jusqu'à lui-même! Ils n'ont pas eu tout à fait tort de le croire. À la différence près qu'il n'a pas assassiné Gerry Désourdy, il m'a assassiné, moi!

Les larmes perlent sur le bord des paupières de Christian. Je regarde sa main agrippée à l'anse de sa chope à bière et ne peux m'empêcher de songer au vers de Roger : *Sur les barres, mes mains crispées En silence se sont fermées.*

— Ton père est un pauvre bougre maladroit qui n'a pas su comment se racheter. Il t'aime encore, Christian. Quand donc lui ouvriras-tu ton cœur? N'a-t-il pas droit, lui aussi, à une seconde chance? Il te reste un dernier pas à franchir, je pense, sur le chemin de la libération : celui de l'absolution. Et toi seul peux l'accomplir.

— J'y arrive pas. Je prie pour ça, pourtant. Ce cri… Il se trouve encore en moi, ce cri, comme un grand vide, un trou au-dedans de moi, au fond de ma gorge… Ce néant habité par tout ce qui n'a pas été dit et n'a pas été fait… Je reste muet, paralysé. Je manque d'air! J'ai peur d'en mourir. Il va venir à bout de moi, ce cri, je te jure! Malgré ma nouvelle liberté, je reste un prisonnier, tu comprends?

— C'est le temps de renaître, Christian, pas de mourir!

— Il faut que ça sorte, il faut que ça sorte! Tu me parles de pardon, d'absolution, d'amour, de recommencement. Vais-je y arriver un jour?

— Tu sais, Christian, les petites fleurs poussent même dans les sables du désert, tu me l'as dit toi-même. Un jour, tu prendras ton père dans tes bras avec tendresse, je te fais confiance. Il faut donner du temps au temps, le laisser engloutir le passé dans l'oubli. Mais tu dois y mettre du tien, car le trou ne se comblera pas tout seul.

— Je te promets d'aller voir mon père la semaine prochaine. Histoire de donner un coup de pouce au temps, comme tu dis. Et… je vais lui demander de me prêter ses poèmes. Je te promets de les lire avec l'esprit ouvert.

Je ferme les yeux. Christian ne me déçoit pas. Il est bien celui que j'imaginais.

— Tiens, j'en ai justement reçu un autre par la poste, cette semaine. Ce n'est pas dans mes habitudes de briser la confidentialité, mais j'ai décidé de te l'apporter. Je pense qu'il te fera du bien.

D'une main fébrile, je tire le feuillet de mon sac. Il est plus que temps que ces deux-là fassent la paix… Mine de rien, je me réfugie dans le silence et la contemplation stupide du pichet de bière sur lequel les gouttes de buée dessinent des sillons tortueux. Christian n'a pas le choix de se plonger dans la lecture, le regard humide.

Pour toi
J'ai enfilé les menottes,
Me suis tapi derrière la porte,
Sur les barres, mes mains crispées
En silence se sont fermées,
Et contre la cloison, mon oreille
A veillé sur ton sommeil.

De loin et pas à pas,
J'ai suivi ton pas,
L'œil aux aguets,
Tenant le couperet

Prêt à frapper
Si on osait t'abîmer.

J'ai espéré tes sourires,
Mesuré chacun de tes rires,
Ajusté mes joies et mes peines
Au rythme des tiennes.
Et j'ai pleuré avec toi
Sans que tu saches pourquoi.

Pour toi, et pour moi, pour nous deux,
Pardonneras-tu à ton vieux?

Christian n'arrive à parcourir que la moitié du poème, le regard trop embrouillé pour poursuivre sa lecture. Je le vois, à bout de souffle, presser la page sur sa poitrine.

— J'en ai manqué un grand bout, hein, Françoise?

— Il n'est jamais trop tard pour rattraper le temps perdu. Va faire la paix avec ton père, tu te sentiras mieux.

«Ainsi, la renaissance prendra son véritable coup d'envol...» Je garde pour moi cette dernière réflexion, bien consciente d'assister, émue, au déclenchement d'un miracle. Le miracle du pardon. Après une seconde d'hésitation, j'extirpe de mon sac d'école le volumineux manuscrit de l'histoire de Christian et le lui tends nerveusement.

— Tiens! J'aimerais bien te le faire lire avant de l'envoyer chez mon éditeur. Il me reste le dernier chapitre à fignoler. Le point ultime du véritable renouveau. Le point final et le point de départ. Le chapitre que nous sommes justement en train de vivre en ce moment. Je vais l'intituler: «La fin et le commencement».

Christian s'empare de la pile de deux cents pages dactylogra-phiées à double interligne, et éclate en sanglots.

— Quoi ? Ça s'appelle *Mon cri pour toi* ? J'en reviens pas ! Et... ça finit comment ?

— Ça se termine à cet instant même, aujourd'hui, ici dans ce bar. À cette minute précise. Il ne reste que les dernières pages à écrire. Tout au long, j'ai raconté ton passé mais aussi ton présent à partir du premier jour où je t'ai rencontré. Ton avenir, lui, reste à dessiner. Un nouveau-né ne vient-il pas au monde en lançant un cri ? Tu te rappelles le « p'tit bébé d'amour » ? Tu ne te décidais pas, alors je l'ai lancé pour toi sur le papier, ce cri . À ma manière et avec mes mots.

Je me mordille les lèvres. Puisse ce manuscrit et, en même temps, les poèmes de Roger, ouvrir une porte pour Christian, à tout le moins guider ses premiers pas vers la vraie liberté. Celle du cœur.

— Bon ! assez de larmes ! Raconte-moi quelque chose de gai. Je veux terminer cette journée sur une note joyeuse.

— Hum... J'ai deux bonnes nouvelles. Premièrement, ma sœur Ariane va se marier en septembre. Et elle m'a demandé de lui servir de père, vu que Gerry... Rien au monde ne pouvait me faire plus plaisir. Le croirais-tu, Françoise, je vais remplacer celui que j'ai tué ! C'est fou quand on y pense, hein ? Complètement absurde !

— Et l'autre nouvelle ?

— Roberto et moi allons nous marier dès que je quitterai la maison de transition.

— Quoi ? c'est si sérieux que ça avec lui ? *Wow* ! Quelle bonne nouvelle ! J'en reviens pas ! Pas mal pressé de se mettre la corde au cou, le gars qui vient d'être libéré !

Je pouffe de rire et me soulève de mon tabouret pour déposer un baiser sur la joue de mon ami. Christian qui se marie… Oh! la la! comme je suis contente! Tout est bien qui commence bien! Quoique… je ne peux empêcher une vague pointe d'inquiétude de me pincer le cœur. Ma fibre maternelle, sans doute…

— Mes meilleurs vœux de bonheur, mon cher! Et quand vais-je connaître l'heureux élu?

— Quand tu voudras. Il adore le gâteau au chocolat…

— Bon. Dès que j'ai mis le point final au dernier chapitre, je t'appelle. Je te le remettrai quand tu viendras prendre une bouchée à la maison avec le fameux Roberto.

* * *

Je n'attendrai pas cette rencontre avec Roberto. Dès mon retour à la maison, je m'empresse de rédiger les deux dernières pages de mon roman et m'en vais les poster à Christian d'un pas alerte, convaincue que la conclusion de *Mon cri pour toi* ouvrira une porte sur l'espoir.

Et sur la vraie liberté.

53

La fin et le commencement

Les années se sont écoulées à l'ombre des murs, une à une, avec une lenteur infinie, pour conduire Christian à mi-chemin sur le parcours de son existence.

Les mains agrippées aux barreaux de sa fenêtre, un certain jour de mai, l'homme de trente-quatre ans aux tempes déjà grisonnantes regardait, pour la dernière fois, déambuler les détenus dans la cour intérieure du pénitencier. Bonsecours… Encore quelques heures et il serait libéré. Il sortirait la tête haute, il aurait fini de payer sa dette. Le meurtre de Gerry Désourdy lui aurait coûté quinze ans, huit mois, vingt-quatre jours, neuf heures de sa vie. Et même en liberté, il resterait sous le joug du système correctionnel. Pour le reste de ses jours.

Celui qui franchirait tantôt la grande porte n'avait cessé de grandir. Du jeune garçon révolté et fier de son geste à qui l'on avait enfilé les menottes, il ne restait plus rien. Avec le temps, à force de réflexion et de méditation, Christian Larson avait compris la gravité de son crime et s'en était sincèrement repenti. En d'dans, il avait appris à se connaître et à comprendre la raison de ses agissements. Il avait surtout appris à se pardonner et à se respecter. À contrôler ses pulsions, aussi. Il était devenu quelqu'un de bien, avec un diplôme universitaire en poche et quelques centaines d'émissions de télévision à l'interne à son crédit. Il avait même connu l'amour ! À titre de président des détenus, il avait développé une excellente conscience des autres, de leurs faiblesses et de leurs besoins. Il avait aussi entretenu une relation d'amitié avec son professeur de piano. Oui... celui qui allait retrouver la liberté pouvait maintenant se taxer de transparence et d'honnêteté. Il se sentait prêt à recommencer à neuf.

Une seule ombre au tableau, une seule réalité entachait ses perspectives d'avenir : la rancœur envers son père lui oppressait toujours la poitrine. Son père, qu'il laissait temporairement derrière lui à l'intérieur des murs... Mais « le pardon viendrait en son temps » lui avait un jour assuré Madame Piano, qui le connaissait à fond.

Le front appuyé contre la vitre, ce carré minuscule qui avait représenté son seul horizon pendant tant d'années, Christian se mit à songer à cette amie, son ancienne prof de musique. Surtout ne pas la perdre de vue ! À la première occasion, il l'inviterait à prendre un verre, il lui offrirait des roses. Des jaunes. Il lui devait bien ça ! Et il lui parlerait de Roger.

Soudain, on frappa à la porte de sa cellule.

— Coucou, c'est moi ! Je t'ai apporté un café. C'est sans doute le dernier qu'on prend ensemble avant ta sortie... et la mienne, pour très bientôt, j'espère. Pour le prochain, on sera en liberté tous les deux, mon fils... Pas croyable, hein ? ENFIN !

— Ouais, pas croyable...

Christian se demanda s'il aurait envie de prendre d'autres cafés avec Roger, une fois libéré. Sous le regard intrigué de son père, il se tourna soudain vers les barreaux et se recueillit, l'espace d'un moment, lançant au ciel un appel à l'aide. Un appel à l'absolution. Comme une immense supplication.

Comme un grand cri muet rempli d'espoir.

Fin

54

« Vive les mariés, vive les mariés ! » Sous un tonnerre d'applaudissements et au son de la *Marche nuptiale* de Mendelssohn, je vois entrer un Christian rayonnant, fleur à la boutonnière, au bras de sa mère, pimpante dans sa robe rouge. Roberto lui emboîte le pas, tout aussi joyeux, accompagné de l'une de ses vieilles tantes. En tête du cortège, suivent les deux sœurs de Christian, leurs époux et une ribambelle d'enfants, puis Roger, bras dessus bras dessous avec sa chère Yolande.

Pour la circonstance, on a décoré les lieux de marguerites réparties un peu partout et de banderoles blanches suspendues au plafond. Au milieu de la piste de danse se dresse une table recouverte d'une nappe blanche et de bougies. Elle tiendra lieu d'autel pour le pasteur protestant qui célébrera la cérémonie religieuse. J'ai l'honneur d'assister à l'un des premiers mariages gais de la ville.

Peu après notre rencontre, Christian s'est présenté chez moi, un bon dimanche, en compagnie de « l'homme de sa vie ». Roberto, Costaricain d'origine et agent de voyages, m'a paru sérieux et fort sympathique. Surtout très amoureux de Christian. Les deux fiancés semblaient partager de nombreux points d'intérêt et concoctaient plusieurs projets, parlaient de s'acheter une maison, de voyager, et peut-être même d'adopter un enfant. Christian jubilait. Cette fois, il se trouvait sur le bon chemin, je n'en doutais plus. Enfin, tout allait bien dans son travail et dans ses amours. J'ai accepté avec joie l'invitation à leur mariage célébré dans un bar gai du centre-ville transformé pour l'occasion en chapelle puis en salle de réception.

Le pasteur a béni l'union des deux hommes de la même manière qu'il l'aurait fait pour un homme et une femme. Christian a prononcé le «oui, je le veux» d'une voix frémissante, les yeux plongés dans ceux de Roberto. Les deux hommes se sont ensuite juré amour et fidélité et chacun a glissé, d'un geste mal assuré, l'anneau au doigt de l'autre. Puis, ils se sont embrassés légèrement sur la bouche dans un silence absolu et sous le regard quelque peu embarrassé d'une cinquantaine de personnes.

Quand l'officiant a lancé son «Recueillons-nous, mes frères», j'ai vu mon ami s'agenouiller et prier avec une telle ferveur, un tel recueillement que je me suis sentie bouleversée. Christian, le croyant, le pieux, le vibrant. Christian, l'âme pure. Christian, l'intègre malgré son passé ténébreux. Christian, mon ami...

À l'autre bout de la scène, Roger manifestait une pareille intensité pour ce moment de méditation. Je souhaitai ardemment que ces deux-là aient enfin trouvé la paix.

Puis ce fut la fête. J'ai dansé avec le père qui n'a pas perdu la cadence et m'a emportée follement sur un air de valse jusqu'à ce que je demande grâce. J'ai aussi dansé avec le fils, qui n'a pas plus de rythme pour la danse que pour le piano! Et j'ai dansé avec le beau Roberto en songeant à tous les soupirs de frustration que pousseront les jeunes filles sur son passage.

Quand est venu le temps des discours, Roger s'est emparé du micro et, d'un ton humble et suppliant, a entrepris la lecture de l'un de ses poèmes adressé à son fils. Je ne reconnaissais plus le gai luron de l'époque de Bonsecours. Ému, il s'arrêtait quelques secondes, à la fin de chaque strophe, pour plonger ses yeux dans ceux de son fils, pâle et immobile.

Ma bénédiction

Qui suis-je pour lever la main sur toi,
Mon fils, même si c'est pour te bénir ?
Je devrais plutôt, à genoux et tête baissée,
Te demander encore pardon…

Mais que sert de ramener le passé
Une fois de plus, aujourd'hui ?
N'as-tu pas envie, comme moi,
D'y mettre à jamais une clé ?

Je veux seulement te presser sur mon cœur,
Ce vieux cœur de père un peu usé,
Qui ne t'a pas toujours mérité.
Ce soir, il te parle d'amitié.

Christian, je te tends une main d'ami,
Pour qu'ensemble on oublie nos folies,
Et qu'on regarde tous les trois en avant,

Toi, moi, et ton beau Roberto que j'accepte dans ma vie comme un nouveau fils.

Spontanément, Christian s'est levé pour se jeter en pleurant dans les bras de son père, suivi d'un Roberto fort ému et sous les applaudissements soutenus de l'assemblée. À la vue de cette scène, j'ai lancé silencieusement un cri au plus profond de mon être.

C'était un cri de joie.

Épilogue

Plusieurs de mes élèves, après leur libération, ont continué de donner des nouvelles à leur vieille Madame Piano. Émile, en compagnie de sa mère, a assisté à quelques-uns des récitals de mes élèves au privé. Michel m'a invitée à son petit local du nord de la ville où il vient en aide aux jeunes Noirs de son quartier. Le grand Luc a insisté pour que je donne des cours à sa fille de six ans, Louis est resté en contact avec moi jusqu'à ce qu'une fiancée ignorant tout de son passé entre dans le décor. Jean-Pierre, mon meilleur élève et chanteur de l'*Ave Verum*, fait partie d'une chorale de Montréal et continue de jouer du piano sur le vieil instrument que je lui ai déniché.

Quant à Christian, il vient, de temps à autre, déguster un verre de vin à mes lancements de livres. Il est resté fidèle à son conjoint, et si leur projet d'adoption d'un enfant n'a pas abouti, la lumière qui brille au fond des prunelles de ces deux-là ne cesse de me réjouir et de me rassurer. Mon ami travaille maintenant pour Option-Vie, organisme conjoint au Service correctionnel pour l'aide à la réinsertion sociale des détenus de longue sentence. Qui, mieux que lui, peut remplir cette fonction ? Je suis fière de lui. L'autre jour, il m'a annoncé d'une voix tremblante la perte de Roger, mort entre ses bras.

J'ai laissé écouler quelques années avant de retourner enseigner le piano à Bonsecours, préférant bercer paisiblement mes petits-enfants et aussi les enfants malades d'un hôpital. Puis, l'envie d'offrir ma musique aux prisonniers m'a impérieusement reprise. J'ai donc ramené Beethoven en prison afin de cultiver l'espoir avec d'autres Christian tout aussi attachants et prometteurs, d'autres «poqués» de la vie et d'autres Louis, Sylvain, Émile, Jean-Pierre, Francis, Michel, Félix, Frédéric, Miguel... D'autres fourmis, aussi!

Sans doute me mèneront-ils encore sur des chemins insoupçonnés, ces sentiers tordus de l'âme humaine où poussent à la fois les marguerites et le chiendent. Là où, dans le terrain sablonneux de la révolte et de la haine, j'ai vu éclore, parmi les pierres, de si merveilleuses fleurs d'espoir. Là où j'ai compris qu'entre Dieu et diable, le bien finit souvent par remporter de prodigieuses mais discrètes victoires.

Pour écouter encore d'autres cris étouffés au fond de cœurs trop silencieux.

De la même auteure, aux Éditions Coup d'œil

Plume et pinceaux, 2018.

D'un silence à l'autre
1. *Le temps des orages*, 2015.
2. *La lumière des mots*, 2015.
3. *Les promesses de l'aube*, 2015.

De la même auteure, chez d'autres éditeurs

Clé de cœur, Éditions JCL, 2000.
Mon grand, Éditions JCL, récit, 2003.
Les Lendemains de novembre, Éditions JCL, 2004.
Jardins interdits, Éditions JCL, 2005.
Contes de Noël pour les petits et les grands, Éditions Québec Amérique, album, 2012.
Le Passé recomposé, Tome 1, Éditions Québec Amérique, 2016.
Le Passé simplifié, Tome 2, Éditions Québec Amérique, 2016.
Un temps nouveau, Éditions Québec Amérique, 2017.

Au bout de l'exil
1. *La Grande Illusion*, Éditions Québec Amérique, 2009.
   (réédition en poche, 2016)
2. *Les Méandres du destin*, Éditions Québec Amérique, 2010.
   (réédition en poche, 2016)
3. *L'insoutenable vérité*, Éditions Québec Amérique, 2010.
   (réédition en poche, 2016)

Pour les sans-voix
1. *La Jeunesse en feu*, Éditions Québec Amérique, 2011.
2. *Paysages éclatés*, Éditions Québec Amérique, 2012.
3. *Une place au soleil*, Éditions Québec Amérique, 2013.

Coup sur coup
1. *Coup de foudre*, Éditions Québec Amérique, 2014.
2. *Coup d'envoi*, Éditions Québec Amérique, 2014.
3. *Coup de maître*, Éditions Québec Amérique, 2015.